El bulevar del miedo

Juana Salabert

El bulevar del miedo

Alianza Editorial

El VIII Premio de Novela Fernando Quiñones
está patrocinado por la Fundación Unicaja.

Un jurado formado por Nadia Consolani, Fernando Marías,
Eduardo Mendicutti, Miguel Naveros y Valeria Ciompi
otorgó a *El bulevar del miedo* el VIII Premio de Novela
Fernando Quiñones.

© *Juana Salabert, 2007*
© *Alianza Editorial, S. A., Madrid, 2007*
Calle Juan Ignacio Luca de Tena, 15; 28027 Madrid; teléf. 91 393 88 88
www.alianzaeditorial.es
ISBN: 978-84-206-4807-1
Depósito legal: M. 4.330-2007
Composición: Grupo Anaya
Impreso en Mateu Cromo, S. A.
Printed in Spain

SI QUIERE RECIBIR INFORMACIÓN PERIÓDICA SOBRE LAS NOVEDADES DE
ALIANZA EDITORIAL, ENVÍE UN CORREO ELECTRÓNICO A LA DIRECCIÓN:
alianzaeditorial@anaya.es

Índice

A Luis de la Peña

«Know thou the secret of a spirit / Bow'd from its wild pride into shame» (Conoce el secreto de un espíritu / caído de su orgullo sin freno en la vergüenza).

EDGAR ALLAN POE, «Tamerlane».

«Je suis environné d'ombres / Car il est l'ombre de son ombre / Un nombre parmi les nombres» (Estoy rodeado de sombras / porque él es la sombra de su sombra / un número entre los números).

ROBERT DESNOS, «L'homme qui a perdu son ombre».

«And thus the whirligig of time brings in his revenges» (Y así el carrusel del tiempo trae sus venganzas).

WILLIAM SHAKESPEARE, «Noche de Reyes».

Nota de la autora

El 20 de junio de 1945, la prensa francesa se hizo eco de una noticia española de *sucesos*. Con fecha del 17 de junio, la policía española halló en un campo próximo a la carretera Madrid-Burgos, a unos treinta kilómetros de Madrid, el cadáver carbonizado de un hombre, enseguida identificado como supuesto residente en la capital española bajo documentación falsa. Sus restos fueron apresuradamente adjudicados, a través de una muy cuestionada ficha antropológica, a uno de los más famosos colaboracionistas integrantes del llamado «Service Otto», dedicado a las compraventas ilegales de todo tipo de mercancías y al tráfico de bienes y arte expoliado, durante la Ocupación nazi en París. Sin embargo, el misterio de la identidad y paradero del supuesto Szkolnikov, llamado «Monsieur Michel», nunca ha sido resuelto.

Esta novela, que transcurre respectivamente en dos tiempos, 1943-44 y 1968, en Madrid y París, se inspira sin embargo muy vagamente en otras trayectorias similares. Sus protagonistas y las situaciones que en ella se narran son por completo imaginarios. No se refieren, salvo las lógicas menciones a políticos y personajes históricos del momento, a gentes como el *pétainista* Laval o Brandl, antiguo agente de contraespionaje y rey del mercado negro de altos vuelos auspiciado en el París de la Ocupación por los servicios del Reich hitleriano, más conocido por su alias de «Otto», por citar sólo a un par de ellos, a ninguna persona o episodio concretos. Cualquier parecido con la realidad es así de orden meramente simbólico. El clima de la novela se corresponde no obstante con el de la viciada atmósfera de un tiempo en el que millones morían asesinados o luchando contra la barbarie y tantos, tantísimos otros, se lucraban con su sufrimiento y su martirio a través del crimen, la rapiña y el robo organizados en una pirámide que alcanzaba desde la cúspide más *granada* de la jerarquía nazi hasta la base más ruin de los bajos fondos de los países ocupados. Y de sus regímenes afines, teórica o estratégicamente *neutrales,* como el instaurado en España por el general Franco gracias, en buena medida, a las «generosas» ayudas militares otorgadas desde 1936 por sus correligionarios nazi-fascistas del Eje pardo.

PRIMERA PARTE
OBERTURA

Galería Maleficio

En el otoño de 1943, muy poco después de un triste aniversario pasado a solas (Lola olvidó la fecha de mi cumpleaños y yo no me molesté en recordársela) en un cine donde me quedé dormido a mitad de la película, me dije con fría desesperación que acaso nunca llegaría a salir de España. La *verdadera* vida, esa con la que llevaba fantaseando inútilmente desde la madrugada de aquel otro septiembre de 1940 en que mi madre me mandó de regreso al país que ya no volvió a llamar suyo, se había terminado antes de empezar. Lo comprendí con la celeridad contundente con que se perciben ese tipo de cosas a los diecisiete años; una especie de fogonazo, un sobresalto que por vez primera en mucho tiempo nada le debía al difuso miedo de todos los días y todas las horas. Atravesaba Torrijos, de vuelta del bulevar de Francisco Silvela, y recuerdo que la tarde desbordaba esa engañosa luz úl-

17

tima de los veranos muertos y que al subir a la acera se me soltó un cordón de aquellos zapatos demasiado grandes, heredados de alguien que ya nunca podría volver a calzárselos porque lo habían fusilado junto a otros muchos en la tapia del cementerio del Este a finales del treinta y nueve. Tropecé, me fui de bruces al suelo, rabié para mis adentros y me reconvine enseguida, supersticioso, porque despotricar contra esos zapatos bicolores de rejilla se me figuró igual que insultar a su dueño, aquel vecino de escalera de los Sigüenza a quien no llegué a conocer.

Y fue entonces, al levantarme, sacudiéndome la mano izquierda despellejada —soy zurdo, lo que según mi madre no era ninguna desgracia, sino señal de buena estrella— mientras comprobaba que las rodilleras estaban intactas, cuando sucedió. Ahí estaba yo, en la luna de escaparate de una sombrerería, con la boca abierta, el corazón desbocado y el aturdimiento en los ojos, el pelo demasiado crecido bajo la gorra (si no lo recortaba pronto corría el riesgo de que me agarrasen entre varios y me afeitaran el cráneo a la viva fuerza en plena calle, igual que a los topistas) y vestido como para una función cómica, con aquella chaqueta de coderas lamentables, un suéter de rombos hecho pedazos y los zapatos de baile del difunto Jacinto Orozco. Flaco como un galgo y bastante crecido para mi edad, al decir de todos, pero no lo suficiente para ese calzado de un muerto que midió casi el metro noventa. Frente al rótulo que rezaba en letras de molde «Blasco e Hijos saluda al victorioso Caudillo de España». Debajo del cartel, escrito a mano y pegado en el cristal, que aseguraba «Los rojos no usaban sombrero», encima de las tres filas de hongos y chisteras sobre decapitadas cabezas de maniquíes.

Miré mi reflejo y me repetí, más melodramático y autocompasivo que fatalista, que la promesa de una vida de *verdad* se escabullía de mi lado en ese mismísimo instante. Un vano, pero crucial instante de vértigo que me convenció de que mis días no serían a partir de ahí sino un mediocre habituarse a ese resignado sopor de siesta eterna en que parecían anonadarse entonces las existencias de todos aquellos sin más anhelo que el de pasar desapercibidos. Era tan fácil descubrir la derrota en el rostro, los andares de alguien… ni siquiera había que ser demasiado observador; a los vencidos siempre les traicionaban sus ojos bajos, la inseguridad precavida de sus gestos, la manera algo sonámbula de moverse. Me fulminó la demoledora certeza de que nada de interés ocurriría y de que no volvería a ver a mi madre (había momentos en que la detestaba por haberme obligado a volver a España casi tanto como la echaba de menos, aunque esto último prefiriese no reconocérmelo), ni a mi hermana pequeña, que se había quedado con ella en el París que ya era de los alemanes. No tenía ninguna noticia de ambas desde noviembre de 1942.

Pero, por supuesto, estaba equivocado, aunque en ciertos aspectos sí que lograse anticipar el futuro, porque no conseguí regresar a Francia hasta bien mediado el año 48. No he vuelto, tampoco, a ver a mi madre, que continúa viviendo, por lo que he averiguado con cautelosa discreción, en la rue des Pyrénées y ni siquiera sospecha la existencia de Étienne Morsay. Ni a mi hermana Blanca, a la que no reconocería —ni ella a mí— en el dudoso e hipotético caso de que nos cruzásemos por azar en una tienda, la cola de un teatro, un vestíbulo de estación. No conozco nada de ella; ¿sé acaso si ama la pintura como la amó su padre, si le busca en el trazo, las pinceladas de otros, si le conmueven las esculturas y los hallazgos felices de almoneda, si le fascinan desenterradas fíbulas y rotas vasijas, si le interesan los tapices, la orfebrería o el moblaje de época con curiosidad lejana de aficionada o insatisfecha pasión de coleccionista pobre, del mismo tipo furtivo de los que merodean, acobardados y ávidos, por los alrededores de galerías y casas de subastas?

Estaba equivocado, porque iban a pasarme cosas, demasiadas cosas. Cosas y hechos que variaron para siempre el rumbo de mi vida y empujaron a otros por despeñaderos fatales. Me pregunto algunas veces si el pobre marqués de Salinas habrá sobrevivido a la inquina del tiempo desgraciado que nos cupo en pésima suerte dentro del maldito reparto del momento. A mi modo, también yo estaba perdido, casi tanto como él. Perdido en la media luz del bulevar del miedo que entonces cruzaba Europa de norte a sur y de este a oeste. La diferencia estriba en que él eligió y yo simulé que el imprevisto destino de «favor» que de pronto me salió al paso, disfrazado de tentadora «oportunidad», me elegía a mí. Yo mismo desencadené y provoqué aquellos hechos que vislumbro en la difusa claridad de ahora, mientras escribo, encorvado sobre el taco de cuartillas, en la tensa algarabía de esta noche parisiense de un mayo desmedido de cánticos, gritos y consignas cercanos, ulular de sirenas policiales y barricadas con neumáticos ardiendo en cruces y esquinas.

Las alargadas sombras del ayer avanzan, rumorosas e invasoras, como una marea alta sobre las ruinas continentales del antiguo bulevar del miedo que emerge, fantasmal, de sus escombros...

De ese ayer, oscuro territorio vedado, donde yace sin sepultura un muy joven Federico Fernet cuyo rastro se perdió en el vertiginoso laberinto de la renuncia, en el anonimato de los despojados voluntarios de toda historia y todo porvenir. ¿No es acaso diferente la medida del tiempo para aquellos que eligieron perderse? ¿Para los hijos del silencio, las criaturas de la oscuridad, los seres del incógnito, los vástagos de la traición?

Lo intuí días atrás, después de recibir la pedrada, cuando cometí la imprudencia de abandonar por unas horas el piso al que Frieda no ha podido llegar ni en tren ni en avión, ni al volante de su coche (¿dónde podría repostar gasolina, si las huelgas se extienden como la pólvora por toda Francia?), desde la casa de Sintra. Es curioso que nunca se me haya ocurrido pensar en esa villa medio escondida en lo alto de un desfiladero boscoso en términos de «nuestra casa»... curioso, pero sin interés. Lo cierto es que no pienso casi nunca en Frieda, ni la echo en falta, aunque no me aburra su compañía cuando nos reunimos y decidimos pasar juntos algunos meses al año. Si de pronto me he acordado de ella, de su ausencia en este piso que no ha terminado nunca de gustarle ya que aún le teme a París, es porque Frieda es la única persona en el mundo que aún me llama a veces Federico, Fede. Lo hace, siempre en voz muy baja y susurrante, esa ronca e irrepetible voz suya que yo reconocería sin dudarlo entre otras miles, cuando me cree dormido. No por amor, desde luego —el amor, o incluso el simple afecto, y Frieda son antónimos—, ni tampoco por malicia o venganza. Si acaso por invocar la ida época en que ninguna arruga rodeaba la comisura de sus labios, no se cernían bolsas bajo su hipnotizante mirada de falsa calidez y no se le había aflojado la piel del mentón. Esta mujer indestructible siente un ingobernable pavor por la vejez, o para ser más preciso, por «su» vejez. Lo supe muy pronto, desde nuestro cuarto o quinto encuentro, antes de enredarme

22

definitivamente con ella, que me colocó, astuta, de mandadero e intérprete «personal» del escurridizo «Monsieur Maurice». Y saberlo me alivió.

Toco la hinchazón de la sien y el inmediato alfilerazo de dolor me devuelve a la trampa de la calle por la que corrí zigzagueante la tarde del diez, huyendo de la embestida y los gases lacrimógenos de los CRS, hasta que el impacto de una piedra lanzada desde la otra esquina me derribó sobre la calzada como un fardo. Tengo la vaga idea de haber sido arrastrado por manos sudorosas hacia el interior de un portal donde vomité a los pies de alguien, que enseguida se agachó para restañarme la sangre de la cabeza y mal vendármela con un pañuelo sucio. Había allí una chica también, una chica que hablaba y hablaba, aunque sólo llegué a captar una de sus frases entremedias del fragor de batalla campal y del griterío de consignas que iban y venían como el rumor de un oleaje, «¡CRS, SS!». Qué sabrán éstos de los SS… «Le quedará cicatriz, Marcel», aseguró ella, y únicamente comprendí que se había referido a mí al despertarme, no sé cuánto tiempo después, en urgencias del Observatoire con diagnóstico de conmoción leve. «Le quedará cicatriz», repitió a su vez el médico, mirándome con curiosidad por encima de unas lentes de concha. «Nada grave ni muy espectacular, no se inquiete». Y enseguida, y mientras me palmeaba un hombro, «¿venía de Sorbona? No tiene pinta de manifestante, ni de escritor o de algo por el estilo…». Gruñí malhumorado que me dolía la cabeza y no insistió. Mandó a una enfermera con una píldora para dormir y al cabo de muchas horas de sueño, poco antes de que me dieran el alta y volviese a casa dando los mil y un rodeos, desperté con el nombre de Federico Fernet en los labios que respondieron sin vacilar cuando llamaron por altavoz a Étienne Morsay para que firmase su parte de salida y recogiera los calmantes prescritos.

No soy proclive a las epifanías, ni me interesa lo más mínimo apelar a espectros. Jamás me formulo reproches, el psicoanálisis no entra ni por asomo en mis planes de rentista y sereno súbdito belga afincado en la isla de la Cité, y el arrepentimiento o la autoexculpación son nociones que no cuentan con mi estima. Puede que de todas las influencias que Frieda ejerció antaño sobre mí, ésta haya terminado por resultar la más profunda y duradera. No tengo añoranza alguna de un pasado del que deserté y que ya no me pertenece, como tampoco le pertenezco yo a él. Aun si no fuera, como sí lo es, peligroso remover las aguas que encubren los viejos secretos y tramas de antaño, no soy de esa clase de seres obsesionados con desmenuzar cada uno de sus actos a la búsqueda inútil de un sentido cualquiera.

Y sin embargo, llevo desde que salí de urgencias repitiéndome la letanía de un nombre proscrito. Viendo al fantasma de Federico Fernet igual que si lo tuviera

24

delante de los ojos, a espaldas del ventanal, sentado frente a mí en la butaca donde suele instalarse Frieda a contraluz, con su aire desorientado de muchacho crecido a destiempo y la apenas insinuada sonrisa del que aún elucubra cuerpos de mujer durante la exaltada y penosa vigilia de sus noches en blanco. Va mal vestido, tiene las yemas de los dedos manchadas de carboncillo y trementina, es el Federico previo a su encuentro con Frieda. No me conmueve su actitud de recogimiento, porque conozco su íntima cobardía, su disimulado rencor y ese egoísmo al que prefería tildar para sí de ambición. O los conocí.

Me sirvo whisky, rebajado con un chorrito de agua y un par de hielos, y pienso que si esa sombra espectral llegada del ayer se levantara y anduviese tres pasos a la izquierda podría girar la llave, empujar la puerta de la habitación redonda y penetrar en mi galería secreta.

Entonces la vería. A ella, la *Venus de la esfinge*. Lo deslumbraría, supongo, exactamente igual que la primera vez...

Multiplicada por el panel de espejos, la diosa triunfante y cruel reina allí sin discusión sobre los demás óleos y temples de la rapiña, sobre el ajedrez constantino de ónice y jade negro, tan mencionado por los expertos de posguerra en sus quejumbrosos catálogos de robo y extravío, sobre la preciada esfera renacentista de los navegantes con su océano de monstruos y sus simas del fin del mundo. Junto a la

Venus, todo el resto palidece, anulado por la solar luz de incendio del pelo, por la cortante blancura del cuerpo. La mano izquierda —me complace tanto sospecharla zurda— yace sobre el lomo de la esfinge sin reposarse, porque nada en la finura de esos dedos estranguladores sugiere intenciones de caricia o abandono. Hay en esa mano, al igual que en la de su compañera de índice alzado al cielo sobrevolado por cupidos torvos, una extraña tensión, la misma que se desprende de la imperiosa postura de unos pies que desdeñan la presencia del cadáver del caballero sin rostro, caído de bruces al fondo del lienzo.

Y yo siento ahora, como siempre que evoco el poder temible de esas manos, que tiemblan las mías y me invade un desagradable sudor frío. La pluma resbala de entre mis dedos que escriben, tachan y vuelven a escribir, a una velocidad de angustia... y me obligo a retomarla y a proseguir la tarea, como un reo en capilla inclinado sobre sus últimas frases. Me fuerzo por no ceder a la tentación de entrar de nuevo en la galería de la diosa de todas las perdiciones, para abismarme durante horas, o días enteros con sus noches, en su mirada de muerte.

Los ojos de hielo de la esfinge son una réplica exacta y hermana de los suyos.

Muchos hombres han muerto, al igual que el pintado caballero sin rostro, por esa mirada fatal. Y otros muchos han asesinado por ella.

Yo soy uno de ellos.

Sólo Frieda y nuestro protector lo saben. Pero ellos no pueden traicionarme sin servirle a la par sus cabezas en una bandeja a quienes de cuando en cuando quizás aún sueñen despiertos, desde lo más profundo de sus tapaderas y escondrijos, con hallarnos desprevenidos a uno cualquiera de los tres para ejercer su necia venganza de sangre. «Ellos» valoran lealtades y sumisiones. Y a fin de cuentas, a ningún ladrón le gusta ser robado a su vez.

De todos modos, Frieda-Marie Müller, a quien los desnudos renacentistas le interesan tanto como a un monje del monte Athos las canciones de Janis Joplin, evita entrar en la habitación redonda («tu personal cámara de los delitos» la llama, con sorna que no esconde un vago temor) las escasas ocasiones en que acepta, forzada por las circunstancias de capricho que a veces le impongo testarudo, desplazarse hasta París. «De todos los rincones del globo, tenías que elegir justamente el más peligroso y evidente para instalarte», me reprochó irritada al principio, cuando le dije que había comprado este piso por intermedio de la firma de una congoleña sociedad cauchera de paja. Le respondí que el mundo es muy pequeño, una imagen a escala de la habitación donde Poe situó una carta robada a la ciega vista de cuantos la buscaban sin éxito, por qué no iba a suceder conmigo, anodino y pudiente súbdito belga, lo que con esa inencontrable carta de cuento detectivesco. Por otra parte, tampoco Sintra es el Amazonas, un arrecife pacífico de guano sin cartografiar o una isla en el culo del Índico. «Sólo a ti se te podía ocurrir inspirarte en un maldito borracho americano», refunfuñó, y yo me eché a reír, porque a esas alturas ya había aprendido a menospreciar su, en el fondo muy pequeñoburguesa, cautela de contable. Frieda carece casi tanto de imaginación como de escrúpulos. «¿Qué diablos te proporciona esa jodida Venus blanca, más allá del hecho de que por lo visto vale más que siete submarinos?», me inquirió una vez. Tal vez por eso su manipuladora inteligencia —y no sólo su belleza— les haya resultado tan devoradoramente fascinante a algunos, Federico Fernet incluido.

Nadie excepto yo entra ahí. La asistenta, una sigilosa mujer de Cabo Verde que estuvo viniendo a diario, hasta que el formidable estallido de esta ciudad, tomada por ilusos veinteañeros con pancartas llamando al derribo del mundo de sus «viejos», le dejó sin transporte, no mostró ningún interés al prohibirle yo que limpiase siquiera la maciza puerta blindada. Nunca mira a los ojos, es analfabeta y sospecho que su francés es nulo. Con ella como octava esposa de la serie, Barbazul jamás se habría topado, al regreso de su viaje misterioso, con la indeleble mancha de sangre sobre la llave celadora de sus antiguos crímenes.

De la isla me llega de nuevo un rumor festivo, escucho las notas de una armónica curiosamente próxima, enseguida silenciada por voces desafinadas que entonan a pleno pulmón la Internacional. Hay momentos en que siento, a pesar de la pedrada del otro día, una especie de simpatía por estos jovencísimos alborotadores a quienes la resaca de la derrota devolverá, más pronto que tarde, por mucho que ahora se empecinen en creer en la inminencia de su victoria, al redil de los exámenes y oposiciones por venir, los matrimonios estancos y el tedio de los empleos futuros. Pero puede que sólo se trate de añoranza por lo que no ocurrió y ya no se vivirá nunca, puede que sólo sea tristeza por otro chico que nada tiene que ver con ellos, porque nació en otra década y otro lugar, aunque también abominara del mucho peor eslabonamiento de sus días.

«A estos mocosos gilipollas, con perdón de los señores, los metía yo de cabeza en una buena guerra», sentenció el pasado lunes la portera al toparse conmigo y una vecina frente a los buzones vacíos. «Los tenía cavando zanjas de trinchera hasta verlos caer reventados», añadió agria, y por unos instantes la imaginé más joven, allá por mayo de 1944, con bigudíes y redecilla, la escoba entre los dedos y una foto del mariscal Pétain enmarcada en su garita. Tenía el rencor de quienes aplaudieron a Vichy (e incluso colaboraron, tibios, medrosos, sin verdadera pasión, con el ocupante), y no fueron lo bastante astutos para sacar tajada y huir con ella después, o mudar de piel a tiempo, pensé mientras escuchaba divagar a mi vecina. Que eran buenos chicos, «no se ponga usted así, querida Marceline, no diga esas cosas, la culpa la tienen esos comunistas que los manejan y engañan desde las sombras», arrullaba persuasiva, ladeando la melena perfecta bajo el foulard de firma; recordé que algunas tardes me había cruzado con ella y un par de hoscos adolescentes, sus hijos sin duda, en el portal. De modo que «querida Marceline», vaya, vaya, qué sabia desenvoltura en el trato con los subalternos, qué feliz modo de nadar y guardar la ropa, y exculpar de paso a los pequeños herederos desmandados en su anticipada fiesta de fin de curso, tampoco es para tanto señora Marceline, sólo una especie de tardío carnaval, una simple algarada juvenil… era tan divertido que me dieron ganas de insinuarme y abordar allí mismo a esa figura conjuntada de Chanel que, si me advertía mirándola de hito en hito, balanceaba incitante, y con falsa y estudiada inocencia, el estilete de uno de sus zapatos sobre la punta del otro. Igual que Frieda antaño. Pero hacía ya mucho tiempo que esos trucos habían dejado de impresionarme.

Si Federico Fernet hubiera pertenecido a esta época, quizás estuviera ahora parapetado detrás de alguna barricada, codo a codo con los hijos de esta mujer, pensé mientras me preguntaba cómo resultaría ella en la cama y me desinteresaba al segundo. ¿No se llamaba él acaso Federico porque la entusiasta de su madre le impuso ese nombre en honor a su admirado Friedrich Engels?

Claro que entonces no sería Federico Fernet. No se habría soñado a sí mismo como al inmóvil personaje secundario, retocado por aprendices, de uno de esos cuadros de gran formato antaño facturados por los talleres de los maestros del gremio. No habría conocido a Frieda, no habría contemplado a la *Venus de la esfinge,* no se habría escabullido entre bastidores para cederle a otro, a mí, el paso, y su lugar en el mundo.

Es inútil aconsejar a los vivos, ninguna experiencia ajena le vale de nada a nadie, qué sentido tiene, entonces, fabular delirios, imaginar por un instante de suprema necedad que se avisa a un fantasma... Que se le alerta sobre caminos sin vuelta y compraventa de destinos. Ejercer de augur a posteriori es tan patético como lamentarse en público por una mala inversión.

Y yo ni siquiera puedo argüir que sería mejor no haber visto nunca a la Venus.

Mucho me temo que, de ser factible tamaño contrasentido, no malgastaría ni un segundo de mi tiempo de ahora en variar lo hecho. Pero no, debo tachar esta mentira retórica, este vano «me temo» que no se corresponde con lo que siento... Si es que siento algo, con excepción del cansancio, porque llevo sin dormir, más allá de unas pocas y sueltas cabezadas, desde esa primera noche tras mi regreso del Observatoire en que desperté tembloroso del recurrente sueño maléfico en el que yo agonizaba, la boca llena de tierra, a la izquierda de la esfinge…

Fue entonces cuando, después de una larga ducha caliente que no me desentumeció, tuve el impulso de sentarme ante este escritorio, de espaldas a la galería redonda. Abrí el cajón, saqué un mazo de cuartillas y escribí tontamente en mayúsculas sobre la primera hoja del taco: HISTORIA DE FEDERICO FERNET.

Y luego no hice más, me limité a quedarme aquí sentado, hasta que amaneció sobre los muelles de la ciudad sublevada. Por vez primera en todo este tiempo, me los figuré, a Bonny, a Pierrot, a Finet, a De Lavigne, al mismísimo Brandler, saliendo entre bostezos de su sede en la calle Lauriston[1] en otra madrugada de primavera bien distinta a ésta. Bien vestidos, mejor calzados, en una época en que la gente se las mal arregla con suelas de conglomerado y corcho, ahítos de cognac y bombones, revigorizados por los cafés auténticos, nada de *ersatz*[2] para los príncipes de la noche, los señores de las catacumbas de París, en ese

---

[1] Lauriston: en dicha calle parisiense estaba una de las más terribles sedes de interrogatorio de la Gestapo francesa.

[2] «Sucedáneo», palabra de uso cotidiano durante la Ocupación alemana de Francia.

mayo del 44 en que sólo los muy acérrimos, los fieles de primera hora, dudan de la victoria aliada y cifran su enajenada esperanza en las temibles «armas secretas» que el Reich atesora, a la espera de su uso en el momento «oportuno»… Ronronean los motores de los dos o tres Once ligeros sobre la calzada, casi puedo oír la voz de Pierrot proponiéndole, obsequiosa, un último *petit tour* por el «One Two Two»[3] a un Brandler que mira impávido la calle desierta por el retrovisor, mientras apura su sexagésimo cigarrillo en la boquilla de marfil… Cuando Federico Fernet lo divise de refilón en Madrid, en la Gran Vía y a las puertas del Banco Atlántico unos pocos meses después, sentirá un extraño pavor bajo el peso de esa mirada sin pestañas. Una translúcida y vacía mirada de saurio.

Pero por esos días de una primavera de lluvias continuas y furiosas tormentas vespertinas, Federico aún no se ha cruzado en su camino con ninguno de los de su especie. Todavía no ha regresado al París donde su hermana, acogida por una pareja sin hijos desde el encierro de su madre en la prisión de Fresnes, ya se ha olvidado por completo de las pocas palabras españolas aprendidas en su regazo.

Por esas fechas, Federico Fernet es un simple chico repatriado tras la caída de París y acogido en Ma-

---

[3] Prostíbulo famoso en el París de la Ocupación, frecuentado por gerifaltes nazis, colaboracionistas y especuladores.

drid por unos parientes, que a la salida de la academia se pasa por la trastienda del viejo estudio de restauración reconvertido en modesto negocio de marcos y útiles de pintura; un chico reservado que apunta allí en un cuaderno de cartoné los pedidos de los escasos clientes de la tienda montada, durante la ausencia forzosa de José Sigüenza, por una Lola Beltrán que observa admirada la buena ejecución de sus temples y bocetos y le vaticina posibilidades como «copista». «Algunos conocidos de José, de los que no se significaron durante la guerra o se apuntaron después enseguida a la camisa azul, viven de miedo gracias a eso, se especializan en dos o tres maestros, en dos o tres motivos, y muchos jerarcas se los quitan de las manos», dice. Y él la escucha en silencio, sin molestarse en contradecirla, o en replicar que no tiene la más mínima intención de volverse un copista de los de sitio fijo en el Prado y clientela de nuevos ricos locos por las vírgenes y angelotes de Murillo. Su mente acude incesante al embrujo de un nombre que refulge allí con intensidad de amuleto. Esa palabra talismán es París.

Un París que en nada se asemeja, y que nada le debe, por otra parte, a las mal recordadas historias y anécdotas que conserva de su padre, quien pasó en Montparnasse buena parte de su juventud de pintor sin suerte, desaparecido, y finalmente dado por muerto en el frente del Ebro, sin haber llegado a saber de la existencia de esa hija póstuma concebida en el último permiso. Tampoco su ciudad anhelada se corresponde con la de su madre, ni con la de monsieur Kozirákis, que se hizo cargo de la joven viuda exiliada con sus dos niños tras la caída de Cataluña, los sacó del infierno de Le Boulou[4] y les consiguió alojamiento y ganapanes por intermedio de sus muchos amigos y conocidos. Ni siquiera se ajusta a la de la imagen del día en que pisó sus calles por primera vez al abandonar los andenes de la estación de Austerlitz hacia su rumorosa luz de lluvia.

Él sueña París como un infinito lienzo a la intemperie... Un lienzo en el que todo es posible. Hasta el futuro.

Pero yo no lo sueño a él, lo recuerdo como a alguien que ya empezaba en su fuero interno a ser lo que sería, hasta perderse dentro de la niebla, fuera del cuadro; y me veo obligado a darle de nuevo la razón a la buena de Lola Beltrán, ¿qué habrá sido de ella?... Federico Fernet habría sido un excelente copista y nada más, porque esa habilidad suya, que durante un tiempo él quiso creer talento, era la propia de los meros imitadores, la de un simple comparsa. Carecía del don que muy pocos afortunados, o en verdad desesperados, tienen de mirar algo —un objeto, un ser

---

[4] Uno de los campos de concentración franceses donde fueron internados los refugiados republicanos españoles tras el éxodo de 1939.

cualquiera— y divisar a su través la génesis de un mundo. El talento, pese a lo que cree la mayoría de unos expertos que apenas si suelen pasar de peritos mediocres o de aburridos compiladores enciclopédicos de datos, movimientos y estilos, no es de ningún modo esquivo. Ni complejo. Pero es tiránico. Nunca regala nada, ni se da por satisfecho. Y a veces, pero sólo a veces, le inspira miedo a sus elegidos.

Las pocas ocasiones en que se me ocurre abrir la caja fuerte de mi dormitorio, y desenrollar los dos lienzos allí guardados de Ventura Fernet que encontré, por un azar que no me atrevo a calificar de magnético, en una abarrotada tienducha próxima al pasaje du Caire, pienso en ese miedo. Me parece detectarlo fugaz en esos dos cuadros que no verán la luz, porque aquí no los colgaré jamás, y me pregunto entonces si el hombre que los pintó decidió alistarse voluntario en el ejército de la acosada República española para huir del miedo a su propio talento. Y enseguida desecho tal idea, acaso porque prefiero pensar, y no exclusivamente por celos o rencor, que el hoy olvidado artista de la Escuela de París, cuya obra ardió casi por completo en su estudio pulverizado durante uno de los bombardeos de Madrid (apenas quedan cuadros suyos en un par de museos, en alguna que otra colección privada), no llegó a saber nunca de la verdadera magnitud de su talento... A fin de cuentas, Ventura Fernet fue un hombre que pintaba como vivía: sin pretensiones y sin darle mayor importancia a las cosas. Era de talante más alegre que modesto. De habérsele ocurrido la tan mentada por los pedantes disyuntiva entre arte y vida, habría elegido la segunda sin dudarlo ni por asomo... Y sin embargo, qué fuerza extraordinaria hay en esos dos cuadros, la surreal acuarela de las nadadoras y el óleo cubista de la muchacha de las cítaras... Qué frenesí en el trazo... y qué asombroso poder en la pureza de las líneas, en el estallido radiante del color.

Me quedo mudo mirándolos... mudo y vacío, como después del sexo apresurado con una mujer de paso, conocida en un bar costero o en el vestíbulo de uno de esos hotelitos bretones a los que suelo escapar durante unos días al principio del invierno. Atenazado por una especie de admirativo y frío odio sin objeto, que no acalla del todo un rescoldo de amor y una profunda tristeza por la infranqueable distancia, la fallida transmisión.

Fantaseo, luego de devolverlos a su hermética oscuridad, con que alguna vez se los enviaré anónimamente a «ellas»... A su viuda y a su hija, que no guarda del hermano perdido nada, salvo el pálido rostro de un niño con sus mismos genes detenido para siempre en alguna fotografía borrosa. Tal vez Alicia Zaldívar, la madre, haya colocado ese retrato junto a aquel otro de grupo, con fecha de junio de 1922 apuntada en el dorso, en el que el futuro capitán

Ventura Fernet ríe a carcajadas, al lado de Juan Gris, Georgette y los Delaunay, en la terraza de La Coupole. Aunque también es posible que las fotos de Federico no se exhiban a la vista de nadie, es muy posible que se amontonen apiladas dentro de una caja de latón, entre viejos botones, bobinas de hilo, boletines escolares de notas y las libretas de dibujo de sus primeros años. Un girasol, un manzano cargado de frutos rojiverdes, una casa en la cima de un cerro, un brujo de sombrero puntiagudo y cayado más alto que él, una locomotora echándole una carrera a un velero, el recodo arenoso de un río bajo la sombra de tres álamos, una figura de pelo amarillo y vestido azul, y bajo los palotes de las piernas las grandes mayúsculas titubeantes, MAMÁ. Hay muchos, muchísimos más, coloreados en cuadernos de renglones y en folios sueltos, en sobres usados, en el reverso de facturas y notas de la compra: los veo tan claramente como si los tuviera delante. Igual que veo al niño que los traza concienzudo encima de una alfombra roja de lana. Un niño muy pequeño con la boca llena de lápices y un flequillo oscuro, de rodillas en el centro de una sala alumbrada por un penúltimo sol de tarde…

Claro que también entra dentro de lo probable que Alicia Zaldívar haya tirado esos dibujos. Que prefiera no pensar nunca en el hijo desvanecido, porque muy dentro de sí albergue la insoportable certidumbre de que la historia de su misteriosa pérdida es la de una felonía y una traición.

No podría desmentirla, desde luego. Tampoco lo pretendo. No es ésta la causa de que me haya lanzado a escribir este entramado ya lejano de enredos, mentiras y codicia. En realidad, ni siquiera intuyo qué o cuáles son las razones que me mantienen desvelado noches enteras, clavado a esta butaca frente al escritorio, de espaldas a la cámara donde reina la invicta Venus de labios crueles que no se molestó en girarse hacia mi agonía, allá en el sueño.

No sé por qué escribo todo esto, ni si se halla en relación con los dos cuadros del malogrado Ventura Fernet que fueron a parar, quién sabe cómo y desde qué manos y qué lugar, a ese minúsculo local abarrotado de rotos relojes de péndulo, mecedoras carcomidas y canapés segundo imperio con la borra y los muelles al aire, al que entré una tarde del pasado noviembre, porque aún perdura en mí la fascinación que Konstantinós Kozirákis sabía inspirar como nadie en el mundo por esas cuevas de los tesoros a ras de calle.

La dueña, una anciana estrafalaria, tocada con un bonete azul de astracán que parecía flotar en medio de aquel mar de objetos heterogéneos rescatados de los mil y un naufragios, me calibró sagaz con una única mirada de través, y durante unos segundos me sentí débil, expuesto. Era igual que si de un vistazo ella hubiera discernido todas mis imposturas, como si me transmitiera un displicente: «Sé el género que hay detrás de la fachada de tu ropa a medida, de tus zapatos italianos, y no me interesa». Pero en realidad no pronunció una sola palabra. Me dio enseguida la espalda, dejándome hurgar a mi aire entre el montón de grabados y láminas botánicas del siglo XIX sin mucho interés que se apilaban sobre el polvo de una otomana.

Los dos cuadros no estaban allí, sino debajo de un sucio y apolillado traje de novia. Divisé la esquina de algo que a todas luces era un lienzo enrollado medio oculto entre metros y metros de encaje espumoso, lo así y, antes de que pudiese descubrir a la muchacha de las cítaras y leer esa firma, precisamente ésa, cayó a mis pies el marco, con el cristal rajado, de una acuarela.

Una acuarela perteneciente a una serie de cinco… La serie de las nadadoras, dije en voz alta, muy despacio.

Y lo dije en español.

En el español que no hablaba desde que enterré dentro de mí a Federico Fernet.

Me temblaban las manos que trataban de juntar los pedazos rotos del cristal, las manos que iban y venían desde las ondulantes nadadoras, trenzadas en su baile subacuático alrededor de aquella suerte de cúpula invertida, hasta ese otro lienzo que no terminaba de desplegarse…

Y la voz tanto tiempo silenciada en mi interior se alzaba de nuevo, joven y fresca, en respuesta a la del niño que le rogaba a su madre «cuéntame cómo eran las nadadoras».

—Eran maravillosas, Fede, créeme que no se han inventado todavía palabras capaces de describirlas, eran ligeras como algas o molinillos de aire... Tu padre aún se ríe al recordar mi enfado cuando las vendió, un par de ellas al hermano de esa americana gorda amiga de Picasso, a la que él y Juan Gris llamaban entre sí doña Gertrudis Nerona, porque tenía poses y estampa de emperador romano, y las otras tres al dueño de un *variétés* de Clichy, y a un japonés sordomudo y riquísimo del que se contaba que había sido un amigo muy especial de la Mata-Hari. Decía que ya no necesitaba nadadoras, para qué si yo ya estaba sin tapujos a su lado, y que la Costa Azul me iba a sentar muy bien, porque todo ese invierno estuve muy enferma con pleuresía, ya lo sabes, te lo he contado mil veces. Fueron las nadadoras las que pagaron nuestro viaje a Italia y a Grecia, una luna de miel tardía, y es verdad que pasamos tres meses de locura, viajando sin parar y visitando centenares de salas de museo y muchas, muchísimas ciudades muy hermosas, pero yo nunca me consolaré de haberlas perdido. Siempre le digo a papá que debió conservar al menos una para nosotros, pero él se ríe, y me contesta que es mejor que las obras de uno rueden por el mundo, dando tumbos de hijos pródigos, y es que tu papá es incapaz de quedarse con nada, regalaría hasta su sombra si pudiera. Todo esto fue mucho antes de nacer tú, antes de que nos volviéramos a España porque tu abuela Emilia se estaba muriendo, y a tu padre, que era el único hijo que le quedó vivo después de que a los otros dos se los llevara la gripe del 19, ella lo quería con delirio, aunque a mí no me pudiese ver ni en la pintura de su benjamín. Siempre me acusó de mangonearlo, de meterlo en líos y de yo qué sé qué más, decía que era una señoritinga inmoral, una perdida, marquesita del pan pringado murmuraba por lo bajo al verme, y lo único que pasaba es que me tenía unos celos de muerte, algunas mujeres se ponen así con sus hijos, igual que las leonas con sus crías. Ya, ya vuelvo a las nadadoras, no seas impaciente. ¿Cómo que por qué no las vuelve a pintar papá? Pues… no sé, por supersticioso, que significa tenerle miedo a que algunas de las cosas que haces, o que te hacen, te den mala suerte, o porque piensa que realmente no se puede nunca volver atrás, ni en los cuadros ni en la vida, pero mejor se lo preguntas tú mismo, ¿no te parece? Sí, sí, las nadadoras… Pues verás, estaban como dentro del sueño de un mar al revés, una especie de mar volcado, y nadaban formando un corro… Pero no nadaban encima del agua, sino dentro de ella, y parecían fosforecer, había un brillo en sus cuerpos que Leo, el hermano de doña Gertrudis Nerona, dijo que era el del movimiento de la danza. Ese Leo decía cosas muy hermosas… Bailarinas cósmicas, las llamó él. Así dijo que eran, bailarinas del mundo más que nadadoras, bailarinas que danzaban al son del mundo en el agua de la vida.

Tantos años después, y en medio de aquel maremágnum, yo miraba esa misma agua encantada y era como si fluyera dentro de una corriente olvidada, como si nadara hacia el mundo secreto anterior a mi nacimiento, hacia el rotatorio corazón de ese corro de muchachas de una sinuosidad de lumbre de los deseos. Hacia esas muchachas que no parecían muchachas, sino vertiginosas llamaradas ultramarinas…

Y creía sentirlas deslizarse bajo las yemas de mis dedos, ondear por entre los rotos fragmentos de vidrio. No advertí que mis ojos estaban mojados hasta que la voz de la anciana a mis espaldas me arrebató al ensueño.

—¿Encontró lo que buscaba?

Por un instante, sospeché que preguntaba si «ellas» habían encontrado lo que buscaban, y temí que se negase a venderme los cuadros y haber perdido el juicio. Me volví despacio e inquirí a mi vez, abrupto:

—¿De dónde los sacó?

Al mirarla desde tan cerca, descubrí que no era exactamente una anciana, pese a la ajada decrepitud del rostro y a su andar encorvado de duende. Tenía ojos inmensos de un azul asombroso y un lunar en el pómulo izquierdo.

—¿A quién se los compró? —exigí como un imbécil.

Pero ella sacudió una mano diminuta, cargada de anillos ennegrecidos y sin valor, y replicó que no lo sabía, nunca redactaba inventarios, ni pedía certificados.

—Las cosas aquí vienen y van, y al revés de lo que sucede con la gente, a nadie suele importarle su origen o su paradero —repuso.

—Comprendo —farfullé.

Mentía, por supuesto. Qué iba a entender, excepto el hecho de que dos décadas atrás yo habría dado media vida por pintar así. Leía las grandes letras de esa firma de trazo aniñado, y trataba de adjudicárselas a la imagen imprecisa del hombrón vestido de uniforme que soltaba un morral sobre el enlosetado rojo de una cocina, al grito alegre de «¡soy yo!». No recordaba la forma exacta de esas manos que asieron pinceles y más tarde fusiles, y aprendieron quizás a cargar cuerpo a cuerpo con bayoneta antes de cruzar el río de su olvido, esas manos que en el parque alzaban hasta sus hombros al niño, frente al Palacio de Cristal y el pequeño lago de los cisnes. Pero no había olvidado su cálida aspereza.

Ahora, la anciana que no era una anciana, la mujer sin edad, estaba a mi lado, envuelta en aquella especie de caftán de bordaduras deshilachadas que exhalaba un picante y especiado olor a polvo, tabaco

44

negro y licores dulces. Observaba el lienzo y la acuarela, sobre todo la acuarela, con una mueca de sorpresa dibujándosele en los labios mal pintados. Las palabras salieron de mi boca a borbotones.

—¿Qué cree que representan? —y señalé las nadadoras.

—¿Tienen que representar algo? Están vivas, eso se ve. Es como… como una celebración.

—Sí —suspiré—. Tiene razón, es justamente eso.

Entonces se le oscureció la mirada y volvió a su butaca del fondo, junto a un mesón de autopsias y la desportillada estufa rusa de porcelana. Pedí precio, y ella soltó un amasijo de ovillos sobre una agujereada palangana de hierro, y pronunció sin mirarme una cifra dicha a todas luces al azar. Era una cantidad tan ridículamente baja que ni siquiera me molesté en disimular mi desconcierto.

—De todos modos, usted las necesita más que yo —resopló enigmática.

Y se encogió de hombros al rogarle, mientras le alargaba mi tarjeta, que deslizó sin una ojeada dentro de un cuenco, que me avisara en caso de que alguien le llevase más obras similares.

—Dudo que eso ocurra, lo que se busca sólo se encuentra si se deja de buscarlo, y a lo peor entonces ya ni importa, pero si insiste… Dígame, debe de ser bueno ese artista cuando ha sido capaz de emocionar a alguien como usted, ¿no es cierto?

«Tan bueno como para que no le importase serlo», pensé, y aún tardé unos segundos en advertir el desprecio inherente a sus palabras.

Sólo me fijé en el número tatuado en su antebrazo cuando me tendió la bolsa de plástico de un Prisunic, con los dos cuadros en su interior. Y entonces ya no pude devolverle la mirada, aunque sé que ella no dejó de observarme mientras cruzaba el dintel de los pasos perdidos, y abandonaba la tierra de nadie de ese almacén a que fueron a parar, en su errar de menesterosos, tantos objetos lanzados a la tormenta del exilio.

Sé que de algún modo continuaba viéndome cuando sus ojos ya no podían hacerlo, que me contemplaba deambular, ir y venir de una punta a otra de París, subiendo y bajando sin rumbo de estaciones de metro tomadas al azar, con la bolsa de los cuadros en una mano, y en la cabeza el repique cantarín de las campanillas de cobre, que sonaron como las cítaras de la pintada muchacha del lienzo al empujar la puerta de esa tienda, y no de ninguna otra, muchas horas antes. Sé que sabía, más que adivinaba, mi miedo a volver a casa. A la casa de Étienne Morsay. Sé que me vio fatigar la noche a lo largo de una caminata agotadora que duró hasta que amaneció sobre los puestos de Les Halles, donde llevaba años sin poner los pies y devoré, escaldándome la lengua y el paladar, una sopa de cebolla con unos tragos de calvados, codo a codo con juerguistas, tenderos, descargadores y madrugadoras putas de Saint-Denis. «Alguien como usted», dijo ella sin recato, y me la representé pintada por Ventura Fernet, mientras mi vecino de barra me volcaba de un codazo sobre la pernera del pantalón los restos pringosos de una *mouclade*. «Alguien como usted», había dicho ella, y tambíen «usted las necesita más que yo». Volví a repetirme que alguien como yo sólo necesitaba de veras a la *Venus de la esfinge*... y una cama con urgencia, y me libré de los abrazos y las ebrias disculpas del patoso con esmoquin empeñado en pagarme la ronda del desagravio. Seguro que Ventura Fernet se la habría aceptado, esa ronda... era fácil figurárselo en medio de esa turbamulta, empapándose feliz de los colores de ese bodegón viviente, ¿acaso no supo él siempre apurar la gloria del instante?

Toqué el lienzo de la chica de las cítaras y el marco, ya sin cristal, de las nadadoras a través del plástico de la bolsa, y sentí miedo y rencor. Un rencor lindante con la envidia, una envidia difusa que hasta entonces no supe nunca reconocer... Tuve miedo al dictado de esa mezquina voz interior que me instaba, venenosa, a deshacerme de esas obras arrojándolas a cualquier sitio, una alcantarilla, el regazo de una puta o los pies vacilantes de un borracho...

Y fue como si de nuevo sintiera sobre mí el duro peso azul de esa mirada que había conocido el espanto.

«Alguien como usted».

«Usted las necesita más que yo».

Esos ojos de chamarilera profética hurgaban en mi interior, tasaban y sopesaban, y al final se apartaban con desdén.

De algún modo que no acierto a explicarme, esos ojos nunca han dejado de *verme;* siempre están ahí, en mitad del día o de la noche, rondándome vigilantes a cualquier hora, en cualquier circunstancia. Sospecho desde entonces que nada sucede por azar. Ni siquiera el propio azar.

Salí del bullicio de Les Halles, paré un taxi y, de vuelta a casa, guardé las pinturas en la caja de caudales de mi habitación. Después dormí dieciséis horas seguidas. Sin pastillas.

Al día siguiente, marché a Madeira, al hotel de otros tiempos, y cuando el dueño, a quien tardé en reconocer porque entretanto se había quedado calvo y engordado unos veinte kilos, me preguntó por Frieda —la «bella señora», la llamó, obsequioso—, me encogí de hombros y di a entender que llevaba años sin verla. Me gustó hacerlo y el hombre no insistió.

Sufrí la primera de mis pesadillas la noche antes de volver a París.

Pero mentiría si escribiese aquí, por mucho que toda escritura no deje de ser, al igual que la pintura, otra manera de mentir verdades, que regresé «transformado», o que París se me figuró repentinamente diferente. Porque la capital donde Ventura Fernet pintó la serie de las nadadoras, y a la que Alicia Zaldívar huyó, para reunirse definitivamente con él, abandonando en Finis (fue, supongo, uno de los mayores escándalos de su norteña ciudad natal de nombre ominoso y timorata sociedad) al marido notario y al hijo de ambos, continuaba seduciéndome como ningún otro lugar en el mundo. En cierto modo, tiene razón Frieda cuando asegura, despectiva, que más que un enamorado de París, yo soy un enfermo de París. Incurable, además. Una especie de adicto sin remedio, que no soporta pasar más de dos o tres meses lejos de sus calles, porque lo invade la más feroz de las nostalgias.

En realidad, París es siempre igual a sí mismo porque cambia por segundos. No hay hábito, moda o afición que dure demasiado en esta ciudad de los caprichos que encumbra, y precipita enseguida de sus pedestales de ruido y aire, a barrios enteros, figuras y artistas, restaurantes, galerías y comercios, según el veleidoso gusto del momento. Por qué iba entonces a extrañarme descubrir —una quincena después de mi llegada, y tras una ardua lucha interior en la que el miedo fue vencido por algo que no se me ocurriría calificar de curiosidad, encaminé al fin mis pasos hacia el sombrío pasaje— que esa almoneda sin pretensiones ya no existía. La enseña frontal (si aquella tienda de los azares tuvo alguna vez un nombre, un rótulo cualquiera, yo no me había dado cuenta) colgaba desguarnecida y herrumbrosa sobre unas aspas de madera que clausuraban la puerta y las dos ventanas del almacén. Su aspecto era el de no haber sido utilizado en años.

Fue un choque, lo confieso. Advertía por vez primera la desolación lúgubre de las paredes, su revoque agrietado a la luz matutina, porque en mi anterior visita era casi de noche, y el difuso resplandor de las farolas contiguas había rescatado de las sombras únicamente los esbozos parciales de una realidad que ahora se revelaba decrépita. Por detrás de los listones de las aspas se entreveían los vidrios rotos de una ventana. Me acerqué, pero no llegué a atisbar nada del interior, aunque por unos segundos de lo que sin duda fue una alucinación me pareció distinguir, al final de una acre polvareda, un desgarrado velo de novia que flotaba, luminoso, en la oscuridad...

—¿Se interesa por el local?

Me volví, sobresaltado. Mi interlocutor era un tipo con mandilón azul de charcutero y pipa entre los dientes, que me estudiaba con la cachazuda placidez de un campesino de entreguerras. Vi de reojo un surtido escaparate de viandas al otro lado del pasaje, y adecué una vaga sonrisa.

—No, en realidad no. Busco a su dueña, una señora mayor que... bueno, no sé si muy mayor, más bien de edad indefinible... el asunto es que ambos somos más o menos del mismo ramo —improvisé penosamente—, porque yo, en fin, podría llamárseme una especie de anticuario. Le compré un par de cosillas el otoño pasado, quedamos en que seguiríamos en contacto en caso de… en fin, la cuestión es que necesito hablar con ella con cierta urgencia.

El hombre aspiró una larga bocanada y me miró de hito en hito. Su rostro había perdido su anterior expresión de bonhomía y ostentaba de repente una inquietante, incrédula expresión de enfado.

—¿Está de broma?

—Una señora de aspecto muy poco convencional, que se dedica a la chamarilería —insistí, sintiendo que el estómago me daba un vuelco y que me flaqueaban las piernas—, no creo que a nadie pueda pasarle desapercibida, tiene los ojos muy azules, unos ojos muy bellos, y un lunar en el pómulo, y en noviembre yo le compré dos cuadros, aunque no puede decirse que su tienda estuviese especializada en pintura, había más bien otro tipo de género. Ya sabe, relojes, butacas, aguamaniles, lámparas, hasta un viejo mesón de autopsias había, lo recuerdo perfectamente… pero lo que yo le compré fue un óleo… y también una acuarela. De un pintor español apenas conocido que vivió en París —añadí, desesperado, porque el hombre de la pipa se giraba de pronto hacia la esquina de enfrente y me daba la espalda, apartándome de su camino con un ademán de rabia y desprecio.

—¡Oiga! ¡Por favor, no se marche!

Retrocedió, y al distinguir su rostro blanco de furia y el dolor ciego que empozaba sus ojos, también yo di un paso atrás, asustado. Respiraba con dificultad, jadeaba como si hubiera venido corriendo, pero sus palabras, que pronunció con voz queda y ronca, sonaron con una claridad alarmante.

—Escuche. No sé de dónde sale usted, si del pasaje du Caire, del número 83 de Aboukir o del mismísimo infierno. Ya veo que no le interesa el local, pero créame que aunque le interesara, aunque me lo pidiera de rodillas, no sería para usted. ¿Cómo se atreve a mentar a Aurélie, basura?

—Esto es un malentendido, por favor, no entiendo de qué...

—¡El único malentendido es usted! ¡Largo de aquí, si no quiere que le parta la cara!

Se alejó a grandes zancadas sulfuradas hacia su comercio, pero aún lo oí gritar, más para sí que para mi intención, porque ya no estaba mirándome:

—¡Pregúntele a su amigo, al cabrón del tapicero Drummont, qué fue de Aurélie! ¡Y dígale que esa cuenta sólo la pagará con su muerte, y que yo no olvido!

Me fui de allí aturdido, lleno de miedo y de malestar...

Recuerdo que me encerré en casa frente a la Venus y a la esfinge inmutable, y que me emborraché a conciencia durante varios días, de los que emergí enfermo, yo que detesto los excesos y no puedo sufrir a los alcohólicos desde que presenciara en Madrid, hace ya más de veinte años, en el piso que Frieda tenía alquilado en el Paseo del Prado, las sórdidas vomitonas de Ganz. Villegas se afanaba, servil, en limpiarlas de inmediato, con el aire de eficiencia de un enfermero y la astucia del que reprime tras la máscara de mansedumbre una feraz naturaleza de inversionista en chantajes.

Deseaba y no deseaba saber qué subyacía debajo de esa locura, deseaba y no deseaba sacar de su escondite las obras de Ventura Fernet, anhelaba un sueño de narcóticos, y al tiempo me empecinaba en permanecer despierto, como si aguardase algo...

Como si me esperase a mí mismo, pero eso tardé aún bastante tiempo en descubrirlo, en entenderlo, porque no en vano toda la andadura de mi vida de adulto no ha consistido en otra cosa que en un ejercicio continuado de borrar las huellas. La mía es una trayectoria del despiste. Por eso puedo ahora escribir que fui de esos aprendices de pintor que no pintan, sino que borran. Lo propio, incluso lo que no llegó a fijarse jamás sobre una tela, una cartulina o la imaginación, y lo ajeno.

Si había en París una persona que pudiese darme cuenta de la identidad y del paradero de la mujer cuyos ojos me encuentran ya incluso dentro del secreto refugio de la galería redonda, la mujer a quien compré por una suma irrisoria los cuadros perdidos del hombre que me engendró, sin saber que al hacerlo concebía al enemigo más insospechado de todos, a esa persona yo la conocía. Porque el cretense de origen Konstantinós Kozirákis lo sabía todo acerca de chamarileros, anticuarios y libreros de lance, no en vano antes de la guerra y de crear su academia de idiomas de la calle Pyrénnées se había movido en ese mundo de hallazgos, trueques y búsquedas de la «brocante» como pez en el agua. Había sido una especie de «rey de las pulgas», querido por toda la gente de St-Ouen… Su criterio era también muy apreciado en los selectos círculos de galeristas de Palais-Royal, a los que solía recurrir tan sólo en sus por otra parte nada infrecuentes momentos de penuria, pues le disgustaba sobremanera lo afectado de ese ambiente. Autodidacta, pero dotado de una intuición infalible a la hora de detectar lo bueno y auténtico entre la morralla, ex falsificador de iconos, bibliófilo de primera, capaz de hablar, leer y escribir a la perfección seis idiomas, y de entender y hacerse entender en otros siete u ocho, Monsieur Constantin, como lo llamaba todo el mundo, había trabado antaño cierta amistad con Ventura Fernet (creo poder afirmar que tenía varios dibujos suyos, y es posible que algún cuadrito pequeño que mi memoria no ha retenido), por la época en que Alicia Zaldívar no asomaba aún por las perspectivas del pintor. No fueron íntimos, pero sé que se caían bien.

Era, por otra parte, muy difícil que el griego le resultase indiferente a nadie. Yo mismo me he sorprendido en ocasiones echándolo de menos… me he preguntado si estará muy viejo, si los achaques y enfermedades lo habrán reducido, a él que era tan andariego y peregrinaba por la ciudad de la mañana a la noche, al limitado horizonte de dos o tres cafés, una biblioteca —la Sainte Geneviève, seguro, era su favorita— y un par de librerías de lance del viejo barrio. Si se acuerda a veces del niño español refugiado que una tarde lo acompañó a una ceremonia pascual ortodoxa en Saint-Julien-le-Pauvre, miró maravillado las lámparas de colores y se aferró a su mano en mitad de aquel cántico de una tristeza arrolladora…

Monsieur Constantin tiene que haber conocido a la chamarilera de mirada sin tregua. ¿Será ella la Aurélie que mencionó, incrédulo, aquel tendero lleno de ira? Pero no puedo ir en su busca y preguntárselo. Han pasado muchos años, mi rostro ha cambiado mucho, pero sé que él me reconocería de inmediato. Lo imagino ordenándome con serena severidad, luego del enseguida reprimido gesto de sorpresa, «vuelve por donde has venido, Federico, maldito seas». O no diciendo nada, lo que es peor. Sólo de pensarlo me estremezco.

Pero sé, sin embargo, que no debo callar todo esto que escribo para nada, para nadie. No callar es la única manera de…

La única, si acaso, de vencer la pesadilla.

Vuelvo a mirar la hoja en blanco, con el título, ridículo e infantil, pero no se me ocurre ningún otro más gráfico, de «Historia de Federico Fernet» por dos veces subrayado, y sé que ya no es hora de postergaciones. ¿Adónde podría huir, si es que anhelase escapar? ¿Hacia delante… otra vez, o hacia atrás?

Casi nunca son ciertos los principios, por la sencilla razón de que solemos componérnoslas para eludir el origen. Por eso he decidido privilegiar, en estas páginas sobre Federico Fernet que le debo al desdichado Ventura Fernet, el origen, en detrimento, si es necesario, cosa que aún no sé, del principio. De todos los principios posibles.

Contaré pues su historia, que es la de una traición que todavía perdura, como lo haría un extraño. Alguien ajeno a su derrotero y a sus claves, que se ve obligado a inventar y a colmar vacíos, zonas de sombra. Porque ésa es quizá la única posibilidad de que su historia, que fue la mía, vuelva al fin a serme propia.

SEGUNDA PARTE

Federico Fernet

Acababa de meterse en la boca la última castaña asada del cucurucho que le trajo Lola Beltrán, antes de salir disparada a su cita con el estraperlista que le cambiaba copias de vírgenes de Murillo por medicamentos para el marido consumiéndose de tisis en el penal de Burgos, cuando sonó la campanilla de la puerta. Algún copista venido a cobrar su tarea, supuso, estrujando la estraza aún caliente; tal vez Jiménez o Cabrera Duhalde, ojalá no se tratara de ese loco borracho de Arcadio Salesas obsesionado por Zurbarán, siempre dispuesto a disculparse a gritos ante cierto tipo de clientes por haber defendido el «arte degenerado» en los veladores de los cafés de anteguerra y en el Círculo de Bellas Artes, de donde lo habían expulsado, como a tantos otros que aún daban gracias en su fuero interno de que todas sus desgracias se limitasen a dicha «depuración». Por mucho que Lola

59

Beltrán compadeciese al patético alcohólico en que se había convertido el antaño prometedor artista, el muchacho no soportaba a Arcadio Salesas. Sus gimoteos y zalamerías le inspiraban una infinita aversión. Con un suspiro, arrojó el cucurucho a la papelera, sobre la arrancada hoja del calendario con un Sagrado Corazón impreso que marcaba la fecha del día anterior, 27 de diciembre de 1943 (a Lola le parecía que el diario deshojamiento del almanaque regalado por un cliente acortaba la condena de José Sigüenza), y se dispuso a aguantar una enésima, y desalentadora, petición de aguinaldos.

Pero la mujer que se apoyaba en el quicio de la puerta, indiferente al frío colándose de rondón en la tienda de estufas apagadas, no tenía ninguna pinta de necesitar aguinaldos. Cubierta con un dorado abrigo de piel en el que brillaban sueltos copos de nieve, tocada con un breve sombrero a juego, miró a su alrededor con el aplomo de quien se sabe más allá de cartillas de racionamiento y del tráfico del pésimo pan vendido a las puertas de los metros por mujeres de enaguas oscuras y acampanadas que recitaban, de espaldas a los guardias que simulaban no ver, su monótona letanía de «barras, barras».

Aquel ser extraordinario de manos enguantadas que sacaba un cigarrillo de una pitillera ornada con una piedra roja, y se le acercaba en busca de lumbre (él carraspeó, nervioso, antes de aclarar que no tenía cerillas, «no importa», dijo ella, llevándoselo a los labios pintados sin encenderlo), se le figuró más irreal que las mujeres del cine. Más poderosa, también, que aquella deslumbrante Reina de las Nieves del cuento de Andersen que su madre solía leerle de niño en el dormitorio de su antiguo piso madrileño en una especie de abolida eternidad anterior, presintió mientras la escuchaba repetir «no importa» en un español de ronco acento extranjero.

Era la mujer más bella que Federico Fernet había visto jamás.

Tan bella, que ni se le pasó por las mientes pedirle que cerrase la puerta, prendido como estaba del destello acerado de sus pupilas, del fulgor húmedo de sus labios, de los movimientos y del perfume de su cuerpo. Había algo en ella que resultaba a la vez tentadoramente frío y cálido. Era como si hubiese penetrado en la estancia helada y revuelta que olía a barnices y a aguarrás la invitación a otro mundo.

—¿El dueño, por favor?

—Está en… —se mordió los labios justo a tiempo, y añadió precipitado—, quiero decir, que don José Sigüenza no está localizable por ahora.

—Comprendo.

La extranjera curvó los labios en una sonrisa y pareció estudiar con mayor atención al muchacho, que trataba en vano de esconder los raídos puños de la camisa bajo las mangas del jersey.

—Pareces muy joven para ser el encargado —observó con cierta dulzura—. ¿Eres de su familia… o un dependiente?

—Soy un familiar. Su mujer se ocupa de todo hasta que… hasta su vuelta. Yo la ayudo algunas tardes.

¿Cuánto tardaría Lola en regresar del piso de la calle Velázquez, requisado a sus dueños ausentes por ese enriquecido estraperlista hijo de un deshollinador que al recibir sus encargos mandaba colgar las copias sin mirarlas siquiera? Según Lola, no era de los peores. «Es un tiburón de muy mal gusto con cierta tendencia al sentimentalismo… y muchas ganas de hacerse un hueco. Trafica con todo tipo de mercancías, no sólo con medicamentos, aunque su fortuna le viene de la penicilina, desde luego. Pero, al menos, me saca café auténtico, y no me obliga a entrar por la puerta de servicio, como otros», le había contado…

De pronto, tuvo muchas ganas de que Lola se retrasara. Quería estar el máximo tiempo posible a solas con aquella extranjera, algo más alta que él, que se quitaba los guantes, entornaba la mirada y pasaba acariciadoramente el índice derecho sobre el soporte de un caballete, a pocos centímetros de su rostro demudado. Estaba tan cerca que durante un segundo lo mareó la intensidad especiada de su fragancia, y tuvo que apoyarse en la estufa helada.

—¿Desea algo en especial, señora?

Agitó el pitillo aún sin encender y la boquilla dorada le rozó el mentón.

—Oh, hace tiempo escuché a un conocido en una reunión alabar el trabajo del señor Sigüenza. Lo recordé de repente el otro día. Tengo un par de tablas que me gustaría limpiar y restaurar… nada muy importante ni urgente.

—Quizá la señora de Sigüenza podría buscarle a alguien adecuado…

—Sí, podría ser… ya veré. De todos modos, también quiero enmarcar alguna que otra pintura, ya sabe, caprichos de aficionada.

Por algún extraño motivo, le cruzó por la mente la sospecha de que aquella fascinadora aparición no sabía nada de pintura. Lo de «aficionada» parecía cuadrarle muy poco… Fue una intuición fugaz y como tal la desechó, porque prefería imaginar la calidez de sus brazos, la suavidad de su cintura bajo el resplandor de aquel abrigo rubio y soberbio que velaba unas piernas que supuso interminables.

Ella añadía algo sobre unos posibles encargos, palabras que no captaba del todo porque acababa de fijarse, y los observaba con curiosidad de dibujante que descubre en una tela ajena un detalle mal resuelto o un motivo inacabado, en sus dientes. Eran diminutos y puntiagudos y casaban mal con la carnosa boca. Un colmillo estaba manchado de carmín, y al verlo pensó en una gota de sangre del tamaño de una cabeza de alfiler. Apartó la mirada, asaltado por un súbito sentimiento de malestar.

—El día 3, en esta dirección. Ah… y feliz Año Nuevo.

Tomó la tarjeta que le tendía, una cremosa cartulina que rezaba en letras germánicas FRIEDA-MARIE MÜLLER, un número de teléfono y las señas de un piso en el Paseo del Prado, y sólo cayó en la cuenta de que había acatado, dócil y mudo y sin consultar con Lola Beltrán, una orden, cuando la extranjera ya se había despedido con un rígido reclinar de cabeza que tenía algo de saludo castrense.

Se había marchado sin molestarse en cerrar la puerta, abierta de par en par al mordiente frío de diciembre, dejando tras de sí la estela de aquel perfume caro y tentador…

Y por un momento Federico Fernet se preguntó desconcertado, mientras sopesaba aquella tarjeta de visita impresa en un lujoso papel de grueso gramaje, por qué alguien como ella, una extranjera rica que vivía en el barrio del museo, lleno de almonedas y de talleres afamados de restauración, se tomaba la molestia de acercarse hasta un modesto local del bulevar de Francisco Silvela. José Sigüenza era uno de los mejores restauradores de Madrid, pero en el ramo «todo» el mundo sabía que estaba en la cárcel desde 1941, condenado a «doce años y un día por auxilio a la rebelión», y a otros seis más por «fundadas sospechas sobre su pertenencia a una logia masónica». ¿En qué clase de reunión habría escuchado ella su nombre?

Fuera, la nieve arreciaba y la oscuridad era total. Y durante mucho rato siguió percibiendo dentro de sí el repiqueteo de unos tacones que volaban sobre el hielo como el trineo de la Reina de las Nieves llevándose consigo hacia sus dominios al pequeño Kay, el de la astilla de espejo malévolo clavada en el corazón, en aquel cuento cuya lectura lo sumía de niño en una placentera mezcla de anhelo y pavor.

—¿Pero Fede, hijo, qué haces aquí a oscuras? Menos mal que ya hay para carbón; si vieses cómo tenía de abultada la cartera Martínez Hijuelos, casi reventaba de billetes, yo no daba crédito a mis ojos. Hay que reconocer que paga bien y sin regateos, ¡poco contento que se va a poner el pobre Cabrera! Y le ha mandado a su muchacha que me envolviese unas pastas para casa. ¡Pastas! ¡Si se me había olvidado hasta que existían… con cereza confitada y almendras, figúrate, lo menos me ha puesto una docena! Mañana mismo liquidamos el fiado del ultramarinos. Hale, vámonos a casa, que ya no hacemos nada aquí. Ayúdame a echar el cierre.

Había encendido la lámpara de la entrada, y pese a su animación, Federico advirtió las macilentas líneas de cansancio de su rostro, el descuido de su pelo apelmazado y sin vida bajo la capucha de la gabardina. Durante unos segundos la miró de hito en hito, recordando que su madre le había descrito en París a Lola Beltrán como una chica muy bonita... «Una chica preciosa, encantadora», dijo sobre la prima política de su padre. «Estarás bien con ella y con José, son muy buena gente los dos», acalló ella sus protestas cuando trató de convencerla para que no lo mandase de vuelta a España...

Claro que entonces Alicia Zaldívar no imaginaba que a José Sigüenza iba a denunciarlo meses después por «rojo» y por masón un antiguo compañero suyo de la Escuela de Artes y Oficios cuyo nombre, que el preso escuchó sin reconocerlo en el visto y no visto de su juicio sumarísimo en las Salesas, se le había borrado durante más de una década de la memoria.

«Una chica muy bonita».

Allí de pie, con su menuda figura revoloteando inquieta y conminatoria («¿qué miras como un pasmarote?, vámonos, que estoy deseando ver la cara que pone Carmela cuando os saque de postre las pastas, voy a reservarle algunas al pobre José para mi próxima visita»), Lola Beltrán parecía indefectiblemente lo que era. Una mujer ojerosa y mal vestida, agobiada por la condena del marido y la crianza de la hija, por las luchas y sinsabores diarios al frente de aquel modesto negocio de supervivencia, montado a la apresurada en el antiguo taller de José. Si en otros tiempos fue lo que los madrileños llaman «una chica mona», no quedaba en ella ni rastro de aquella frescura garbosa, pensó Federico, observándola como si la viera por primera vez, sin saber que la contemplaba al trasluz de otra mirada, aún prendida del recuerdo de la dorada extranjera que irrumpió en la tienda como un portento.

«Vamos», resolvió incómodo al sentir sobre el suyo el brazo de Lola. El chirrido de la reja mal engrasada lo hizo estremecer, pero ella no pareció advertir su inquietud. Tampoco se fijó en que durante el breve trayecto hasta el piso esquinado de Ayala respondió con monosílabos a sus preguntas de costumbre sobre la academia. Estaba contenta de haber cobrado antes de Nochevieja, dijo mientras abría el portal, y además ¿quién sabía lo que iba a depararles el futuro? Tal vez 1944 no se presentase tan mal… quizá se terminase la guerra en Europa, el asunto pintaba mal en el este para los alemanes, eso hasta un ciego podría verlo, por mucho que la radio y los periódicos ensalzasen a todas horas la alta moral de las tropas alemanas, le susurró al oído. Estaban ya dentro del edificio, junto a las escaleras, y apretó, cariñosa, su mano: quizá pronto tuviese noticias de su madre, tal vez pudieran reunirse mucho antes de lo esperado…

El tres de enero, recordó Federico, y entreabrió los labios para hablarle de Frieda-Marie Müller (cuán agradable le resultó recitar para sí, paladeándolo, ese nombre) y de su visita de la tarde, pero entonces Lola, que enfilaba ya los peldaños, se giró y dijo, sonriente, que esa noche pensaba freír buñuelos de bacalao. «Mejor que os comáis las pastas de postre, ahora que están recientes, que no en Nochevieja». Y él ya no comentó nada. Le dolía la cabeza y de repente lo asqueaba, como si lo respirara por vez primera, el hedor a coles y a lejía de la escalera, cuyos escalones deslustrados crujían bajo sus pasos.

Tampoco contó nada después de la cena. Esa noche tardó mucho en dormir. Casi tanto como Lola, a quien oyó de madrugada abandonar de puntillas su dormitorio para sintonizar muy bajito, como todos los martes, la emisión española de Radio Londres en el aparato del comedor.

Tumbado en la cama, con los ojos muy abiertos, recreaba una y otra vez, como si las dibujase a plumilla, las facciones de la rica extranjera, cuyo abrigo debía de costar una fortuna. Se preguntaba si su madre habría tenido una ropa semejante en la época en que estaba casada con aquel rico notario del norte al que abandonó por Ventura Fernet, el pintor sin una perra conocido en una exposición del Círculo Artístico de Finis, su ciudad natal, a la que solía referirse, las escasas ocasiones en que mencionaba su nombre, con una mezcla de rencor y de nostalgia. Seguro que sí, decidió; el vestidor de su casa, en esa ciudad donde él nunca puso el pie, estaría a rebosar de joyas, pieles y sedas, esas joyas, pieles y sedas que ella desdeñó como sólo podría desdeñarlas quien las tuvo desde la infancia. Sospechaba que no se trataba tan sólo de su pasión por el hombre que años después sería su padre, que en su contundente, «estrafalaria», decisión también debieron de influir esas utopías humanistas y socializantes que la sedujeron en silencio desde mucho antes de enamorarse del pintor que vivía en París. De muy jovencita, un reputado médico de balneario atribuyó sus frecuentes neuralgias y sus insomnios a desórdenes nerviosos y a una excesiva fragilidad emocional, y ella tardó más de una década en comprender lo que muy al fondo de sí intuyó siempre: que sus desazones no eran sino el producto de años de aburrimiento acumulado en salones de té, bailes benéficos, misas mayores y temporadas de *derbis*. Federico sabía, porque se lo contaron Lola y José Sigüenza, con admiración no encubierta por «la generosidad y el desinterés de Alicia, que por amor y sus ideales renunció a una existencia regalada y a toda su familia» (admiración que él no compartía en absoluto, si bien sólo ahora cobraba conciencia de ello), que su madre fue rica desde la cuna. Los Zaldívar eran una familia muy poderosa de la costa atlántica, propietarios del banco del mismo nombre, y contaban entre sus miembros a oficiales de la Marina, cardenales y diplomáticos. El hermano pequeño de su madre era el nuevo embajador de Franco en un país latinoamericano, leyó su nombramiento en un diario, y se lo comentó, con un deje de presunción que ella no advirtió, a Lola

Beltrán, pero ésta se encogió de hombros y murmuró: «Alicia murió para ellos desde que abandonó a su primer marido para irse con tu padre, no gastes tiempo ni saliva pensando en gentes de ese porte, Fede, hazte cuenta de que no existen para vosotros. Y más vale así, porque sólo os traerían problemas».

Ni José ni Lola le hablaron nunca del hermanastro desconocido, el niño que su madre se vio obligada a dejar en Finis, al cargo y la sola tutela de su marido, quien exigió por escrito la promesa de que jamás trataría de verlo antes de que cumpliese su mayoría de edad. Tampoco ella se lo mencionó, pero él sabía de su existencia; algunas noches la había sentido llorar por el hijo perdido y conservaba el vago recuerdo de haber oído a su padre consolándola. En varias ocasiones se había deslizado furtivo a su dormitorio para hurgar los cajones de la cómoda, desde la vez en que descubrió, por azar y bajo una pila de pañuelos, el oval retrato enmarcado de un bebé rubio. Y también el guardapelo de plata con un bucle dentro, que ella se colgó bajo la blusa, en el umbral de la pensión barcelonesa donde llevaban ya muchos meses malviviendo, la mañana que partieron al exilio en un autocar abarrotado de los preparados a toda prisa para la evacuación por la UGT. Había fardos y maletas a sus pies, y su madre tendió un momento a la pequeña Blanca a la dueña de la pensión, doña Mercè, para abrocharse el cierre de ese guardapelo.

«Ahora eres el hombre de la casa, Federico, cuida de mamá y de tu hermanita», murmuró con cerrado acento balear aquella mujer de rudas facciones y timidez de adolescente que mecía llorosa a la niña, de espaldas al desfile de los vehículos y carros del éxodo por la Diagonal atascada. El aire olía al humo de papeles de los miles de documentos quemados a toda prisa y por el cielo encapotado de febrero volaban nubes de cenizas. Su madre no iba de luto, pensó entonces mordiéndose iracundo los labios, mientras la veía tantear el broche con dedos temblorosos. Pero en realidad no lo reconcomía la falta de luto, sino los celos. Unos celos brutales. «Suelta a su hija para colgarse al cuello el pelo del "otro" y a mí ni me mira, como si yo fuese un simple mozo maletero», se dijo en un arranque de odio. «Falsa, que eres una falsa», la increpó mentalmente, y enseguida lo asustó la violencia de sus sentimientos. «¿Estás listo, hijo?», ahora la sonrisa se la dirigía a él, una sonrisa que contrastaba con el viaje que estaban a punto de emprender, entre otros miles de desdichados que inundaban las carreteras bombardeadas, hacia la frontera. «Sonríe como si se preparara para ir a una fiesta», se soliviantó. Y en un segundo recordó que doña Mercè solía comentar, en el acostumbrado y maldito tono de admiración que adoptaban propios y extraños para referirse a su madre, que «su encanto no parecía de este mundo».

Oyó toser a Carmela Sigüenza, su prima lejana, en el dormitorio del fondo del pasillo, y se revolvió incómodo entre las sábanas heladas. Su cuarto de Ayala, orientado al norte, era fresco en verano, pero gélido en invierno. «No sé de qué mundo serás, mamá, pero sí sé que lo que elegiste no nos ha traído más que desgracias», pensó. Durante años lo habían torturado los celos hacia ese hermanastro desconocido, lo angustiaba el miedo de verse abandonado a su vez, de que su madre se arrepintiese de aquel precario vivir a salto de mata, decidiese dejarlos y regresar a Finis a suplicarle perdón y acogida al ex marido notario de quien él lo desconocía todo, incluso su nombre y apellido. Había fantaseado hasta la saciedad con aquel ser de su misma sangre al que temía como a un ignoto enemigo. ¿Soñaría con buscar a su madre al cumplir la mayoría de edad legal? Seguramente ni siquiera sabría que estaba en Francia, en paradero desconocido… aunque lo más probable es que no pensase nunca en ella, el padre habría quitado de su vista todos los retratos de la esposa infiel, de la madre «desnaturalizada»… Debía de haberlo educado para el olvido, supuso. «Niñato de mierda», susurró. A diferencia de Martínez Hijuelos, que no tenía lo que los ricos de toda la vida llamaban «clase» (aunque sí el suficiente dinero como para que semejante matiz se le diera un ardite), el primer hijo de su madre había crecido en la opulencia.

De pronto comprendió, en el silencio nocturno del cuarto que Lola y José dispusieron para él (meses antes de que se lo llevaran preso, José colocó baldas para sus libros y materiales de dibujo y le regaló un caballete que situó bajo la ventana), que ese hermanastro misterioso, a quien por mucho que lo intentara no lograba adjudicar un rostro de adulto que sustituyera a la rubicunda redondez infantil del retrato oval, ya no le inspiraba amargos celos. Ahora, simplemente lo envidiaba. Mejor dicho, se corrigió, envidiaba «su situación». Con gusto cambiaría su sino —y hasta su buena «mano» para el dibujo— por el de ese otro que podía pagarse cualquier capricho, encargar ropa y zapatos a medida, tomar lecciones de los bailes de moda y convidar a mujeres como Frieda-Marie Müller a cócteles en salones de hoteles lujosos.

Frieda-Marie Müller, susurró, con la boca aplastada sobre la almohada y... maldita sea, tenía una erección.

Ella había comentado al socaire que era una «aficionada», una especie de coleccionista... Y bien, él era pobre como rata, pero al revés que ese remoto hijo de su madre, de seguro que un idiota consumado, sí sabía de pintura. Y era la pintura la que había conducido a esa mujer increíble a la modesta tienda del bulevar de Francisco Silvela.

La pintura.

Escuchó en el corredor los pasos presurosos de Lola Beltrán, que regresaba al dormitorio donde velaba a solas el nerviosismo y el desconsuelo de sus noches sin José, así tenía después, al levantarse por las mañanas, esos profundos cercos de ojeras. La emisión en español de la BBC se habría terminado hacía por lo menos media hora, ¿qué diablos pintaba ella merodeando por toda la casa?

Esperó hasta sentir que se cerraba la puerta de su dormitorio, y luego volvió a murmurarle a la tibieza de la almohada un nombre de mujer y una fecha. «Tres de enero, tres de enero», repitió varias veces, como si canturreara.

Sonriente, deslizó la mano bajo el pantalón del pijama que perteneció al vecino fusilado y empezó a acariciarse morosamente.

* * *

Madrid, 3 de enero de 1944

Él conocía esa canción que escuchó ya desde el portal, cuando un portero de uniforme entorchado y escudo falangista lo miró, severo, de arriba abajo al verlo encaminarse hacia el ascensor de vidrios emplomados y banqueta roja bajo el espejo. Era *Lili Marlene,* y el disco crepitaba con un son de lluvia, quienquiera que estuviera frente a ese gramófono no daba tiempo a que la melodía terminase, levantaba la aguja con precipitación de maníaco, y la áspera, gutural voz femenina reiniciaba al instante su insinuante despedida *vor der Kaserne.*

—Por la puerta de servicio, muchacho, ¿adónde te crees que vas?

El portero tenía frenillo y una cicatriz de excombatiente, o conseguida en alguna algarada callejera, en mitad de la cara ancha de boxeador. En un segundo, recordó a su madre en la estación de Burdeos;

amenazaba fríamente con quejarse a su inmediato superior, en el cuidado francés de quien ha crecido entre benévolas *mademoiselles,* a un taquillero que acababa de farfullar a su paso *sale racaille espagnole*[5]. El hombre se había deshecho en excusas, casi se había cuadrado, lívido, tras su ventanilla sucia. «Perdóneme, cómo he podido no darme cuenta de que es usted una dama, es culpa de la época, claro, Francia ya no es Francia, está invadida por»... Alicia Zaldívar no le dio tiempo a terminar, metió la mano por el hueco de la garita y lo golpeó de través con el guante mojado de lluvia. Después, ya en el tren, sonrió divertida a su hijo y le urgió a no dejarse nunca rebajar por nadie. «Por nadie, me oyes, Federico querido, por nadie. Así se trate de un aduanero o de un príncipe».

—No tengo nada que creer, porque voy a casa de la señora Frieda-Marie Müller, que me aguarda, y no precisamente por la puerta de los repartidores y las criadas.

Era alto, y la chaqueta de gamuza que la vecina viuda de Jacinto Orozco consintió en dejarle a regañadientes, tras muchos ruegos y mentiras dichas a media voz acerca de una primera cita con una inexistente compañera de academia, no le sentaba demasiado mal. Ocultaba los puños raídos de la camisa, además.

---

[5] «Sucia gentuza española.»

El portero lo miró con fijeza y finalmente dio un paso atrás, aunque no se molestó en abrirle las puertas del ascensor. Era sólo un piso, pero le gustó contemplarse durante esos segundos en la luna del espejo, que lo mostraba distinto y más gallardo. Brillaba en sus ojos una oscuridad nueva, tan reluciente como la gomina que domaba sus cabellos, cuyo frasco hurtó esa misma mañana en la droguería de Hermosilla donde Lola compraba al fiado.

Salió al rellano (allí *Lili Marlene* sonaba tan fuerte que se preguntó si el arrastrar de consonantes de Suzy Solidor acallaría el repique del timbre), observó la puerta de roble pintado de blanco y desechó de su mente la expresión triste de su primita Carmela cuando lo vio salir del piso, con cortes de navaja barbera en la barbilla. «Esta tarde no vas a la tienda», le había dicho ella con los ojos bajos, y no era una pregunta. Y él escrutó entonces el rostro afilado, los rizos oscuros sobre la frente, vio las gruesas medias de lana caídas sobre los zapatos rozados y se sintió ganado por una extraña emoción. «No seas flojo», se recriminó, molesto, pero sonrió conciliador a la niña pálida y escurridiza a quien sospechaba enamorada de él, del modo violento y veleidoso en que se enamoran los niños. De una caracola gigante, una muñeca de tirabuzones polvorientos y hendido mentón de loza, un ropero donde avivar a oscuras los sueños, una difusa silueta que espía las noches en una azotea o un chico que recién ha empezado a afeitarse y silba a las mañanas desenfadadas melodías. «Eres muy bonita», habría querido decirle, pero no lo hizo. Y tampoco sabía si eso era cierto, aunque cuando creciese... «Sólo es una niña», pensó entonces, con algo de pena al recordar lo poco que había querido a la hermana pequeña dejada en París.

—No, no voy a la tienda. Voy a otro sitio. Tengo entre manos un asunto de trabajo que puede resultar... bueno, interesante. De momento prefiero no dar detalles, al fin y al cabo quizá todo se quede en nada.

Se marchó con una vaga impresión de malestar.

Y ahora miraba esa puerta blanca, y justo cuando se disponía a pulsar el timbre con un adorno navideño de muérdago colgado encima, ésta se abrió de golpe. Un hombre diminuto, de orejas puntiagudas y cómico bigote, lo observaba, muy ebrio, de puntillas sobre unos teatrales zapatos de charol rojo que contrastaban con la levita de hombreras sucias. Varios palmos por encima de su cabeza asomaba el rostro fatigado de una doméstica de uniforme y cofia de encajes. Dijo una frase, que Federico no entendió porque la amortiguó la canción. La criada se esforzaba en vano por apartar del umbral al extraño hombrecillo, que no debía de medir mucho más del metro cincuenta, pero éste la echó a un lado, palpándole de paso sin ceremonias un pecho. Apestaba a aguardiente y le temblaban los finos dedos manicurados, pero sus ojillos pardos eran astutos y lo captaban todo como un radar. «Un radar, eso es, este tipo tiene pinta de murciélago», pensó Federico. Y lo sobresaltó la imprevista voz de barítono que tronaba:

—¡Quiten ese disco de una puta vez, imbéciles!

Hablaba español con fuerte acento alemán y un lejano deje latinoamericano, reconoció Federico. ¿Cómo un hombre tan pequeño podía tener ese vozarrón?

Allí dentro lo obedecieron, porque de repente sólo llegaba del fondo del pasillo un silencio salpicado de risas breves. «¡Vamos, Ganz!», chilló una aguda voz femenina. Y lo repitió varias veces, como si salmodiara: «Ganz, Ganz, Ganz». Alguien la silenció con una palmada o un bofetón.

—Mujeres —bufó el hombrecillo, clavándole una dura y extrañamente «sobria» mirada al muchacho, que enrojeció como un tramposo pillado en falta.

—Unos vienen y otros se van —añadió—, o se iban, porque acepto con gran honor introducir a tan joven amigo... que supongo ha sido convenientemente invitado a esta afable reunión. ¿Por quién?

Sonreía con malicia y curiosidad, pero en sus ojos, advirtió Federico, que le tendió la tarjeta de Frieda-Marie Müller en silencio, relumbraba un fulgor de amenaza. «Señor Ganse», trató de intervenir, infructuosa, la criada. Sin volverse, le tiró del delantal hasta casi rasgarlo, ordenó «lárgate» y luego dijo una palabra extranjera que al amedrentado muchacho le sonó similar a «Hurra». Ahora leía la tarjeta y murmuraba en su idioma para su coleto... Ya no parecía enfadado, ni siquiera borracho. Alzaba los brazos en ademán de saludo.

—La hora de los jóvenes, supongo, mi querido...

—Federico Fernet, para servirle —articuló penosamente, y casi enseguida le pareció divisar la mirada acusadora de su madre, la oyó amonestarlo con toda nitidez dentro de su cabeza. *«¿Para servir a quién, Fede, a un enano patético que sin duda es un nazi redomado? ¿Te has vuelto loco o imbécil, hijo mío?»*

—Adelante, joven Apolo más que Dionisio... adelante.

Lo precedía riéndose por el amplísimo corredor que iluminaban lámparas de araña. Había puertas cerradas a uno y otro lado, todas ellas lacadas de blanco, y al fin desembocaron en un inmenso salón, con terraza de piedra tendida sobre el paseo y encendida chimenea de mármoles junto a la que se alzaba un abeto imponente, decorado con bolas rojas y negras y guirnaldas plateadas. Pese al frío, la ventana corredera de la terraza estaba entornada, pero él no se dio cuenta, como apenas si se fijó en la docena de personas repartidas entre los sofás de piel blanca y las butacas doradas, porque sólo tenía ojos para la figura acodada en la repisa de la chimenea con una copa en la mano, Frieda-Marie Müller vestida de blanco y oro, con la espalda desnuda y los brazos al aire.

—Parece que decidiste darle a nuestra velada un aire de juvenza invitando a este joven que comparte patronímico contigo, *meine liebe* —rió el murciélago saltarín.

La alfombra blanca bajo sus pies era tan espesa que creyó avanzar sobre un lecho de heno. Pero de pronto se detuvo en seco. Frieda-Marie Müller lo estaba mirando, primero con asombro y después con una especie de ira que reprimió enseguida con un fruncimiento de labios.

—Oh, ahora te recuerdo. Pero pensé que vendrías por la mañana.

Titubeó, intimidado por las inquisitivas miradas de los presentes.

—Pero es que por las mañanas estudio… He venido en cuanto he podido, esta tarde ni siquiera pasé por la tienda.

—¿La tienda? —un hombre de uniforme de la Marina se reía a sus espaldas, con ganas.

El estómago le dio un vuelco. Pero antes de que pudiese escabullirse, murmurando una rápida despedida, un «ya volveré en otra ocasión», la anfitriona sonrió, llegó a su lado y le colocó una mano en el hombro. El vestido escotado y espejeante crujió a su paso y en sus muñecas tintinearon pesados brazaletes de oro blanco. «La Reina de las Nieves —recordó, sofocado—, si tuviera que ilustrar esa historia, la dibujaría a ella a las riendas del trineo».

—Vamos, no te preocupes, ésta es una velada informal entre amigos. Toma una copa de champaña. Comisario Villegas, por favor, ¿sería tan amable de servirnos a mí y a este joven aprendiz de restaurador un poco de Mumm?

—Sus deseos son órdenes para mí, bella walkiria —contestó, levantándose presuroso, un hombre atildado de blanco corbatín de lazo.

—Aquí tienes, muchacho… Así que restaurador, ¿eh? Y dime, ¿cómo te llamas y qué restauras a tu edad?

Antes de que pudiera deshacer el malentendido, el murciélago saltarín se adelantó y afirmó riéndose, con voz gangosa:

—El joven Apolo se llama don Federico Fernet. Federico, como nuestro gran Nietzsche, y Fernet como Fernet-Branca.

—Muy bueno, Ganz —el comisario estiraba sus finos labios de lagarto en lo que podía remotamente pasar por una sonrisa—. Pero se llamará algo más, ¿no? Nosotros, los españoles, tenemos dos apellidos, como bien sabe. Somos una raza que da mucha importancia a la madre. Una raza muy católica, amigo mío.

Ganz adecuó un visaje que mutó su rostro en fotograma publicitario de una película de monstruos.

—No se preocupe, Villegas, pese a mi natural descreimiento no pienso discutirles, ni a usted ni a sus camaradas, sus devociones… materno-marianas. ¿Segundo apellido, por favor, joven?

—Zaldívar —susurró Federico—. Me llamo Federico Fernet Zaldívar.

El oficial de Marina que se había reído con su mención de la «tienda» lo observaba ahora con una punta de curiosidad.

—Zaldívar… como los Zaldívar de Finis, que son íntimos amigos míos y de mi esposa. Buen nombre llevas, chico.

—Yo soy de Madrid —se sonrojó Federico, espantado por una casualidad que se le antojó fatídica.

Villegas lanzó una risita.

—Está bien que lo digas… porque aquí mi admirado amigo, el comandante de navío Máximo Ferrer, que es de Finis, pretende que en Madrid tenemos de casi todo menos madrileños. Es decir, gatos como yo. ¿Tú también eres gato… o ratón?

—Dejen en paz al muchacho, gandules.

Frieda-Marie acercó los labios a su pelo.

—No les hagas caso, están de broma.

Desde tan cerca, su perfume lo mareaba mucho más que la espumosa bebida de la copa que el delgado comisario le había colocado entre los dedos…

—¿Habías probado ya el champaña?

Tal vez fuese mejor no revelar allí su breve estancia en París. Meneó la cabeza, y la mujer sonrió.

—La primera vez es distinta a todas.

Y la mirada se le oscureció. Tenía las pupilas muy dilatadas, observó con cierta aprensión, los puntiagudos dientes brillaban, y ostentaba un gesto ido, como de médium a punto de entrar en trance... Sintió en la boca un repentino sabor a bilis.

—Señora Müller —carraspeó—, creo que será mejor que me marche y regrese otro día.

La expresión del rostro se suavizó, de nuevo le parecía el ser más hermoso del mundo, una forastera lujosamente vestida que adoptaba un aire afable y fraternal.

—Oh, qué tontería. Ya que has venido hasta mi casa, disfruta un poco de tu tarde libre. Ven, tomemos otra copa.

Lo arrastraba hacia la terraza, insensible al frío, y él olvidaba su anterior sensación de náusea, aquel instintivo y fugacísimo arrebato de pánico, tiritaba y miraba los carámbanos de hielo que pendían de las pilastras de la balaustrada, la gran cubitera de plata en un rincón, los maceteros de bronce en los que no había nada plantado sobre la tierra helada. ¿Acaso esa mujer era inmune a la temperatura bajo cero, al viento cortante que a él le hacía castañetear los dientes y a ella apenas si la despeinaba?

—Señora Müller, yo no soy aprendiz de restaurador, es un malentendido, yo sólo dije...

—Llámame Frieda —lo interrumpió—, no soy tan vieja, querido. Pobrecito mío, pero si estás temblando. Anda, sígueme, a veces me olvido de que no todo el mundo ha crecido como yo sobre un par de esquís.

Y tomándolo del brazo, lo hizo avanzar hasta el fondo de la gran terraza. Llegaron ante otra doble puerta entornada de cristal, y como en un sueño penetró tras ella en una pequeña habitación de muros tapizados de rojo, caldeada por una salamandra de porcelana. La miró cerrar la cristalera y agradeció el calor que desentumecía sus miembros. Sobre una mesa baja había otra cubitera con bebidas puestas a enfriar y bandejas surtidas de dulces navideños.

Le sorprendió la fuerza y la destreza con que ella descorchaba una botella de champaña.

—Ahora vamos a brindar tú y yo —dijo, sirviendo la bebida—. Veamos, podríamos brindar por... ¿Qué te parece por la juventud? No hay nada más hermoso, realmente. ¿Sabías que eres un muchacho muy guapo? Vamos, no es motivo para azorarse, sino para estar contento. El mundo está lleno de gente vieja y fea. Gente horrible, que nunca debería haber nacido.

«Como ese Ganz, el murciélago», pensó Federico, y bajó los ojos, temeroso de que pudiera adivinarle los pensamientos.

—Por la belleza —rió Frieda.

Entrechocó gravemente su copa con la suya. Ella echó la cabeza hacia atrás al beber, y al apartársele el pelo de la cara pareció de pronto muy joven. Tenía la intrigante versatilidad de un camaleón, pensó Federico, era igual que si una infinidad de mujeres morasen en su interior, dispuestas a relevarse unas a otras de modo imprevisible.

—Cierra los ojos y abre la boca.

Obedeció y sintió un crujido muy leve de celofanes. Y el dulce y amargo fundirse del chocolate y la almendra molida sobre la lengua.

—Mazapán austriaco… herencia española, supongo. Pero con un baño de chocolate. Excelente, ¿no es cierto?

Farfulló un «sí» atragantado. ¿Dónde estaría el marido de esa mujer asombrosa, en el frente quizás? Tal vez fuese viuda, una viuda joven y vestida de blanco que bebía champaña en el lujoso piso de una ciudad que no era la suya, en compañía de hombres de nacionalidades diversas (había captado de pasada, en el salón adornado por el abeto gigantesco, que uno de sus invitados era un periodista rumano), y hablaba un español perfecto, pese al indudable acento germánico. En París había escuchado acentos similares al suyo, Kozirákis tenía muchos amigos exiliados del régimen hitleriano…

—Sra. Müller…

—Frieda.

—Bueno, pues Frieda. Usted me dijo que deseaba enmarcar unos cuadros.

—Oh, no hablemos ahora de trabajo ni de encargos, ya lo haremos mañana o pasado… ¿Qué haces los domingos?

—Suelo… me gusta ir al Prado por las mañanas.

«Salvo cuando acompaño a Lola y a Carmela una vez al mes a la visita al penal de Burgos», rectificó mentalmente, pero ese detalle se lo calló.

—¿De veras? Curioso en un jovencito como tú… ¿Es que piensas hacerte pintor?

Estuvo a punto de enmendarla, de aducir que nadie «se hace pintor», de repetir, sin apercibirse siquiera de ello, palabras dichas por su padre en otro tiempo anterior a la guerra y a las bombas incendiarias que pulverizaron su estudio, aquel pequeño hotel de tejado alpino junto a la plaza de toros, con casi toda su obra dentro. Tantas veces había imaginado el arder pigmentado de aquellos lienzos, sofocado por el vértigo… tratando de experimentar la rabia y la desolación que debió de haber sentido su padre, quien sin embargo, y según afirmaban Lola, José y su propia madre, no habló nunca después sobre el desastre… Pero un cierto instinto le avisó de que aquella pregunta no esperaba respuesta, supo que le aburrirían sus palabras acerca de la perspectiva de un porvenir que soñaba montado sobre bastidores.

Se acomodó en la butaca algo endeble que ella, que permaneció un buen rato de pie antes de sentarse enfrente en un escabel, le había señalado con ademán imperioso, e inclinándose hacia delante se arriesgó a preguntar:

—Y usted, señora Müller… Frieda. ¿Le gusta vivir en Madrid?

Rió, divertida.

—Si dijese que no, eso sería muy descortés por mi parte, ¿no crees? Y a algunos de mis amigos podría resultarles… ofensivo. El querido comisario Villegas, por ejemplo, es un enamorado de su capital. Lo sabe todo de ella… y de sus habitantes, por supuesto. No sólo por su trabajo, que lo apasiona, sino por pura y simple afición a desentrañar la clave, el misterio de las vidas. No hay secretos para él. Ninguno se le resiste.

—Pero aquí estamos solos los dos —repuso Federico, íntimamente asombrado de su audacia.

—Mi querido muchacho, no estés tan seguro de eso, al menos en lo que se refiere a mi estimado Villegas… Hombres como él, y como otros que no viene al caso citar, pueden, y deben, estar en muchos lugares a la vez, incluidas las mentes ajenas. Pero sí, tienes razón, es agradable hallarnos en lo que esos inútiles franceses llaman un *tête à tête*, ¿verdad?

Y arrimándose, volvió a ordenarle que cerrara los ojos y abriese la boca. Dócil, Federico entreabrió los labios a la espera del dulce (¿por qué, si siempre estaba hambriento, no sentía deseos de arrojarse sobre las bandejas colmadas?), pero lo que recibió fue la presión sobre los suyos de otros labios con sabor a fruta escarchada. Estupefacto, abrió los ojos y la descubrió mirándolo sonriente.

—Piña azucarada —dijo Frieda, limpiándole los restos de azúcar y carmín con un meñique muy frío y ensortijado—, venida de África.

Masticaba a la par que hablaba y le arrojó al vuelo otro trozo de fruta envuelta en papel dorado, que cayó sobre los zapatos que estuvo embetunando a conciencia horas atrás.

Se alegró de no haberse agachado, como «un perrito de ricos» pensó rencoroso, cuando una puerta se abrió al fondo de la habitación y apareció de improviso aquel comandante de Marina de Finis, «íntimo» de la familia de su madre. Era un hombre moreno, de rasgos toscos y cuerpo fornido realzado por el uniforme, y los observaba, primero a él y luego a su anfitriona, con un desagrado que no escondía una remota curiosidad. Lo estudiaba, se dijo incómodo, como alguien que trata de recordar dónde ha entrevisto antes al desconocido que acaban de presentarle o a quién le recuerda éste... Por fin sacudió la cabeza, como si desistiera de rebuscar en su memoria, y colocó impaciente una mano ancha y roja sobre el cuello desnudo de Frieda. Era una mano hecha para golpear y mandar, sospechó Federico, una mano ruda que no se detendría ante nada, ante nadie, nunca.

—Frieda, están aquí Lazar y Brandler. Los acompañan Fundler… y Maurice, acaban de llegar de París.

—Voy enseguida. No sentí el timbre.

Máximo Ferrer se encogió de hombros.

—Abriría el mismo Lazar, con su llave, ¿qué más da?

La mirada azul de Frieda relampagueó con algo que al muchacho se le figuró furia. Una furia que se aplacó en segundos, porque cuando se giró hacia él su expresión era de nuevo plácida.

—Ven a verme… este domingo no, al próximo, y nos ocuparemos de las medidas de los marcos. Al mediodía.

Asintió, inquieto porque el comandante de Marina lo taladraba con mirada de rabia, que se disipó cuando ella señaló la fruta caída a sus pies. Parecía de pronto muy divertida.

—¿No te gustó el sabor de la piña?

La escrutó un instante, sin llegar a discernir si se burlaba de él o si por el contrario invocaba una secreta complicidad.

—Sí —dijo lentamente.

Y se agachó, la recogió y la guardó en un bolsillo.

—Yo acompañaré al joven Apolo a la salida, queridísimos… Tú ocúpate de nuestros invitados, Frieda, *meine Liebe.*

Ganz «el murciélago» había surgido a espaldas de Ferrer con la rapidez de un prestidigitador. Se empinaba sobre los absurdos botines rojos de número de variedades igual que si se dispusiera a alzar un vuelo nocturno tras pequeñas presas… y ya no parecía borracho en absoluto.

—Apóyese en mí, joven amigo, esta casa es un poco… como dicen acá… sí, laberíntica, eso es.

Pero fue él quien lo tomó del brazo. Sus dedos tenían una insólita fuerza de garra. Federico detectó el hedor a vómito reciente que emanaba de su cabeza de huevo mientras se dejaba conducir a través de un estrecho pasillo a oscuras, de suelo enlosetado muy distinto de la lustrosa tarima del corredor que cruzó a su llegada. «Los murciélagos ven en la oscuridad», pensó, reprochándose enseguida su aprensiva estupidez. Aquel pasillo de techos con olor a moho parecía no ir a terminarse nunca, quizás aquel enano repelente se estuviera divirtiendo a su costa haciéndole dar vueltas y más vueltas por el mismo sitio una y otra vez, como a un burro en una noria… «Murciélago, enano de barraca», repitió para sí, y casi enseguida una voz interior lo previno, asustadiza: «cuidado, este hombre es peligroso… muy peligroso».

—Ya estamos llegando, paciencia, incluso Teseo tuvo paciencia antes de enfrentarse al minotauro…

¿Qué tonterías soltaba ahora el tal Ganz? Acaso no estuviera en su sano juicio, por mucho que no tropezase ni diera un solo traspiés en una oscuridad que parecía conocer de memoria y que disipaban ahora, a la izquierda, las luces prendidas de una habitación sin muebles cuyo olor era inconfundible...

Olor a trementina, aroma a barnices, a madera y a telas.

Olía a pintura, claro que sí.

Vio de refilón, y al pasar, una amplia estancia repleta de cuadros amontonados del revés junto a las paredes desnudas.

Sólo uno de aquellos cuadros se alzaba de frente. Pudo atisbar, antes de quedarse sin aliento, el intenso escarlata de las amapolas de pinceladas gruesas que el cuerpo del hombre agachado ante el lienzo no llegaba a ocultar por completo. Ese hombre enfocaba la pintura con una linterna asida por una mano de anular e índice amputados... Y durante unos segundos algo se agitó en su mente.

Una poderosa emoción se apoderó de él y refrenó el impulso de golpear al enano infame que tiraba de él sin misericordia hacia la derecha.

¿Qué rezongaba a su vera el murciélago? Acaso la extraña reunión de extranjeros y españoles vestidos de etiqueta o de uniforme alrededor del abeto de bolas rojas y negras, el gusto a piña azucarada de los labios de Frieda-Marie Müller, la cita para el mediodía de un domingo distante, el pasillo helado y circular, con a su izquierda la habitación repleta de lienzos dados la vuelta, no fuesen sino un sueño del que pronto despertaría, caído de bruces desde lo alto de su cama de Ayala…

Pero aquellas amapolas no pertenecían a ningún sueño… Él las había visto arrobado en una exposición de pintores extranjeros residentes en Francia que se celebró en el Jeu de Paume durante la *drôle de guerre*. Había acudido varias tardes seguidas con Monsieur Constantin, y una de las veces los acompañó su madre, que prefirió al cabo aguardarlos en un café porque en el último instante le faltó valor para verse delante de unos lienzos que le recordarían, dijo con tristeza, la pérdida del hombre que pintó otros cuadros que también se llevó por delante la guerra. Esa guerra, debió de pensar también (pero nada comentó al respecto), que la arrojó con «dos» de sus hijos a las tormentas del exilio, mientras su primogénito, del que sólo conservaba un retrato oval y un rizo alisado por el tiempo, permanecía del otro lado de la frontera, tan inalcanzable como las pinturas que devoró el fuego de las bombas.

Él, Federico Fernet, hijo del malogrado Ventura Fernet, de trágico sino desmentidor de su nombre, había contemplado durante horas ese rojo solar con el vértigo admirativo de quien aún desconoce el desgarro de la propia impotencia. Había amado esas corolas radiantes pintadas por Soutine. Y las frágiles mujeres de Modigliani, cuya mujer, Jeanne, se arrojó desesperada por una ventana después de su muerte, y las guitarras de Juan Gris, y los arlequines de Picasso y la luz de incendio y locura de Van Gogh y...

Él sabía que nadie en el mundo podría imitar fehacientemente ese rojo.

Nadie.

—Fin de partida, joven Apolo.

La áspera voz de Ganz lo entresacó de su ensimismamiento. Una luz macilenta de bombilla brotó muy cerca y divisó un recibidor de servicio con despensero y cuarto de plancha contiguos a una amplia cocina. Olía a una mezcla de almidón de plancha, blanco de España, añil de colada y agua de hervir verduras. El frío era en esa zona de la casa tan intenso que por un instante se preguntó si Frieda acudiría allí de madrugada al solaz de las corrientes de aire...

Ganz, cuyos penetrantes ojillos lucían alegres y taimados, le indicó con una señal una puerta de pintura cayéndose a cuajarones.

—Por ahí se sale directo al montacargas —paladeó sus palabras con fruición.

«Maldito enano hijo de puta, cuánto me gustaría retratarte ahorcado boca abajo, con esos ridículos zapatos de corista sobre tu cabeza de rata con alas».

La vocecita interior volvía a avisarlo, «cuidado, cuidado, peligro»...

Alzó la vista de los destellantes empeines de charol rojo y se limitó a pronunciar una suave despedida.

—Buenas noches, señor Ganz.

De reojo, lo vio chuparse las mejillas aflautadas. Las delicadas manos estiraban flemáticas los faldones de la levita sucia… «Nazi de mierda», susurró cuando estuvo seguro de que el murciélago ya no podría oírle, dentro de aquella caja metálica sin lunas biseladas de espejo, ni banquilla roja de terciopelo. Pero desde luego no se le habría ocurrido pensar lo mismo sobre Frieda-Marie Müller…

Estuvo un buen rato junto al hueco del montacargas, escondido detrás de la hilera de buzones de los pisos interiores, hasta tener la seguridad de que el portero no lo veía desde su garita salir por la puerta de servicio. Sólo cuando lo sintió ir hacia los rellanos en busca de las basuras —se había mudado el operístico uniforme por un mono naranja que destacaba en la penumbra como una tea— se decidió a abandonar su escondrijo y atravesó un patio oliente a sumideros y a hojarasca podrida por las lluvias. Había un pozo de polea al fondo, y ventanucos pobremente alumbrados a lo largo y ancho de las paredes de cueva, ennegrecidas de hollín. Una mujer cantaba en una de las viviendas superiores una desafinada copla a voz en grito y alguien mal acompañaba sus estribillos dando fuertes palmadas, hasta que se abrió de golpe una ventana, y una voz de hombre chistó y amenazó con «dar parte del escándalo a la autoridad».

Cruzó deprisa el portalón flanqueado por maceteros de granito y un par de leones alados de escayola, y salió a la noche helada del paseo de Recoletos, iluminada por el resplandor cercano de las enseñas de hoteles de lujo. Cuánto le gustaría poder entrar alguna vez, con paso decidido, a uno de esos vestíbulos alfombrados, y reservar una habitación con el gesto de aburrida indiferencia de un rico y ocioso viajero habitual que se desentiende de su voluminoso equipaje, sobre el que se afanan botones de chaquetillas color vino, tocados por rígidos casquetes con borlas... ¿Cómo no iba a haber echado alguna vez de menos su idealista madre («llámala mejor tonta», corrigió insolente la vocecilla interior que últimamente lo azuzaba con insólita frecuencia) sus estancias del pasado en esos hoteles de fábula donde un numeroso personal de servicio se anticipaba a los menores deseos de los huéspedes? Eso era imposible, resolvió. Nadie en su sano juicio dejaría de echar de menos, aunque sólo fuese «alguna que otra vez», semejantes «cosas». Caminaba despacio, sin acordarse de que Lola y Carmela lo aguardaban para cenar y estarían ya sentadas ante el brasero, echándole ansiosos vistazos al irritante reloj de cuco del comedor. Se dirigía a la parada del tranvía absorto en difusos pensamientos, imágenes fragmentarias alumbradas al rescoldo de un fulgor rojo...

Ojalá hubiese podido hallarse en el lugar del hombre de la linterna, se decía, febril y preso del singular sentimiento que lo libraba del frío y encendía sus mejillas como cuando sintió sobre los suyos los labios dulces y jugosos de esa mujer que se tildó de «aficionada». Y se imaginaba rozando con la yema de los dedos la textura rugosa de aquel rojo inimitable...

Inimitable.

La palabra resonó de nuevo en su interior como un aldabonazo y sólo entonces vislumbró de veras su mente al hombre de la linterna agachado frente al cuadro, únicamente entonces pudo mirarlo en retrospectiva del mismo modo indagatorio en que ese comandante Ferrer lo había observado a él en la habitación entelada. Pero, a diferencia del militar a quien detestó desde el primer vistazo, antes incluso, estaba seguro, de oírlo mentar su apellido materno y mencionar la amistad con esos abuelos y tíos desconocidos que repudiaron a su madre, y que de haber sabido de su existencia y la de su hermana no dudarían en tacharlos a ambos de «bastardos», a él no lo confundía ya ninguna engañosa perspectiva de trampantojos.

Porque él conocía a ese hombre. Su memoria recobraba ahora una imagen y un dato olvidados, con pasmosa nitidez... Lo había visto, agachado en idéntica postura, frente a otro cuadro, mucho tiempo atrás, en un estudio que fue luego devorado por las llamas.

Y de repente recordaba haber sentido miedo a la vista no de aquella diestra a la que le faltaban dos dedos, sino de su otra mano, fina y pálida, más femenina que la de su madre, que debió de intuir su malestar de niño, porque con una excusa cualquiera lo sacó al jardincito del emparrado y las lilas locas, donde su padre se sentaba por las noches, tras su jornada de trabajo, a beber vino y tapear con sus amigos.

Y no lo había visto una, sino dos veces; la segunda de ellas en la galería Paul Rosenberg, en el número 21 de la rue de la Boétie, la mañana en que al fin se atrevió a entrar a sus elegantes salas de exposición, tras varias semanas de rondar intimidado por sus alrededores, a unas horas en que su madre lo creía metido en el aula de esa escuela de barrio donde los chicos se burlaban en el recreo de su acento español y lo sentaban, con niños más pequeños, en un pupitre separado del resto bajo un descolorido mapa de Francia...

El tranvía frenó delante de él con un estridente chirriar de frenos y comprobó que había llegado a Cibeles sin darse cuenta.

Y al ir a sacar las monedas del trayecto, sus dedos rozaron el envoltorio de una fruta escarchada.

Sonrió, como si disfrutara de un secreto recién descubierto. A Frieda-Marie Müller le gustaba tal vez presentarse a sí misma como «aficionada», aunque resultaba obvio que la pintura le importaba tanto como a él la cría de ganado lanar, pero lo cierto es que contaba en su círculo con grandes «entendidos» en la materia...

Entendidos como aquel hombre.

Pierre LeTourneur.

Ese nombre revoloteó por su mente como un molinillo.

El patrón de la galería «Table ronde» y marchante rival de Paul Rosenberg, que estableció su sede frente a la del brillante galerista de Picasso... el mismo hombre de quien Monsieur Constantin le refirió tantas rarezas y rumores, cuando al fin confesó, presionado por la carta que alertaba a su madre de sus ausencias sin justificar, firmada por el provisor de la escuela buscada a toda prisa por el griego, que empleó esas mañanas de novillos en merodear de una a otra galería de arte del *faubourg* Saint-Honoré. «Se dice que es un pintor frustrado, un genio para la compra de negocios inmobiliarios a la ruina, y un marchante que sólo arriesga si ya lo hizo antes su odiado Paul Rosenberg, al que admira y envidia más que a nadie en este mundo, porque su olfato no se detuvo, al revés que el suyo, en los postimpresionistas. Se dicen demasiadas cosas controvertidas acerca de ese hijo de un cartero rural y sobrino de un pintor *pompier* y falsificador de fortuna que acumuló, gracias a sus actividades delictivas, una gran fortuna que él heredó: se asegura, por ejemplo, que es antisemita y que no lo es en absoluto, que detesta el cubismo y que lo adora, que es maurrassiano y a la vez anarquista de corazón, que perdió dos dedos en una trinchera a causa de la metralla en 1917 o que se los cortaron de un tajo durante una pelea en un bar de Montrouge frecuentado por coloniales, que es de una tacañería sin límites o de una generosidad extrema y ciega... Lo único que sé de cierto sobre LeTourneur es que se pasa media vida metido en la galería de su rival y colega... acude incluso a sus *vernissages,* aunque no sea ni mucho menos del agrado de Rosenberg y Picasso lo deteste. También sé que a tu padre no le caía demasiado en gracia, aunque le compró algunos cuadros, incluso fue a visitarlo a Madrid tras su vuelta, creo que con Picabia, aunque de eso ya no estoy tan seguro. Pero ahora que lo pienso, tú estabas presente en esa ocasión, ¿no? O eso me contó Alicia... claro que entonces eras más pequeño, y con todo lo que ha sucedido después, sin duda ya ni te acuerdas», le había detallado entonces Kozirákis...

Pero sí se acordaba; y ahora rememoraba aquella visita al estudio paterno, al igual que recordaba la pensativa expresión del hombre que observaba en la galería Rosenberg, con hierática fijeza y la mano mutilada apoyada en el mentón, la *Mujer de rojo con mandolina y delantal* de Matisse, indiferente a la voz femenina que a sus espaldas le cuchicheaba a su pareja lo bastante alto como para que él oyera sus palabras:

—Mira a ese de ahí, sí hombre, el del Matisse, es LeTourneur... Pierre LeTourneur, el «otro» galerista, ya sabes, el de enfrente. Paul debería prohibirle la entrada, es indecente el modo en que los persigue, a él y a sus artistas... Y eso que al parecer no es marica. Debe de tratarse de una obsesión malsana. Se dice que de joven fue un virulento antidreyfusista.

¿Qué cuadros le compraría LeTourneur a Ventura Fernet? Cuánto lamentaba haber salido ese día, de la mano de su madre, al recoleto jardín del estudio, ahora convertido en un solar donde docenas de gatos dormitaban al sol bajo la parra mustia, entre cascotes, cizañas y zarzales... No le había contado a Lola que algunas tardes de domingo se dejaba caer por allí con su bloc de dibujo, como una especie de tributo a lo que pudo ser y no fue, a esa otra vida interrumpida que ya nunca sería la suya. Sentado sobre los restos derribados de una piedra de molino, que años atrás sirvió de mesa para las meriendas-cenas primaverales a que tan aficionados fueron sus padres, trazaba con parsimonia sobre el papel la dormida paz de antaño. Y así, volvían a levantarse sobre la cartulina las paredes de piedra y madera del hotelito alquilado por Ventura Fernet a su vuelta a Madrid para pintar arrebatado, olvidado del reloj, del mediodía hasta la caída del sol. A través del lápiz y del carboncillo revivían el tejado en punta y a dos aguas, el porche de marquesina vidriada que Alicia calificó de «modernista», los rosales trepadores plantados por algún antiguo inquilino, el macizo de lilas, cuyo perfume, llegado abril, se adentraba hasta el interior de una casa sofocada por los olores a aguarrás, barnices, pinturas y pigmentos de droguería. En medio del silencio, alterado tan sólo en las tardes de feria y corridas por el cercano clamor de los «olés» de la plaza de toros de Las Ventas, Federico dibujaba un paraíso deshabitado bajo la mirada hechizante de los gatos de una inmovilidad de ídolos. Reinstauraba el mundo arrebatado del ayer, pero nunca silueteó allí a nadie, ni a sus padres ni a los visitantes que acudían a las noches con cestas de merienda y frascas de vino que su madre ponía a refrescar en un barreño... Muchos estarían muertos, presos o en el exilio, pensaba a veces, y por un instante creía percibir a su alrededor vagas y tranquilizadoras presencias fantasmales.

Ese próximo domingo volvería allí, pensó... Dibujaría la antigua verja desaparecida, ornada de flores de lis y racimos de uva. Y el pequeño cajetín amarillo de la entrada y las celosías del piso bajo.

Y al siguiente acudiría puntual a su cita con la señora Müller... llámame Frieda, decidió. Incluso aunque tuviera que salir de nuevo por el montacargas del servicio.

Se llevó a los labios el pedazo de piña azucarada y lo saboreó despacio.

Con los ojos cerrados, apoyado en una ventanilla, volvía a sentir el beso de Frieda, ahora denso y profundo, dentro de su boca húmeda.

París, 16 de mayo de 1968

Pienso ahora en Federico Fernet metiéndose en la boca la golosina arrojada por Frieda, en un tranvía de viajeros escasos y sentidos aguzados por ese aroma a azúcar que durante un segundo feroz los entresaca del abatimiento del hambre engañada con altramuces, y me echo a reír. «Garrapiñadas», piensa alguien, quizás esa mujer de medias caídas y manos agrietadas por estropajos y amoníacos; y el hombre del bastón de empuñadura de aluminio que sustituyó a la antigua de plata, malvendida, como las joyas, vajillas y mantelerías de su casa, para comprar en el mercado negro los envíos destinados a la hija presa en la cárcel de Ventas, suspira mientras sus papilas evocan lejanos sabores de frutas de Aragón. Federico no los vio, por supuesto, ni siquiera se fijó en ellos, que quizá sólo existan ahora en mi cabeza y en esta hoja cubierta de tachaduras, porque nunca supo advertir a su alrededor nada que no guardase relación con su persona. ¿Cómo habría podido ser, no ya un *gran* pintor, sino un simple *pintor* a secas, si no sabía *mirar?* Pero yo sí lo hago en esta noche isleña de cánticos de muchos e insomnio de todos, no por desfachatez ni tontos afanes expiatorios, sino porque el cuadro que nunca se empezó entonces lo pintan, ya, estas solas palabras proferidas para nadie. Ventura Fernet, su padre, me digo malévolo, y a qué negarlo, también un poco triste, sí que los habría visto… a la mujer de dobladillos gastados, al cobrador taciturno que le hizo caso a su madre y se apuntó al «vertical» para conservar empleo y sueldo. Y al señor de edad vencida, que regresa, en noches como esta que ahora cuento o me invento, a un piso desmoblado poco a poco, mes a mes, por las urgentes ventas a peritos que tasan a la baja de la carroña, y a algún que otro compasivo chamarilero que al amontonar, en cajas y cuévanos, macizas cuberterías con iniciales palpa ruina, derrota y condenas... No eran muy distintos de los primeros, por mucho que los aventajasen en ganancias, o en conocimientos, los Lefranc, Fabiani y LeTourneur de turno, que se aprovecharon de la «arianización» de las galerías de arte rivales parisienses y se hicieron, a precio de trueque o de saldo, con sus fondos y los de los coleccionistas expoliados, dentro de la llamada «Sala de los Mártires»[6] montada por el ERR

---

[6] Llamada así porque en ella amontonaron, durante la Ocupación los miembros del servicio ERR destinados en París, las obras de arte «degenerado» robadas a particulares y galeristas, en su gran mayoría judíos o anti-

alemán en el Jeu de Paume. Iban y venían por el París de los peculiares *bureaux d'achat* del «Servicio Otto», de los restaurantes del mercado negro, los prostíbulos y los cabarets donde los gestapistas Frédéric Martin, alias Rudy de Mérode, Berger y Georges Delfanne, alias Masuy, alias Henry Bauer a su llegada a España, vociferaban, ahítos de champaña y de foie gras, a la mesa de los Engelke y Sommerauer, codo a codo con industriales «doriotistas»[7], vividores españoles, marselleses de clan, corsos de las mil y una condenas y traficantes orientales de diplomática inmunidad.

Pero esa noche, Federico (tampoco él resultó muy diferente) no distingue más sombras que la suya alargándose hacia la luz de un ramo de amapolas... que vale una fortuna.

¿A cuánto se tasa un color?

No sabe todavía, aunque si quisiera —pero no quiere— podría adivinarlas, de otras sombras agazapadas y al acecho... De la de Brandler, al que conocerá una tarde, a las puertas del Banco Alemán donde flamea al viento la cruz gamada, y a quien el comandante de Marina Máximo Ferrer lleva media guerra propor-

---

fascistas, para traficar muy provechosamente con ellas. Muchas de ellas permanecen desaparecidas.

[7] Seguidores del virulento colaboracionista Doriot, ex dirigente comunista expulsado del PCF y reconvertido al fascismo, creador del PPF (Parti Populaire Français). Jacques Doriot marchó a Alemania con el gobierno de Vichy tras la Liberación de Francia y murió allí, en combate contra los aliados, en 1945.

cionando wolframio a través de la Sociedad Rhur, con sede central en Montecarlo y filiales en Madrid, París y Lisboa; de las de Bony «puños de hierro», y de LaVigne, ese falso aristócrata antisemita del monóculo que emula a su jefe Darquier de Pellepoix[8], se pretende experto en el *Quattrocento* y admira a Arno Brecker casi tanto como su histérico ídolo austriaco… Ambos elegirán, en el ardiente verano parisiense del 44, el camino hacia España, adonde les han precedido ávidos torturadores como Rudy, negociantes sin escrúpulos como el misterioso «Monsieur Michel» y ciertos elementos de Vichy, más avispados que sus congéneres en ruta posterior hacia el castillo alemán de Sigmarinen, que Otto Abetz, ex embajador nazi en París, rendirá a los aliados en la primavera del 45.

¿Cómo podría él haber sabido entonces de la mujer sin sombra, esa blanca *Venus de la esfinge* y las discordias, que suplantará en su imaginario a todos los demás cuerpos, incluido el de una Frieda-Marie Müller

---

[8] Colaboracionista, furibundo antisemita que estuvo a cargo bajo la Ocupación del «Comissariat aux questions juives», organismo policial creado por Vichy para la persecución y deportación a los campos de exterminio de los ciudadanos judíos de Francia. Louis Darquier, autotitulado «de Pellepoix», murió en la década de los ochenta en España, donde halló, a partir de la Liberación de Francia, como tantos criminales de guerra nazis y vichystas, cómodo refugio gracias a la ayuda prestada por las autoridades franquistas. Llegó incluso a dar clases en diversas academias de idiomas y mantuvo provechosos contactos con la Escuela Oficial de Idiomas.

a la que, mientras regresa al domicilio de Ayala, donde cenará sin ganas una coliflor recalentada y chicharrones fríos, evoca con prematura nostalgia?

No me conmueve en absoluto su mezcla de ingenuidad y codicia. A estas alturas, sé que era únicamente un «listillo» (me gusta esa despectiva expresión española), un arribista al que las cosas le salieron bien porque nadie prestó mucha atención al más reciente «capricho» de una mujer que oficiaba un culto enfervorizado a la «juventud» y llevaba ya demasiado tiempo acostándose con viejos cónsules y encargados de negocios, cuyos amaneramientos no compensaban las impotencias, y con piltrafas como Ganz. Por su cama pasaban también, con regularidad cuartelaria, el comandante Ferrer y Brandler. Pero en el fondo a ninguno de esos dos, al revés que al imaginativo y premioso Gunther (pero Frieda detestaba al adjunto de Lazar, el temible agregado de Prensa de la embajada del Reich, de quien dependía y percibía un «sueldo» engrosado por sus astutos tejemanejes extraoficiales y la fecunda «amistad» con Maria Almas-Dietrich, la ignorante galerista íntima de Eva Braun), les atraían los prolegómenos. Ambos eran amantes de una rápida brutalidad, que se desnudaban y volvían a vestir a toda prisa mientras conversaban de caballos de raza, negocios y añadas de vinos, desatentos a la mujer que fingía escucharlos ahogando bostezos de aburrimiento. Años después, le pregunté a Frieda cómo pudo simular durante tanto tiempo que aceptaba más o menos encantada las «visitas» de esa voraz camada de necios, y supe, antes de que me observara atónita, que el más necio de todos era yo por inquirir semejante absurdidad. Porque a esta mujer sin misterio y alma de inversionista ni siquiera le subyugaba el poder: simplemente, acataba el supremo mandato del dinero, del mismo modo en que ahora, cuando ya ha empezado a detestarme tanto como a esas arrugas que yo le señalo con desalmado regocijo algunas mañanas, asume que la liga a mí la necesidad del secreto. ¿Dónde estaríamos ambos si Federico no hubiera disparado esa noche en aquella casucha de la carretera de Burgos? «Bajo la Cruz del Sur», me respondió ella en cierta ocasión, malhumorada, «tranquilos y estimados por los nuestros». «Nuestros iguales, no los nuestros, en todo caso, querida —corregí con suavidad—, la gente de tu especie y de la mía no tiene más bando que el de sus intereses o, en su defecto, el de sus caprichos». Ella frunció el ceño, agraviada, porque todavía hoy incurre de vez en cuando en la vana pantomima de la «lealtad». Se apartó de mí, estremeciéndose, no sé si de rabia o de aprensión.

Ha empezado a sonar el timbre del teléfono…

Suena y suena.

Pero cuando lo descuelgo no hay nadie al otro lado… estoy tan cansado que por un instante me parece oír un respirar muy tenue. Bobadas.

No pasa nada, digo en voz alta. Si ni siquiera funcionan, en este mayo del levantamiento y las barricadas, la mayoría de las líneas telefónicas. Las operadoras están en huelga, como los panaderos, los mineros, los profesores, los camioneros, los escolares que ayer tomaron el teatro del Odéon y los obreros que esta mañana se han apoderado de la fábrica Renault y retienen allí, según informan las emisoras radiofónicas, a su director. Los bulevares y puentes vuelven a llenarse de bicicletas que sortean improvisados obstáculos. Me figuro que la mejor barricada será, como en agosto del 44, la montada por los actores de la Comédie, que entonces escribieron en un gran lienzo, plantado con un palo sobre cuatro míseros sacos terreros, un teatral y disuasorio: *¡Achtung! Minen.* Imagino las galerías cerradas, el Hotel Drouot vacío, y me echo a reír con verdaderas ganas. Pero yo no necesito ya visitar exposiciones ni museos.

Sólo tengo que abrir la puerta de mi galería secreta y abandonarme a la blanca oscuridad de la diosa.

Madrid, febrero de 1944

Lo alivió que Lola Beltrán no atendiese a sus improvisadas excusas para no tener que acompañarlas al penal de Burgos donde los primeros domingos de cada mes aguardaban los tres, durante horas y entre una muchedumbre cargada de bultos, a que los hoscos guardianes se decidieran a abrir los portones y a empujarlos hacia un sucio locutorio. Que estaba incubando un resfriado, esa fuerte jaqueca anunciaba a lo peor una gripe que podría contagiarle al pobre José, adujo, remordido de culpa porque los graves ojos negros de Carmela lo escrutaban sin un pestañeo. Pero Lola, que desenrollaba cordeles, ataba paquetes y se movía nerviosa, tijera en mano, por la sala de estar, contando y recontando fiambreras, asintió sin más explicaciones. Le daba la espalda, no advirtió su aire de acorralamiento ni la mirada, fugaz y reprobatoria, que dirigió su callada hija única al chico del pobre

Ventura, que tuvo peor suerte aún que su marido; al menos José estaba vivo y sin condena de muerte sobre su cabeza, por mucho que en sus peores pesadillas ella lo soñase delante de una tapia frente a voraces bocas de fusiles. Sí, mejor en ese caso que no viajara a Burgos, que se quedase en casa sin coger frío y tomándose la temperatura a intervalos regulares, murmuró. Si le daba fiebre, que no dudase en avisar a la viuda Orozco, recomendó, que había hecho cursillos de enfermera en el Hospital Obrero de Cuatro Caminos al principio de la guerra y tenía «ojo clínico»; fue ella quien le bajó la calentura a Carmela cuando cogió la escarlatina en marzo del 37, con métodos, eso sí, un poco drásticos, porque metió a la niña de golpe en la bañera llena de agua helada. Carmina era una buena mujer que las estaba pasando moradas, la pobre, como tantas otras, y a ver, ¿no se le olvidaba nada? Se volvía loca a fuerza de comprobarlo todo, resopló, pasándose los dedos por la nuca, la mera idea de descubrir que se había dejado algo en casa a la mitad de ese viaje de infierno en el abarrotado tren nocturno le angustiaba...

Desvió la mirada de Carmela (¿por qué lo observaba de ese modo, quién se pensaba que era, un maldito juez?) y prometió que si se encontraba mejor emplearía la noche del sábado en limpiar el piso. «No hace falta, Fede, tú limítate a descansar, que un catarro mal curado termina complicándose», sonrió Lola, girándose hacia él con un hilo de remendar en la boca. Le devolvió la sonrisa, sofocado por una íntima y novedosa vergüenza. Así debían de sentirse al principio de sus mentiras los adúlteros, pensó. Y por un instante se representó a su madre mintiéndole con falso aplomo en su ciudad atlántica al desconocido con quien estuvo casada y del que se divorció después de su propio nacimiento. Divorcio que en el nuevo régimen ya no era válido, recordó con rencor, que se jodiera también el notario ricachón. Pero imaginar a Alicia Zaldívar mintiéndole a alguien, soltándole, por ejemplo, a un *marido* el cuento de que se iba a una prueba de modista para encubrir una primera cita con el pintor que la abordó ante uno de sus óleos durante su primera y única exposición en Finis, le resultaba imposible. Su madre detestaba mentir. Claro, que en ciertas ocasiones *mentía*… le había mentido a ese oficial del campo de Le Boulou contándole que pensaba casarse muy pronto con un monsieur Constantin más que dispuesto a sacarlos de allí y a ayudarlos a conseguir los permisos de residencia. Y también al gendarme que se presentó una mañana en la rue des Pyrénnées: le aseguró que tramitaba sus pasajes al Uruguay, cuando en realidad no tenía intención alguna de abandonar París. Después de junio del 40 lamentaría amargamente aquella decisión, él se acordaba muy bien. Sin duda, ella no consideraría «mentiras» esas simples argucias de supervivencia, pero lo eran. Y a fin de cuentas, resolvió ya más tranquilo, nadie podía vivir del todo en la verdad.

Entonces enfrentó sonriente la mirada de la niña que a los pocos meses de su llegada le preguntó si los familiares casados entre sí tenían «por fuerza» descendientes tan feos como los de ese rey Carlos IV pintado por Goya, que su padre y otros restauradores ayudaron a embalar para su viaje de salvaguarda a Ginebra durante los bombardeos. A él le había divertido mucho la pregunta de aquella primita de rizos alborotados… «Sólo si se casan con mujeronas tan feas como María Luisa de Parma —respondió alegre—, pero tú vas a ser más guapa que una Maja que yo me sé… y el único primo que tienes, y lejano por cierto, soy yo». Carmela le había arrojado un zapato a la cabeza, antes de huir, ruborizada y a la carrera, pasillo adelante… A partir de entonces empezó a usar lazos en el pelo y a cuidar su aspecto.

«No tengo nada que reprocharme —se repitió, antes de irse a la cama—, nada en absoluto».

* * *

No había nadie en la portería de Paseo del Prado, observó aliviado. La propia Frieda abrió la puerta, sonriente y vestida de calle. El pelo recogido sobre la nuca y la falta de maquillaje le otorgaban un aspecto fresco y joven que se le figuró distinto, más cálido.

«No hay nadie —sonrió ella, al advertir que lanzaba nerviosas miradas a su alrededor—, hoy podremos hablar tranquilos y sin que nadie nos interrumpa, porque no pienso atender ni el teléfono».

Lo condujo a una blanca salita redonda donde ya estaba dispuesto un servicio de café. De café auténtico, comprobó, casi había olvidado su sabor por culpa de la maldita malta. Esa mujer sabía vivir, no se privaba de nada, se dijo, con la vista clavada en el azucarero de fina porcelana a rebosar de terrones y en la pulsera de oro y diamantes que pendía de su muñeca derecha... Pero ¿por qué si era tan «aficionada» al arte no colgaban cuadros de los muros del salón ni de los del gabinete rojo adonde lo llevó en su anterior visita? Tampoco allí los había... deslizó la mirada por las paredes, sorprendido por su desnudez. Quizás acabara de instalarse, después de todo era una forastera que acaso planeaba regresar muy pronto a su país y disfrutaba entretanto de la buena vida, lejos de las bombas y de los frentes.

—Eres un joven muy callado. ¿No vas a contarme nada de ti mismo?

Le tendió una porción de bizcocho y rió al oírle farfullar que «había muy poco que contar».

—Siempre hay mucho que contar, incluso demasiado, pero ya que tú no lo haces, empezaré yo, como primera muestra de confianza.

Improvisó entonces un muy ordenado relato sobre las circunstancias de su vida, en el que lo falso y lo verdadero, sospechó Federico, parecían coexistir entremezclados. Nació en Estrasburgo, explicó, y se había educado en un pensionado católico. El español lo había aprendido de jovencita de labios de su querido padrastro argentino, Antonio María de Ocaña, un «encantador» hombre de negocios de irregular suerte, por desgracia fallecido junto con su madre en un absurdo accidente automovilístico en 1927. «Cerca de Ginebra —precisó innecesariamente, y recalcó enseguida, con cierta teatralidad—, también yo he estado sola desde muy joven, sé lo que se siente y lo duro que es quedarse huérfano». Parecía aguardar alguna reacción por su parte, pero él masticaba su bizcocho en silencio, sin entender por qué le detallaba todo aquello. Le resultaba imposible pensar en esa mujer rica y hermosa en términos de una «huérfana» —Johanna Spyri a estas alturas, pensó con desdén— y le irritaba, sin que pudiera explicarse el motivo, que le refiriese una existencia que presumía amañada y que le hablase de la «soledad».

«Siempre se está solo —había cortado su madre sus protestas sobre su regreso en solitario a España—, conviene saberlo cuanto antes. En Madrid estarás más seguro, tengo miedo de que los boches te envíen a trabajar a Alemania, así que deja de rabiar y haz lo que te digo». Sabía que su madre había recurrido a antiguos conocidos de Finis, puede incluso que a parientes remotos, destinados en la embajada de Franco en París, para tramitar su permiso de repatriación, y saberlo le provocaba una ira sorda. ¿Cómo tenía el descaro de pretender que había cortado amarras con los suyos si al primer contratiempo se arrojaba a sus pies pidiéndoles ayuda y favores para su hijo «bastardo»?

—Siempre se está solo —se oyó decir a su vez, con tono de fría indiferencia.

Y era como si su madre hubiera hablado a través de él… avisándolo de la inminencia de un peligro.

—No siempre —sonrió ella. Le quitó la taza y el plato y rozó su pelo con ademán distraído—. A tu edad ya deberías… saberlo. No deberías tampoco echarte tal cantidad de brillantina, no la necesitas. No necesitas nada en realidad, a tu edad todo es accesorio… salvo la belleza.

Lo miraba con atención de naturalista a punto de apresar un raro ejemplar de insecto y le sorprendió no sentirse intimidado. Cuando lo tomó de la mano (sus dedos fríos y suaves tenían una sorprendente fuerza de acróbata), pensó tontamente, y con una seguridad que tan sólo una hora antes no habría creído posible, «ya está, llegamos».

—No tengas miedo. No voy a comerte…

*   *   *

Metido en la bañera espumeante la divisaba por primera vez desnuda —en el dormitorio adonde lo arrastró le había vendado los ojos riéndose— en el es-

pejo de cuerpo entero. Una mujer alta, más musculo-
sa que esbelta, de largas piernas algo arqueadas de
amazona, que se depilaba las cejas con unas pinzas y
apuraba a sorbitos un licor dulce de nombre francés,
de espaldas al muchacho hundido hasta la barbilla en
el agua hirviente. Tenía una mancha de nacimiento,
del tamaño de una moneda, en un omoplato, observó
con agrado. Le tranquilizaban esas pequeñas imper-
fecciones, de un modo que no acertaba a explicarse temía la excesiva simetría, la regularidad monocorde de
rostros y cuerpos. Se preguntó si sería capaz de retratar aquella mezcla de imperiosidad e indiferencia, esa
belleza cuya secreta vulgaridad le conmovía ahora sin
turbarle, porque ya no se le revelaba inaccesible e incluso podía permitirse creer que la despreciaba un
poco. Alzó una mano y jugó a delinearla en el aire,
como si éste fuera un papel y él sujetase entre los dedos un lápiz de blanda mina gruesa. «Es hermosa y
rica —pensó—, pero es real, tan real como yo. De
carne y hueso, mortal», y sofocó una risita.

—Me muero de hambre… ¿tú no?

—No… bueno, sí.

—He pensado que podríamos salir. A menos que
prefieras merendar cualquier cosa aquí, antes de mar-
charte. Y por cierto, ¿qué piensas contar en tu casa?

Lola y su hija aún estarían en el tren de vuelta, se
dijo. Le gustó no albergar remordimientos y sonrió.

—¿Eso te preocupa?

Frieda-Marie Müller lo miró con dureza desde el espejo.

—Desde luego que no, no te creas importante, porque no lo eres. Ni para mí ni para nadie, una sola indicación mía y te vas de cabeza a un correccional. ¿Por quién me tomas, por una estúpida *dama* beata con mantilla y relicario de las de ese ridículo «Auxilio Social»? Yo no tengo nada que ver con esas patéticas devotas vuestras, soy una mujer libre... y tú no eres nada. Un pequeño muerto de hambre muy guapo, sólo eso. Te convendría no olvidarlo.

«No lo seré por mucho tiempo —se prometió Federico—, y tampoco tú eres tan libre, puesto que dependes de otros que manejan hasta la llave de tu casa». Adecuó una expresión contrita y susurró:

—No se enfade conmigo, señora Müller... Frieda, por favor.

La alsaciana suavizó el gesto. Cerró su barra de labios, se envolvió en un albornoz y se sentó en el borde de la bañera.

—Si sigues ahí dentro vas a salir más arrugado que un viejo, pequeño tonto. Vamos, deja que te seque.

Tiró de él y lo cubrió enseguida con una gruesa toalla blanca. Lo friccionaba con la energía acompasada y mecánica de quien ha satisfecho su impulso erótico y acomete después a solas, eficiente y sin pensar, una tarea cualquiera de limpieza doméstica. Pulir un mueble, lustrar un suelo, enjabonar un ventanal. «Estoy perdiéndola», se alarmó Federico, y su mente discurrió veloz. Con una mujer así, los elogios y discursitos amatorios rebotarían inanes como una cáscara de nuez contra la chapa de un acorazado, intuyó. Frieda olía a polvos cosméticos, licor de naranja, agua de colonia y a… *carne*. Un levísimo olor a carne ahumada en salazón… «Tiene algo de ogresa», se dijo, y reprimió el impulso de reír a carcajadas al recordar que en los cuentos infantiles todos los ogros eran *tontos*.

—Me interesó mucho su huésped el señor Ganz… muchísimo, me pareció un gran amante de la pintura de nuestra *degenerada* época —se arriesgó—. Pero es una lástima que ni él ni usted, señora Müller… Frieda, se informasen antes sobre el paradero exacto de mi primo, el restaurador don José Sigüenza. Puede que yo termine en un correccional, desde luego que eso no sería extraño, tradiciones de familia, teniendo en cuenta que también él está en una cárcel. Estas cosas les suceden a los pobres huérfanos, verdad… Es una pena que esté tan bien, y a la vez tan mal, informada… Frieda.

Y buscó su boca, que de repente tenía bajo sus labios la machacada consistencia de una fruta madura. Pero no era rabia ni sorpresa, entendió, lo que ablandaba esos finos labios recién maquillados, sino risa. Una risa franca e incluso cálida.

—Olvida al querido Ganz, chico, la pintura no es lo suyo, no le importa nada, ni siquiera si es *degenera-*

120

da. Y procura, sobre todo, hacerte olvidar *por él*. Me gusta que no seas tonto, en el fondo... aunque te comportes como un imbécil, no basta con la ambición, sabes... ni con demostrar talentos prometedores para la cama. Pero en una cosa tienes razón. Hay *otro* José Sigüenza... y alguien lo confundió con tu pariente a la hora de encargar un trabajo, un error estúpido, lo reconozco. Porque ese otro José, o mejor dicho y en su caso, José Ramón Sigüenza, madrileño, de profesión anticuario, y de ahí la equivocación, imagino, lleva en Baltimore, Estados Unidos, desde el 38 o 39... cuando tú ibas aún en pantalón corto, ¿no, pequeño Greco?

—Prefiero Velázquez.

—También algunos de mis amigos... el comisario Villegas, por ejemplo, adora *Las lanzas*. Pero a mí, he de confesarlo, me da igual uno que otro. De todos modos, ya no necesito ningún restaurador. Resolví lo de mis pequeñas tablas. Y temo que tampoco voy a encargar ningún marco... de momento, claro. ¿Quién sabe qué necesidades nos deparará la incógnita del futuro?

—Las del presente sí las conocemos.

Volvió a reír, tapándose los dientes. Sin sortijas, su mano le pareció el extraño apéndice amputado de un maniquí de cera.

—Lo lamento por tu... tío o primo. Se dice por aquí que era el mejor del ramo. Pero los representantes del Reich no tenemos, ya no tenemos apenas —rectificó— poder para cambiar las circunstancias de los naturales… al menos, si ya fueron juzgados, como es su caso. Ya no puedo, no podemos hacer nada por él, ni por ti. Otra cosa sería si aún estuviera detenido en alguna comisaría. O si se hubiera —bajó la voz— fugado… Hay presos que lo consiguen, por increíble que parezca. Algunos han logrado escapar de cárceles... e incluso de campos.

La observó con mayor atención. Notó en la boca del estómago un brusco calambre de miedo, ¿por qué habría mencionado ella las fugas? ¿Sabría acaso que Lola Beltrán…? No, claro que no, tenía que tratarse de una simple casualidad…. «Maldita puta de altos vuelos», se dijo, rencoroso. Imaginó al comisario Villegas («no hay secreto que se le resista», recordó) reclinado sobre un cúmulo de informaciones pacientemente compiladas sobre una mesa de despacho policial y se estremeció. Ganz era misterioso, amenazante y oscuro, pero el pulcro Villegas de corbatín de seda blanca a lo Laval no se le figuraba menos temible.

—Se ha hecho demasiado tarde para salir. Picaremos aquí cualquier cosa.

—No pensaba en mi tío… en mi primo —dijo con lentitud, mientras se abotonaba los pantalones y la seguía hacia la cocina por otro pasillo que no era, comprobó desilusionado, el mismo donde entrevió a

LeTourneur en cuclillas ante las inconfundibles amapolas de Soutine—. Pensaba en mí. Y en mis proyectos.

—Oh, me encantan los proyectos juveniles. Y los secretos… Espero que pronto compartas algunos conmigo —rió.

«No te obsesiones imaginándote cosas raras», intentó tranquilizarse. La besó en la clavícula.

—Seguro —contestó, con fingido buen humor.

—Porque me gustaría ayudarte, sabes. A veces, un empujón adecuado puede enderezar situaciones penosas. Un joven como tú, tan guapo… e inteligente, por supuesto, necesita buenas oportunidades para salir adelante. Buenos contactos, sobre todo.

Le acarició los pómulos con dulzura. Parecía muy distinta del ávido ser que se le arrojó encima con un frenesí muy próximo a la furia. Muy diferente de quien en el dormitorio le cubrió los ojos con un antifaz de susurrante seda, murmurándole al oído con respiración entrecortada: «Me gusta jugar a los pequeños reos». Ahora parecía… «inofensiva».

Pero no lo era, de eso estaba seguro.

La sensación de malestar persistía en su interior. Podía repetirse hasta la saciedad que cualquiera, sí, cualquiera, y de cualquier edad y condición, se intercambiaría gustoso con él (¿quién habría rechazado acostarse con semejante mujer?), pero esa certidumbre no bastaba para eliminar dentro de sí el instinto poderoso del miedo. Porque era miedo, exactamente miedo, lo que experimentaba.

Y su mente retrocedía, aprensiva y veloz, a una madrugada de octubre de 1943. Al instante en que se levantó a beber agua y sorprendió desde el pasillo aquella conversación que Lola y un desconocido —Alejandro, lo llamaba ella— mantenían a media voz en el gabinete. Se enteró así de que ese hombre se había fugado del campo de concentración de Miranda de Ebro. Llevaba casi dos semanas de vagabundeo, durmiendo hoy aquí y mañana allá, contó, viajando de noche y ocultándose de día. «No habría venido de tener un lugar seguro, tú sabes que lo último que yo querría es meteros en líos», se disculpó. Y entonces se echó a llorar, había oído con toda claridad sus sollozos... antes de regresar de puntillas a su dormitorio.

A la mañana siguiente, Lola estaba nerviosa, se notaba que no había dormido. De su cuarto no salía ningún ruido, pero él adivinó que el extraño, que debió de pasar el último tramo de la noche en el sofá de la sala de estar, estaba dentro, al amparo de la oscuridad de persianas bajadas. Lo imaginó temeroso del menor ruido percibido tras de las ventanas del patio, encogido sobre la colcha de borlas con la tensión del animal que ha despistado momentáneamente la batida y se agazapa en un escondrijo, sabedor de que en cualquier momento lo descubrirá el olfato de los perdigueros. Acaso temblaba de fiebre (por la noche lo

124

había sentido luchar contra la tos), tratando en vano de alejar de sí las imágenes que su imaginación le enviaba sin piedad; escenas en que hombres armados con fusiles de asalto lo perseguían sin tregua por callejones nevados y húmedos túneles de metro, hasta cazarlo finalmente sobre una cama matrimonial, en el piso que antaño visitara tantas veces, porque nadie restauraba como José Sigüenza sus hallazgos de excéntrico coleccionista de fortuna. De este último detalle se enteró después, por boca de Carmela, que lo conocía de antiguo y le describió entre murmullos las penalidades del desdichado aristócrata anarquista maldecido por los de su estirpe, después de que Lola se decidiera al fin a revelarles su presencia. «Nuestro huésped va a pasar unos días con nosotros, hasta que encuentre una… bien, una salida a su situación», explicó sucinta. Les conminó a guardar la acostumbrada reserva ante los vecinos, a no cometer imprudencias de ninguna clase delante de clientes, amigos, maestros o tenderos. Carmela y él no se extrañaron, porque antes del joven marqués de Salinas, a quien el cautiverio había transformado en una temblorosa figura de lástima aquejada de violentos tics faciales, hubo otros que también pasaron por la casa de Ayala como fantasmas en tránsito. Dormían allí, dos o tres noches seguidas como máximo (el aristócrata pasó sin embargo más de un mes en el piso de Ayala), hasta que alguien llegaba de madrugada en su búsqueda, provisto de documentaciones falsas para sacarlos de la península hacia Argel, quizás, o el cabo de San Vicente. Dos de ellos fueron aviadores de la RAF derribados sobre los Pirineos que aspiraban a llegar a Lisboa para regresar desde allí a Inglaterra. Tenían un inconfundible aspecto foráneo y no hablaban español. Uno era polaco y Federico había cruzado unas pocas frases con él en francés.

Pero Alejandro de la Fuente y Castiglione, el prófugo y *rojo* marqués de Salinas que se ocultaba en otro escondrijo desde la mañana en que un hombre con atuendo de repartidor pasó a buscarlo —podía imaginarlo en su nuevo refugio, atento a la marcha de la guerra, esperanzado con cada nueva victoria aliada, convencido de que acaso por una vez el tiempo jugase a su favor—, era distinto, recordó. No sólo porque, al igual que su madre, hubiera renegado tempranamente de los suyos, que seguramente tramaron su venganza durante aquellos primeros meses de terror y «paseos» que pasaron en vilo y ocultos en el sótano mohoso de una vieja niñera, antes de conseguir cruzar las líneas hacia su propio bando, también porque poseía un secreto, algo, dedujo, que le importaba sobremanera. «Quizá podríamos *intentar* venderla para conseguirte un permiso de salida —había sugerido Lola poco antes de que él prorrumpiese en sollozos—, conozco a gente que tiene contactos a determinado nivel». Al principio, el prófugo no había querido ni oír hablar de una idea que rechazó de inmediato con rara vehemencia. «Es lo único que me queda —se justificó después—, sin ella estoy perdido. Entiéndelo, por favor, Lola querida. O no lo entiendas. Yo tampoco lo comprendo, pero sé que no *debo* desprenderme de ella así, a cualquier precio. La diosa es mi salvación, siempre lo he sabido, desde que la descubrí por pura casualidad en la casa italiana de mi madre, os lo he contado mil veces a ti y a José. Cómo la hallé oculta dentro de aquella escayola polvorienta que se rompió al caerse de una hornacina... y el modo en que huí con ella a España sin decirle nada a nadie, como un ladrón. Ella es mi salvoconducto. O podría serlo, en ultimísima instancia, como recurso final, eso te lo concedo. Pero también es algo más, que no sabría explicar... ni definir. Ay, Lola, cuánto te agradezco que me acojas en este lance. Créeme, jamás podré saldar contigo esta deuda de gratitud y amistad. Ni aunque viviese cien años podría hacerlo, querida».

¿De qué diablos hablaban?, se preguntó Federico, intrigado. ¿Y en qué consistiría esa posesión que tanto alteraba a su dueño? A la mañana siguiente, ya no recordaba la pesadilla de la que despertó, lívido de miedo y empapado de sudor bajo las mantas...

Pero ahora creía recuperar de repente retazos de aquellos sueños («maléficos», los definió, burlona, la desafinada vocecilla interna que le provocaba insoportables jaquecas). «Ella», se dijo, meditabundo, recordando que el prófugo se refirió a una «diosa»... Y su mente divisó fugaz el relampagueo de unos soñados ojos azules que en absoluto se asemejaban a los de Frieda ni a los de ninguna imaginaria deidad. Porque aquella mirada desconocida y totalmente humana le transmitió entonces, en medio de la brumosa pesadilla, un alivio y un apaciguamiento extraños...

Hizo un esfuerzo por regresar a la realidad de la mujer que apenas unas horas antes («pero es como si hubiese sucedido en una eternidad anterior», se dijo) lo precipitó al fondo ignorado de sí mismo.

—¿Ayudarme cómo? —preguntó con cautela.

Frieda sonrió.

—Bien, ya se me ocurrirá algo… no seas impaciente. La impaciencia es pésima consejera. Desde luego, tienes la ventaja de hablar francés. Como decía mi padrastro, dominar idiomas es siempre una puerta abierta a la fortuna. Bien mirado, podría quizás hacerte un hueco en la filial española de L'Idéal, estoy justamente organizándola con un amigo de París. Sería un buen trabajo… con perspectivas.

—¿Qué es L'Idéal?

—Oh, se trata de una famosísima empresa francesa de cosméticos y perfumes. De todos modos, es sólo una idea que se me acaba de ocurrir sobre la marcha. Déjame pensarlo… y consultarlo.

Disponía jamón, queso y olivas sobre unas fuentes y por un instante lo asaltó la vana sospecha de que ambos estaban desempeñando un papel que no les correspondía, un rol escrito de antemano para otros por un guionista atrabiliario y codicioso.

—Me gustaría preguntarte… saber por qué te preocupas por mí, por el futuro… o el presente, de un mero desconocido. Si tú misma has dicho que no soy nadie. Ni nada.

—Bueno, ya no tan desconocido, verdad —y agregó, más meditabunda que desafiante—. Eres joven, muy joven… bastante guapo y listo. Y puede que hasta me recuerdes a alguien. O a varios. A gentes que conocí e incluso aprecié en otra época.

Frieda-Marie Müller se movía por la cocina inmensa y blanca como una niña que jugase a «las casitas», se dijo… Pero una niña de las que disfrutan aplastando escarabajos, arrancándoles con uñitas muy limpias medio cuerpo a las hormigas.

—Trae, déjame a mí.

—Creí que te interesaba la pintura, no la hostelería, muchachito.

—Los bodegones tienen su encanto.

—Déjame decirte que eres sorprendente para tu edad.

—Tú también.

—¿Qué me estás llamando…?

Arrancó el pitillo de sus labios, lo encajó entre los suyos y se echó a reír, esta vez con auténticas ganas. Era un tabaco dulzón y aromático, pero él no estaba habituado a fumar, y expulsó el humo asqueado. Por esas fechas, jamás se le habría ocurrido pensar que a una mujer semejante le aterrorizase envejecer.

—Nada. Supongo que nunca conoceré a nadie como tú.

—Desde luego.

Ella mordía —con los dientes delanteros, observó sorprendido— una loncha de jamón. De nuevo parecía contenta, muy fresca y limpia, de pie en aquella cocina grande como un vestíbulo donde los mármoles de las mesas, los azulejos, la loza y las porcelanas apiladas en los aparadores eran de un cegador blanco de clínica. Cogió un trozo de queso y preguntó con estudiada indiferencia.

—¿Hace mucho que te interesa la pintura?

—Cuando era… casi una niña estuve un tiempo casada con un crítico de arte.

Apartó la mirada, y Federico sintió que estaba diciéndole la verdad. Al menos, cierta clase de verdad.

Toda la verdad que alguien como Frieda-Marie Müller podía permitirse reconocer.

* * *

El prófugo, recordaría después, dormitaba de día y pasaba las noches en vela, liando pitillos de picadura en la oscuridad del gabinete, y temblaba si escuchaba pasos por el corredor, el ruido de una puerta al cerrarse, un automóvil en la arbolada soledad nocturna de la calle. Comía poco, pero con voracidad de preso, y el miedo le dislocaba la expresión apenas observaba moverse la manija del picaporte. Dormido o despierto, soñaba a todas horas que lo capturaban de nuevo y no se molestaban en llevarlo a rastras a ninguna comisaría cercana donde molerlo a golpes, porque lo mataban allí mismo, de un tiro en la boca, bajo el retrato de boda en el que su antiguo restaurador miraba al frente con aire de soñolienta sorpresa, del brazo de la mujer de blanco que todas las noches calmaba sus ataques de pánico con promesas de salvoconductos y vaga ternura de madre. Había llegado a temerle a su propia sombra, le comentó a Lola, y a su imagen reflejada en la luna del armario, que se le figuraba la de un muerto inminente. «Saldrás de ésta —prometió ella sin demasiada convicción—, pero tienes que hacerme caso».

Solía espiarlo a veces por el ojo de la cerradura, cuando Lola y Carmela no estaban cerca. Lo miraba ovillarse sobre la cama, el rostro tapado por las manos que temblaban, y una mañana de domingo lo escuchó llorar durante mucho rato, hasta que Lola, que comentó con un suspiro «quién lo ha visto y quién lo ve, y pensar que fue el hombre más guapo y más alegre de todo Madrid», mandó a la niña a su habitación con una taza de tila.

Resultaba difícil imaginar al escuálido huésped clandestino como un tipo alegre, se dijo entonces.

Habló por vez primera con él un anochecer en que Lola y su hija habían salido a visitar a unos familiares. Entró de puntillas a retirar la bandeja de la cena y lo encontró despierto. Miraba al techo con fijeza de alucinado y él ya se retiraba con los platos vacíos cuando lo sobresaltaron las palabras que Alejandro de la Fuente y Castiglione pronunció sin moverse.

—Así que eres hijo del pintor…

—¿Conoció usted a mi padre?

—Conocer es mucho decir. Fuimos presentados antes de la guerra.

Se incorporó sobre la cama. Estaba descalzo. Sus pies eran pequeños y delicados, casi femeninos, y no tenía vello en las pantorrillas, observó.

—No nos caímos bien… cuestión política, supongo. Los anarquistas no le gustábamos. En realidad, más que un socialista moderado, era un hombre muy poco entregado a la política, imagino que en otras circunstancias no habría ido nunca mucho más allá de votar cada cierto tiempo. Un espléndido artista y un gran tipo, pero tuvo mala suerte. Todos tuvimos mala suerte, de todos modos. Tú no te pareces a Ventura, creo.

—No sé…

El fugitivo se recostó sobre la almohada y se desinteresó de él.

—Señor…

—Qué.

Habló en un susurro, con la mano sobre el picaporte.

—Es cierto… ¿Es cierto que lo denunció su propio padre?

—Lees demasiadas novelas malas.

No parecía furioso, observó con alivio, si hasta sonreía un poco…

—¿Te las cuenta la buena de Lola, esas paparruchadas de «Saturno devorando a sus hijos»?

Negó azorado, sin atreverse a decir que se lo había revelado Carmela.

—Perdone.

El otro se encogió de hombros.

—No fue mi padre —aclaró sin mirarlo—, fue mi tío, su cuñado. Mi padre lleva años sin recordar ni su propio nombre, padece demencia senil. ¿Qué más da, de todos modos? Hoy día tantos denuncian a tantos… ¿Y qué te importa a ti todo esto?

—No sé… Quisiera… en fin, le deseo suerte.

—Ya desistí de esperarla.

—Pero la tuvo… por lo menos, consiguió escapar. Logró fugarse de ese campo.

El hombre parpadeó, estremecido.

—A veces despierto creído de que sigo dentro —murmuró. Y añadió enseguida—. Eres demasiado curioso.

Entendió la insinuación y lo dejó a solas.

No volvieron a conversar hasta pocos días antes de la llegada de su contacto, o quienquiera que fuese el desconocido que vino en su búsqueda para conducirlo, según dijo Lola, «a otro lugar más seguro». Por aquel entonces, Alejandro de la Fuente parecía menos hundido. Había ganado algo de peso, descansaba mejor y ya no lo acometían en todo momento los virulentos tics que distorsionaban la delicadeza de sus facciones. Sonreía con frecuencia y disfrutaba de sus momentos con Carmela, a quien ayudaba en sus tareas escolares. Le gustaba conversar con la niña a la que conoció cuando aún dormía en cuna, describirle los veraneos de su infancia en la dulce Toscana materna, divertirla con anécdotas de su invención y relatos del tiempo en que fue un niño, huérfano de una madre joven y extranjera fallecida durante su alumbramiento, crecido a la vera de un padre bondadoso y destrozado y de unas tías casi ancianas y tan devotas como hurañas; un hijo único educado en Madrid por preceptores de vestimentas raídas, cansancio y pobreza endémicos y clérigos mansos adormilándose sobre sus breviarios y gramáticas latinas. Excepción hecha de los veranos, que pasaba en la Italia materna junto a una multitud de primos alegres y ruidosos que lo intimidaban, no frecuentaba nunca a nadie de su edad, era como si residiese, aclaró sonriente, bajo una cúpula de vidrio que lo apartaba de sus semejantes con más eficacia que barrotes de celdas de folletín. Jugaba a solas bajo las descuidadas rosaledas y los cipreses del jardín familiar del palacio Fuente Medina de la calle Victor Hugo

y allí dentro, tras los altos muros invadidos de hie-
dra y madreselvas, el mundo era un rumor distante
de tranvías, un son continuo y amortiguado de voces
y ruidos provenientes de la torcida avenida inundada
de comercios, enseñas luminosas y cartelones cine-
matográficos que su padre detestaba y sus tías anhe-
laban en secreto, aunque fingiesen desaprobarla.
Aquel polvoriento jardín de bojes que se alzaba, a espaldas del caserón mohoso, en los antiguos límites
ya sobrepasados de la ciudad, ideado por un entusiasta antepasado alquimista de vocación, de senderos habitados por esculturas de bronces verdinegros
y mármoles blanquísimos, pilones cerámicos de ca-
ños oxidados bajo los magnolios, sauces, almeces y
jupíteres, era ya para siempre su paraíso perdido, le
explicó a la niña; el lugar donde no lo vencían los oscuros miedos de la infancia, porque en su trazado
alegórico y cifrado respiraba, seductora e intacta, la
geometría de los misterios que sobrevivían en su memoria. «Reconocer el edén», le oyó decirle, críptico y
melancólico, una tarde de lluvia a Carmela —no hablaba consigo mismo, comprendió, le hablaba *realmente* a ella, y de algún modo la niña lo *entendía*—,
«es haber comprendido tempranamente la condena
de tener que perderlo. Porque reconocer el edén es
empezar a asumir tu próxima entrada en el infierno.
Puedes no querer saberlo, pero cierta parte de ti sí
que lo sabe. Tus malditas entrañas y tu maldito cere-

bro lo saben». Carmela le había preguntado entonces, mientras rozaba con sus manos los dedos temblorosos del hombre que compartió —pero eso él no lo supo hasta mucho después, cuando investigó por su cuenta y ya no le importaban los detalles— logia masónica con el padre a quien acaso la tisis no dejaría salir vivo de ese penal abarrotado donde los presos dormían por turnos tras rifarse cinco baldosines, «cuándo empezó a odiarlos, si es que los odiaba». A los suyos, añadió con timidez. A su padre de día en día más senil, a sus dulces tías de rosario y maitines en la ruinosa capilla atendida por un párroco casi ciego y dado a los sermones tormentosos, al marido de Nieves, la menor de las cinco hermanas de su padre y la única que se casó, ese psiquiatra militar que décadas después lo delataría… a todo su mundo. Alejandro de la Fuente se había encogido de hombros. Por un instante su expresión fue de nuevo la de un animal perseguido por una batida de relevos frescos y feroces.

«¿Odiarlos?», repitió muy despacio… Y enseguida aclaró que no era odio lo que sentía por ellos, por lo que la niña llamaba «su mundo». O si lo era, él no fue, y sospechaba que tampoco lo sería nunca, capaz de reconocerlo como tal. Simplemente, le daban miedo, explicó fatigado… Los amaba, pero le daban miedo. Porque habían perdido el discernimiento de la belleza al cabo de siglos de encargarla, alentarla y

136

pagarla como se paga, feliz, cuando se es joven y poderoso —sonrió— a la mejor cortesana del momento. Tal vez no la más bella, pero sí la cariátide capaz de encarnar como ninguna otra los deseos de una época reflejo de todas las demás, las que fueron y las que vendrían. «La belleza se paga, pero no se compra —aseveró—, y eso hasta el más imbécil de los comerciantes florentinos de antaño, ennoblecidos merced al negocio y la usura, la espada mercenaria o el crimen propio o de encargo, llegó, si no a aceptarlo, sí a intuirlo». Todo ese frágil y férreo andamiaje de lo que ella, Carmela, denominaba «su mundo», ya no lograba reconocerla, adujo, y por eso alguna vez su triunfal descendencia se las vería colgando horrores, pastiches ínfimos e infames de sus muros y riéndole las gracias al dictador de mesa camilla y vocecilla aflautada cuyo gusto, si es que podía llamárselo así, añadió, no iba más allá de cuatro jotas vocingleras, pusilánimes óleos de parientes y relamidas estampitas de lástima y bobería. «Eres muy pequeña, Carmelita, para entender lo que te estoy augurando… pero no tanto como para no sospecharla, a fin de cuentas eres la hija de un hombre, mi gran amigo, que ha restaurado Tizianos y Goyas. Un hombre que ama la alegría rotunda de Matisse… Y esa alegría y esa tradición es la que *ellos* están destruyendo. Sustituyeron su feraz, necio orgullo por la avara devoción y la mirada descubridora por la sucia ojeada que asiente o desecha y cree tasar. Lo demolerán todo sin ni siquiera enterarse. Los *míos,* como tú los llamas, cavarán sus tumbas sobre la derramada sangre ajena creídos de que emergen a la luz, regalarán, solemnes, sus escudos, sus títulos, su familiar historia de empujes de codicia y heroísmos de sangre, a quienes afirmando defenderlos más los odian y envidian porque no nacieron de ellos y no les bastarán ni una ni dos generaciones para emularlos. Se codearán, se codean, porque ya lo están haciendo, con mediocres dispuestos a obtener mediante inter- cambio de favores las medallas que no se ganaron en guerras coloniales, ni en nuestra última sangría pe- ninsular.

»Cargarán a sus espaldas con la fealdad y la trasmi- tirán a sus hijos, y alguna vez éstos vivirán bajo atroces óleos de cacerías y falsas porcelanas de un horrendo neorrococó, y no sabrán que al hacerlo ya los venció un enemigo más poderoso que el desharrapado al que tanto temieron sus abuelos cuando lo sintieron desfi- lar bajo sus ventanas al grito terrible, iracundo y espe- ranzado de ¡UHP! No, ni siquiera odio lo que tú, niña bonita, llamas mi mundo. Amo, incluso, el últi- mo esplendor de sus pavesas... Pero no me hice anar- quista por empecinamientos o intuiciones de orden estético, ni tampoco por esta compasión intermina- ble», concluyó.

Viéndolos reír y charlar ávidos durante todas esas horas de inactividad forzosa, Federico notaba dentro de sí la mordida de una curiosa insatisfacción que hasta mucho después no llegó a identificar con un ramalazo de celos. No se lo confesaba, pero sabía en su fuero interno que el privilegiado que aborreció sus privilegios la tarde de 1929 en que, y tras toparse en una plazuela de mercado al filo de una caminata por Madrid, con un orador que vociferaba jubiloso «¡Ni Dios ni amo!», fue detenido —y liberado de inmediato, al revés que el entusiasta corrillo de partidarios, apenas se supo en comisaría su apellido— y la niña que atendía feliz sus cuentos de imaginativo a disgusto con el mundo lo habían de algún modo excluido del círculo encantado que trazaban a su alrededor sin siquiera apercibirse. Era como si ambos habitasen una morada secreta, un lugar sin muros ni ventanas, pero cercado por vallas inexistentes que lo mantenían a una distancia tan insalvable como precisa. «No le caigo bien a este tipo —solía pensar al descubrirlos enfrascados en sus conciliábulos vespertinos, con las cabezas muy juntas sobre las páginas abiertas de un cuaderno, un atlas o un libro—, le disgusto y no lo entiendo, porque no es recíproco, y mi madre aseguraba que la antipatía entre dos personas es casi siempre mutua». Le fascinaba, muy a su pesar, aquel aristócrata nervioso que se rebeló contra sus orígenes y gastó a su mayoría de edad buena parte del mucho dinero heredado de la madre italiana en audaces donativos políticos, la financiación de publicaciones anarco-sindicalistas, grupos teatrales afines y en compras de cuadros para una colección heterogénea que soñaba futuro museo visitado por artistas, estudiantes e inquietos trabajadores de su ideal República de las utopías. Un espacio donde Corot compartiría muro con Juan Gris, y Marie Laurencin o Jules Pascin cohabitarían con Fra Angélico y Durero en la abandonada fábrica cervecera que compró, dos meses antes del inicio de la guerra, cerca de Cuatro Caminos como sede de su proyectada «Galería de los sueños».

«Alejandro tiene un gusto y una inteligencia exquisitos y una generosidad inmensa, pero creció demasiado solo, en una inocencia tan peligrosa para los suyos como para él mismo, porque en su intransigencia jamás entendió nada de las difíciles jugarretas del mundo que nos ha tocado vivir. Si no, ¿cómo pudo creer que sus parientes iban a permanecer quietos y en un rincón viendo cómo dilapidaba la fortuna heredada de su madre, esa que no les pertenecía, pero con la que soñaron, desde su precariedad de nobles a la ruina, durante esa última etapa de su adolescencia en que, con el padre ya enajenado, se hicieron cargo de su tutela de hijo único? ¿Cómo pudo desdeñar el hecho de que mientras él pregonaba en cafés y mítines cenetistas que renunciaba a su título español de marqués y apoyaba, a la izquierda de toda la izquierda, el tan invocado fin de las clases sociales y hasta del dinero y la propiedad, parte de su familia pergeñaba ya la idea de deshacerse de tan molesto e inaceptable sobrino? Porque ya antes del levantamiento africanista hubo un atentado, nunca llegó a saberse de sus autores... Un desconocido le pegó un tiro en la cabeza dentro de un café próximo a Sol: la bala pasó a dos milímetros del occipital superior, estuvo bastante tiempo hospitalizado y en coma, pero se recuperó. Después, sus tíos Eduardo y Nieves intentaron un proceso en su contra por demencia, Eduardo Acevedo es un psiquiatra del círculo de Vallejo-Nájera, tenía contactos y experiencia y pretendía, por supuesto, declararlo orate, recluirlo, supongo que de por vida, y hacerse así con el dinero, el caserón paterno, los campos abandonados y los cotos de caza abulenses, el título y yo qué sé qué más. Pero entonces llegó la guerra, Alejandro marchó con las columnas de Durruti y ellos se vieron obligados a esconderse en Embajadores, en el sótano de una vieja nodriza, a la espera de poder huir del Madrid republicano hacia la otra zona, el bando de sus esperanzas», les explicó Lola tras su marcha.

Cuando al fin pudieron regresar a la capital, sus parientes dieron con Alejandro en un piso de la calle Toledo, propiedad de Simón Acacias, un antiguo cochero que lo escondió en su domicilio porque lo había conocido de pequeño y lo quiso mucho, allá por la época en que trabajó para su familia, en una casa de silencios sepulcrales y moradores medio autistas donde el tiempo parecía haber retrocedido dos o tres siglos y únicamente las preguntas y comentarios de aquel niño sin madre lo devolvían al alivio de lo real. Lo ayudó porque lo apreciaba y asimismo porque simpatizaba vagamente con la FAI. Esto último —pero quizá también el haber ocultado a su antiguo señorito, que pasó de niño piadoso a joven librepensador en la escasa hora y media que pasó encerrado en aquella comisaría entre aprendices imberbes y mujeronas exaltadas que se carcajeaban de los guardias— le costó más tarde a Simón Acacias, como a otros muchos miles, ser condenado a muerte, contó Lola. Y añadió que Alejandro salió, por su parte, mejor librado, porque en un principio lo confundieron con otra persona por un error burocrático; en la orden de búsqueda y captura alguien había mecanografiado *Alejandra* en lugar de Alejandro. Cuando Eduardo Acevedo, que estaba más que decidido a ingresarlo en un manicomio —y acaso a lograr, sin decírselo a su mujer, que lo «sacaran» de allí una madrugada cualquiera las fusileras brigadas del amanecer—, consiguió localizarlo en el campo de concentración de Miranda de Ebro, ya no le importaban demasiado su paradero ni su suerte; los tribunales acababan de otorgarle de por vida el usufructo de los bienes del sobrino *rojo* y descarriado y la custodia de su cuñado senil.

«Dinero... al final, casi todo se reduce a cuestiones de dinero», concluyó Lola. E interiormente Federico le dio la razón, ¿acaso no soñaba él muchas veces despierto con que lo favorecía un golpe de suerte y se veía de repente salvado del mediocre presente y del porvenir difícil? Cuando inquirió qué había sido de su colección de arte, Lola Beltrán se encogió de hombros. «Pues se la quitaron, la perdió, igual que lo perdió todo, la guerra y el resto», contestó, evasiva. Pero él observó que rehuía su mirada y se apresuraba a cambiar de tema.

No se había atrevido a preguntarle al destrozado marqués anarquista si amó la obra de su padre... si acudió alguna vez a su estudio a comprarle cuadros o dibujos para ese museo quimérico que habría de inaugurarse con el triunfo de su Revolución soñada. Su «Galería de los sueños»... le gustaba lo sugestivo del nombre y algunas noches lo deletreaba muy despacio antes de dormir. Por eso le sorprendió que días antes de su partida Alejandro le pidiera que le mostrase bocetos, acuarelas, un trabajo suyo cualquiera. Simple curiosidad de ex coleccionista, arguyó, recalcando el «ex». Lola cenaba fuera, en casa de unas amigas, Carmela, que estuvo tosiendo y quejándose de dolores de cabeza durante toda la tarde, se acababa de ir a acostar y él apilaba platillos y tazas sobre el fregadero cuando lo vio acercarse a la cocina con una copa entre las manos. Le brillaban los ojos y aunque su paso no era tambaleante, el muchacho adivinó que estaba ligeramente ebrio.

—Lolita me ha dicho que tienes trazo… Y sus elogios me han picado la curiosidad. Claro que por mucho que la aprecie no confío en su criterio tanto como en el de José, que no se equivocó casi nunca a la hora de discernir una auténtica e innata predisposición.

Apoyado en el marco de la puerta, calentaba entre sus dedos el licor y lo contemplaba con aire hipnotizado. Federico secó con un trapo un par de vasos, los colocó en la escurridera y dijo sin mirarlo:

—¿Es que mi prima le ha enseñado algo mío?

—Por supuesto que no. Parece ser que eres orgulloso… y discreto. En esto último no te pareces a tu padre, que andaba siempre regalando a cualquiera que se los alabase sus dibujos hechos a vuelapluma en servilletas y manteles de cafés.

—Usted dijo que no nos parecíamos.

—¿Quiénes?

—Mi padre y yo —contestó con cierta rabia al comprobar que no se acordaba.

Y Alejandro de la Fuente repuso, en efecto, sin mucho interés:

—¿De verdad? Ahora que lo dices… quizá tengas de él la barbilla, los labios… los pómulos y la frente son de tu madre. Aunque, pensándolo bien, tampoco vuestro parecido es muy grande. En realidad, de parecerte a alguien sería, y muy remotamente, a las hermanas de José. Había una, muy guapa, Estefanía, que murió de gripe. O de tifus, ahora no lo recuerdo con exactitud. Es curioso, tenía un aspecto rozagante y la palmó de un día para otro… Al revés que mis tías, que afirmaban siempre sentirse con un pie en el otro mundo y llevan camino de superar a los patriarcas. Pobres inocentes. ¿Queda por ahí algo de anís? Cognac ya sé que no. En realidad, yo detesto el anís. Y el pacharán. Mi tía Eulalia María lo trasegaba a escondidas, a todas horas, se pasaba el día haciendo gárgaras de eucaliptus para disimular el aliento y a las noches tenían que llevarla Nieves y Carolina en volandas a la cama, a las doce ya no se tenía en pie. Hasta que apareció el señorito Eduardo a poner orden, con sus métodos curativos de abstinencias, consistentes en atar a la pobre mujer durante semanas a una cama y tenerla allí aullando de pavor a la vista de toda clase de bichos imaginarios, sin ni el consuelo de un calmante, porque según su criterio de verdugo no hay mejor remedio para los vicios que la mortificación absoluta. Pobre Eulalia María… no le hacía mal a nadie, salvo a su hígado, claro. Bueno, ¿vas a enseñarme algo tuyo?

«Está más bebido de lo que aparenta», pensó Federico. Le alargó con brusquedad un taburete, preguntándose por qué, tras semanas de anhelarlo vagamente, ya no deseaba en absoluto hablar con el hombre que se sentaba, vacilante, con la mirada perdida sobre una pila de viejos periódicos y un cesto de boniatos en un rincón.

—¿Qué quiere ver?

Alejandro de la Fuente rió sin alegría.

—Ni siquiera sé si puedo seguir «viendo», como tú dices… Algo, lo que sea, una máquina de coser o un paraguas… A lo peor llevo demasiado tiempo viendo unos ojos a los que ya no veo, pero eso no importa. Enséñame lo que tengas más a mano. Si quieres, claro, no es obligatorio. Nada debería serlo.

De mala gana, Federico se levantó. Volvió de su cuarto con una carpeta de dibujos elegidos al azar que le tendió en silencio y esperó ante la ventana, de espaldas al hombre que pasaba despacio las hojas. El rumor de papeles y cartulinas en el silencio de la cocina oliente a tabaco frío y a las alubias pegadas del almuerzo le ponía nervioso y de mal humor.

—Chico.

Se dio la vuelta, enojado.

—Tengo un nombre, ¿sabe? Igual que usted y todos los demás.

El aristócrata cerró la carpeta y manoteó el aire.

—Los nombres no significan nada… si ni siquiera hemos podido elegirlos, nos los han impuesto. ¿Fumas?

—No. De todos modos, ya no le queda tabaco, usted no es capaz de racionárselo, se lo liquida de una tacada. Si quiere anís, queda chinchón seco en la alacena. Pero es de a granel.

—Déjalo, sin tabaco ya no me apetece tanto otra copa. Quería decirte que no basta con el rencor, ¿sabes?

—¿De qué me está hablando?

Alejandro golpeó con el índice su cartapacio.

—De esto. Hay mucho rencor en estos dibujos, rencor y cierto miedo, encubierto, eso sí, con suma habilidad. Estos dibujos apenas si transmiten placer en su ejecución. Tienes maña, por supuesto, y la suficiente astucia, también, como para no quedarte en el mero apunte academicista sin interés. De pequeño supongo que pudiste pasar por una especie de *wunderkind,* que en alemán significa «niño prodigio», pero ahora…

—¿Ahora qué?

Se sentía muy débil y lamentó que su entonación dejara traslucir la fría rabia que le quemaba por dentro.

—Ahora estás perdido.

—Si sólo se le ocurre eso…

Tomó la carpeta y farfulló que estaba cansado. Su interlocutor meneó la cabeza. Parecía contrito.

—Tienes razón, olvídalo. Lola no andaba errada, no, cuando me comentó que tienes trazo…

«Pero no basta con el trazo», creyó adivinar el muchacho en su expresión. Alejandro de la Fuente suspiró y dijo de pronto, con insólita ternura:

—Es sólo que… Bien, puede que te parezca una tontería, Federico, pero creo que no tendrías que preocuparte tanto por la mirada ajena. O por ser o no ser «grande». No se dibuja como si se estuviera ante un tribunal. O al menos no se debería, eso déjaselo a los opositores y a los aspirantes a retratar esposas de industriales. Sería bueno que te soltases un poco, porque no hay mayor error que el de obsesionarse con no cometer ninguno. No… en fin, creo que no es bueno para ti empecinarte en demostrar que… en tratar de medirte con otro, aun si este otro era tu padre. ¿Entiendes a qué me refiero?

—Más o menos. Si no le importa, me caigo de sueño.

—Claro, es muy tarde y madrugáis mucho, discúlpame. Buenas noches y que descanses, ya seguiremos conversando en otro momento.

Pero no hubo otro momento, porque la tarde siguiente Lola indicó a su huésped que a la próxima madrugada vendrían en su busca para llevarlo a «otro lugar más seguro». Ambos se encerraron con llave en el gabinete durante horas, y aunque en un par de ocasiones se arrimó de puntillas a la puerta, apenas si logró captar alguna que otra frase dispersa. Hablaban entre susurros y coligió a medias que Lola se proponía realizar una discreta venta clandestina, que sufragaría, supuso, la salida de España del marqués de Salinas por Portugal y su pasaje desde Lisboa, apenas terminase la guerra mundial, hacia Nueva York o Puerto Rico.

De Alejandro de la Fuente sólo alcanzó a escuchar que nunca llegaría a perdonarse el haber vendido a «la diosa de todas las diosas».

Era la segunda vez que oía mencionar a aquella diosa y desde luego no sería la última.

* * *

148

PARÍS, 22 DE MAYO DE 1968

No he llegado a saber qué fue de Alejandro de la
Fuente y Castiglione, si consiguió salir de España
provisto de documentación falsa o si por el contrario
se atrincheró en cualquier lugar perdido de la península a la espera de esos tiempos mejores que nunca les
llegan a los derrotados del exilio y del interior, porque
Franco y su régimen brutal se perpetúan eternos al
sur de un continente de bulevares centrales tomados
al grito de «la barricada cierra la calle, pero abre el camino». No descarto tampoco que haya muerto, que
cayese víctima de un engaño, una emboscada. O que lo
minase, lenta pero implacable como un mal de diagnóstico desconocido, la tristeza de haberla perdido
para siempre. Federico Fernet jamás supo cómo y a
quién vendió Lola Beltrán aquella diosa secreta —«diosa de todas las diosas», la llamó Alejandro—, sin duda
por una miseria o la millonésima parte de su valor in-

calculable, pero año y medio más tarde, cuando al fin, y merced a otro azar que ahora sí me atrevo a calificar de magnético, la tuvo ante sus ojos en la extraña casa de los «ángeles» de «Monsieur Maurice», no le costó mucho atar algunos cabos. Maurice oficiaba entonces de testaferro de Fundler, y a ambos los asesoraba un LeTourneur que obtuvo la Venus de manos de un famoso estraperlista madrileño, traficante de toda clase de géneros: penicilina, cueros, neumáticos, harinas, tallas religiosas conseguidas a precio de saldo en iglesuelas remotas… y cuadros. Federico se preguntó si no se trataría del Martínez Hijuelos de la calle Velázquez (¿encargaría para sí copias de las obras que proyectaba luego colocar en ese subterráneo «mercado artístico», donde vendedores y compradores se interpelaban mediante apodos?), pero lo olvidó enseguida; la impresión de entrever fugaz a la diosa anuló momentáneamente la excitante dicha de haber adivinado su procedencia, su trayectoria errabunda y clandestina.

Y ahora, dos décadas después, regreso a aquella noche de 1943, la penúltima que pasó Alejandro de la Fuente y Castiglione en la casa de los Sigüenza y rememoro el vago malestar del joven Fernet al sentirse descubierto en lo más íntimo por el hombre que le aconsejó con titubeante timidez que se librara de la sombra aniquiladora de la admiración, del influjo aplastante de una ausencia. No me imagino al rebelde aristócrata pronunciando ese manido tópico, ahora tan en boga, del «búscate a ti mismo», pero sí sé que intentó advertirle de los riesgos de querer suplantar a otro. Al padre desaparecido, al muerto sin sepultura y pintor de obra consumida. Si no se llega nunca del todo a percibir quién y qué se es, y qué o quién se podría haber sido, el joven Federico Fernet lo atisbó menos que nadie. O lo supo —y lo temió— tanto que huyó de sí, en lugar de hacia sí. A estas alturas llego a preguntarme incluso si Federico Fernet no es, paradójicamente y a la inversa, una creación postrera del inexistente súbdito belga, nacido en el Congo y llegado a Valonia a fines de los treinta, Étienne Morsay. Fue tan fácil, en el caos de la época, inscribirse como tal... bastó con invocar los bombardeos sobre las Ardenas, mencionar registros en llamas, aludir a partidas de nacimiento y demás documentos perdidos bajo los escombros, a trenes de refugiados alcanzados por las explosiones, a la brusca soledad medio amnésica de un muchacho extraviado entre pilas de muertos y agonizantes. El funcionario belga asintió, comprensivo. «Hay muchos en su caso, desde luego, por toda la zona. Y no digamos ya por Normandía y Bretaña», dijo. No se molestó en interrogar al par de apresurados «testigos» dipuestos, mediante una módica suma, a salir garantes de su nueva y ficticia identidad, lo encareció a olvidar los horrores recién dejados atrás, a «mirar hacia delante» y a continuar trabajando con ímpetu por la «total recuperación de sus recuerdos». Y señaló que cinco días más tarde tendría listo su pasaporte.

Sospecho que mucho antes de que el antiguo y perspicaz coleccionista prófugo adivinase parte de una verdad que en ese instante creyó, o simuló creer, problema, el hijo de Ventura Fernet ya la conocía a la perfección.

Porque la única, simple y cruda realidad es que Federico Fernet no tenía talento. Y en su fuero interno lo sabía, siempre lo supo. Pero aquella amarga verdad sólo se le reveló de veras, sin tapujos ni eufemismos, cuando se vio por vez primera delante de la *Venus de la esfinge*.

«Extraordinaria, ¿no es cierto? —suspiró en aquella ocasión Maurice. Y añadió—: pensar que durante siglos se ha creído que ardió en una de esas fanáticas hogueras prendidas por los seguidores de Savonarola… Por supuesto, si *ellos* se enteran de su existencia, creerán que se trata de una copia. Pero más adelante la haré autentificar. Simple formulismo, en realidad, ya que a LeTourneur no le ofrece ninguna duda su autoría. Es un Botticelli, hijo, el mejor. El más valioso. Y a su lado palidecen todas las demás Venus del mundo, incluida la suya del Nacimiento».

Al retroceder hacia esa certidumbre demoledora vuelvo a sentir en el paladar el sabor agrio y bilioso de la derrota. Es duro comprender en un único instante de vértigo que no estás destinado a ser amado por aquello que más amas… Lo que no tiene nombre, lo que ansías y no logras, porque aun cuando crees rozarlo sigue hallándose fuera de tu alcance, a tus espaldas o delante de ti, pero siempre más allá de cualquier perspectiva y de las líneas quebradizas del horizonte.

Allí, en la casa de los ángeles, y ante aquel lienzo, a punto de perder el sentido, Federico Fernet sintió que se le erizaba el vello de la nuca y que se adueñaba de todo su cuerpo un dolor helado y un miedo cerval. En apenas unos minutos, creyó verse niño y viejo, vivo y muerto en las fulgurantes pupilas de la esfinge; fue amante desdeñado, caballero vencido que agoniza de bruces sobre la arena, muchacho destronado de sueños e ilusiones, soldado alcanzado por fuego de mortero en mitad de un río ancho cruzado por barcazas oscilantes y torpedeadas a la luz de una luna en cuarto creciente; fue su padre y los hijos que acaso nunca tendría, fue hombre y fue mujer, fue él mismo antes de su nacimiento y despojo al cabo de su muerte, fue máscara y calavera, brote y espiga, fue aire y agua y rama ardiente que antes fue tierna leña verde. Y fue fría ceniza llovida sobre apiñadas muchedumbres en el corazón de una plaza de hogueras penitentes cuyos últimos rescoldos hedían a barnices, afeites y pigmentos. Fue clamor y fue silencio, y edades remotas y tiempos por venir. Vivió muchas vidas en el brevísimo momento de epifanía en que perdió el sentido que se había prometido para la suya propia.

Y todo lo olvidó cuando alzó la mirada y se enfrentó a la vacía claridad de los ojos de Venus.

Y yo me digo ahora que aún no sé si Federico Fernet, aquel muchachito resentido y ambicioso más listo que inteligente, llegó a entender alguna vez, ni aun cuando ya se había convertido en un Étienne de Morsay creado de la niebla y surgido al final de la peor noche de la historia, la naturaleza del pacto que selló en un instante con la helada figura que durante siglos se creyó devorada por el fuego.

Un pacto que condena y a la vez absuelve, en que ni el amor ni el odio tienen realmente amarre.

… *Nous sommes tous des juifs allemands!*

El griterío en la calle es tan fuerte que no necesito abrir las ventanas para distinguir con toda claridad las consignas.

… *Des juifs allemands!*

Somos todos judíos alemanes, eso grita afiebrada, supongo que por la expulsión del muchacho ese, *Danny el Rojo,* la masa comunera que recorre las arterias de París en este atardecer llameante… Deben de ser miles y miles, una riada humana por bulevares y plazas. Un par de locutores contagiados de su entusiasmo han leído por la radio algunas de sus ingeniosas pintadas: «En los exámenes, contesta con preguntas», «Es necesario explorar sistemáticamente el azar», «La voluntad general contra la voluntad del general», «El patriotismo es un egoísmo en masa»… Después cantó una chica, una tal Dominique Grange, una bonita balada simplona y alegre sobre los adoquines de mayo. Tras escucharla, apagué el aparato y lamenté no tener veinte años y haberme convertido sin remedio en un extranjero de esta época. Y de las otras.

... *Nous sommes tous des juifs allemands!*

Judíos alemanes... ¿Qué pensaría Frieda si pudiera oírlos? Ella, que en diciembre de 1940 se divorció *in absentia* de su marido, hamburgués de origen judío y exiliado temprano —abandonó su país días antes de las elecciones de 1933, cuyo resultado aguardó en la casa de unos amigos de Estrasburgo, los mismos que le presentaron a la mujer que no lo seguiría al éxodo—, y antes lo abandonó a la mala hora de los suyos durante la *débâcle* de junio del 40. En ocasiones, las pocas en que he logrado que me hablase de él, siempre a regañadientes y con manifiesto nerviosismo, me ha parecido detectar en ella una extraña nostalgia por ese hombre del que no ha vuelto a saber nada, aunque afirma estar «casi» segura de que consiguió huir a tiempo a los Estados Unidos... Dice que una amiga de Peggy Guggenheim le pagó un pasaje para Nueva York en uno de los últimos buques trasatlánticos que zarparon de la Francia derrotada. Karl Weiller, se llama, o se llamaba, su ex marido. Fue un afamado crítico de arte de la República de Weimar, íntimo del también crítico literario y teatral Alfred Kerr, que en su exilio francés (a principios de 1936 ya se había trasladado con Frieda a París desde Estrasburgo, donde se casaron la primavera anterior) sobrevivió gracias a sus diversos trabajos como decorador teatral, y enseguida cinematográfico, en las producciones de la casa Pathé. Ella asegura que jamás ha conocido a nadie tan inteligente y culto como él. Creo que, pese a haberlo traicionado, continúa admirándolo… y que hasta lo echa de menos, aunque es difícil imaginarse a Frieda añorando ni a su sombra. Tal vez añore únicamente la posibilidad de que su antiguo marido haya triunfado como decorador en Hollywood, con Fritz Lang o Wilder, por qué no, y le desespere la idea de imaginarlo afincado en una mansión californiana de mucamas tendiéndoles a sus invitados coloridos cocktails al borde de una piscina rutilante. Yo prefiero representármelo de galerista de éxito en el Village o de crítico reputado en los diarios liberales de Nueva York, Chicago o Filadelfia. Si ha sobrevivido al genocidio, a la pérdida de parientes y amigos, a las cenizas de su mundo asesinado, Karl Weiller quizás americanizó su nombre o eligió parapetarse en su trabajo tras de un pseudónimo cualquiera. Provenía de una cultísima familia reformista y sus prácticas religiosas se limitaban a dos o tres celebraciones anuales. Pascua, Kippur y tal vez Rosch Haschana, me figuro. Me cuesta, y a la vez no me sorprende en absoluto, imaginarlo enamorado de una muy bella, jovencísima y ambiciosa Frieda-Marie Müller, que entonces trabajaba de secretaria en una empresa de exportaciones diversas —perfumes y cosméticos, pero también cerveza y maquinaria agrícola— a América Latina, y ahí el español aprendido antaño de su arruinado padrastro argentino se reveló, en efecto, muy útil; supongo que ambos tendrían muy poco en común, el exigente intelectual expatriado debió de oficiar de Pigmalión aun sin pretenderlo. El amigo que acogió a Karl Weiller en su casa de Estrasburgo justo antes de las funestas elecciones alemanas del 33, Jean-Claude Büchmann, era ingeniero civil en la empresa Leverkhün, donde Frieda trabajaba a las órdenes de un director general, ex contable y ex gerente encausado en Amberes por espionaje industrial y malversación de fondos, cargos de los que salió absuelto por falta de pruebas; me refiero, naturalmente, a Maurice Brün, más conocido por «Monsieur Maurice» (aunque Frieda, quien primero fue su amante, luego su cómplice y en todo momento, y hasta su reciente e inquietante desaparición, una leal alma gemela, lo llamó siempre «Momo»), que haría fortuna en el París de los alemanes a través del llamado «Servicio Otto»[9]. Recaló después en Ma-

---

[9] El «Service Otto», dependiente de la Abwehr y montado por el agente de contraespionaje alemán Hermann Brandl, más conocido por su alias de «Otto», se encargó del expolio de todo tipo de bienes y mercancías francesas. En la primavera de 1941 sus despachos empleaban ya en París a más de 400 personas. A partir de 1940, por orden directa de Abetz y bajo los auspicios de Goering, este «servicio» se dedicó también al robo más desaforado de las obras de arte pertenecientes a ciudadanos judíos. Miles de obras y colec-

drid, donde organizó la empresa cosmética L'Idéal, espléndida «tapadera» de salvaguarda exterior de los capitales nazis en las postrimerías de una guerra que los más lúcidos del régimen de la esvástica entrevieron perdida. Tras la derrota, la firma se convirtió en eficaz red de fugas a ultramar de los muchos criminales de guerra reclamados por las potencias aliadas.

Monsieur Maurice… el hombre a quien Federico Fernet sirvió en Madrid de intérprete y recadero pisaba pocas veces las diáfanas oficinas, sede de L'Idéal, del Paseo de la Castellana rebautizado del Generalísimo. Pagaba muy bien (ha seguido haciéndolo; incluso ahora, cuando su paradero es una incógnita, más desagradable para Frieda que para mí, continúan llegándonos, puntualísimas, sus mensualidades bancarias), se mostraba convencido de que quien mucho gasta y dilapida, más obtiene y acumula, y al igual que Frieda-Marie Müller, su mano derecha desde los tiempos alsacianos de entreguerras, derrochaba seducción. Alto y elegante, de ojos azul genciana y rubicundo cabello ralo, «Monsieur Maurice» infundía en interlocutores y desconocidos un poderoso, sutil sentimiento de hechizado bienestar; era como si a su lado el mundo se tornase fácil, brillante, apetecible. Ese hombre, capaz de enviar a la muerte o al descrédito a

---

ciones de galeristas, artistas y particulares fueron así enviadas a Alemania o vendidas, en el caso del llamado por los nazis «arte degenerado», al mejor postor. Buena parte de ellas siguen «desaparecidas».

cualquiera que se le enfrentase en un negocio, una algarada de club nocturno o algún nimio reajuste de beneficios e influencias cuchicheados en veladas mundanas en que oficiales de la Wermacht valseaban con putas de alto rango y aprovechados industriales se inclinaban ante las *ratas grises*[10] besuqueadas por sus gigolós *gestapistas,* poseía el innato talento de convencer a quien se le arrimase de que su vida resultaría inmejorable a condición de que lo siguiese ciegamente por los meandros de una charla anodina, un *affaire* brillante e imprevisto, una divertida aventura sin mayores consecuencias que las de la subsiguiente resaca matutina. Mago de las finanzas crecidas al calor de la ocupación y del complaciente y dócil fisco de Vichy, Maurice Brün (alias «Monsieur Maurice», tanto para ciertas marquesas pétainistas, de esas que donaron durante el otoño del 36 ínfimas joyas de familia o Burmas[11] para el bando franquista en publicitadísimas colectas y aplaudieron felices la «no intervención», como para esos maleantes y asesinos liberados de sus celdas que se enrolaron de muy buen grado en la Gestapo local) era un triunfador nato recibido en los más selectos salones del continente pardo. Hablaba varias lenguas sin acento, amaba la ópera y la pintura —no temía despotricar contra el almibarado mal gus-

---

[10] *Souris grises:* así eran llamadas en Francia las ocupantes y funcionarias alemanas, de ámbitos militares o civiles.

[11] Burma: conocida firma de bisutería francesa de lujo.

to de la jerarquía nazi y su desenvuelta actitud en este y otros asuntos le granjeó fama de invulnerable—, se hallaba al día de las novedades editoriales del Eje y llevaba ropas a medida con la soltura de quien conoce el paño, porque buena parte de su infancia itinerante y secreta transcurrió a las puertas de talleres textiles, a la espera de un padre, excelente cortador, al que echaban a los pocos meses de sus empleos sucesivos por borracho feliz y bienhumorado anarquista de vocación. Bruselense de orígenes inciertos —unos lo creían valón descendiente de calvinistas y otros lo juraban flamenco y católico—, Maurice era en realidad un agraciado tramposo cuya fortuna arrancó con el peso, en curso oro, de los secretos ajenos. Jamás se le habría ocurrido tildar su conocimiento de «chantaje», desde luego. Se pretendía materialista «eugenésico», darwiniano a la Chamberlain, citaba agradablemente a Nietzsche y a Konrad Lorenz, era un conversador ingenioso, excelente bailarín y un espléndido esgrimista. Sus detractores contaban a media voz que en apenas un semestre tomó lecciones intensivas de «mundanidad» y salió airoso de todas las pruebas, salvo de las de natación, porque jamás consiguió aprender a mantenerse a flote y ése era el motivo, aseguraban, de que detestase cruceros y playas de moda y reverenciase el veraneo de montaña y los deportes de invierno. Las mujeres lo adoraban y los hombres buscaban su compañía. En cierto modo, «Monsieur Maurice» era capaz

160

de adaptarse a todos los papeles, en cualquier situación y lugar… Mujeriego y a la vez afable confidente masculino de maridos encandilados por cantantes de cabarets y putillas huidas de sus provincias de lluvia eterna, tías de misal y tedio en salones de muebles enfundados, negociante de todo lo existente, vendedor de sí y comprador del resto, a casi nadie dejaba indiferente. No le importaba la suerte de los individuos, aunque siempre se las arregló para transmitirle a sus relaciones, por fugaces que éstas fueran, la impresión de que se desvivía por sus asuntos. Desde muy joven aborrecía a una humanidad a la que despreció profundamente tras la muerte del padre en un hospicio de Lille atendido por monjas de tocas severas y plagado de estudiantes que acudían a las lecciones de autopsias riéndose a carcajadas para simular ante sus correligionarios que no les afectaba el soberano pavor de la muerte.

Es asombroso el poder del papel en blanco… puedo inventarlo y transformarlo todo, colmar los huecos, rellenar espacios y perderme en el laberinto de las suposiciones. Porque, bien mirado, ¿qué sé yo de nadie, de mí, de ellos? De Karl Weiller, del Maurice Brün que contrató como ayudante, por recomendación de su amiga y antigua secretaria Frieda-Marie, a un muchacho perdido, hijo de un pintor perdido, de obra de veras perdida, con el que ella se divertía en su cama entre visita y visita de sus poderosos jodedores oficiales. ¿Qué podría saber yo de Weiller, el autor de monografías sobre Picasso y Egon Schiele, el amigo de Grosz, Kokosckha y Piscator, el exiliado que se hundió una noche entre esos bucles de un rubio maníaco y se creyó por un momento invulnerable? Cómo podría yo transcribir en estas hojas su deseo, sus miedos, su anhelo de cobijo, su vacilante mirada detenida sobre tocados de mujeres, paraguas, veladores de cafés, taquillas de metro y barras de cinc a primera hora de las mañanas del otro lado de una frontera vuelta empalizada... No lo he conocido, salvo a través de las escasas confidencias de Frieda; no sé, ni lo sabré nunca, cuáles fueron —o son— sus pintores, sus dibujantes, sus grabadores favoritos (preguntárselo a Frieda fue tan inútil como pedirle a un *clochard* un donativo para ese estúpido Ejército de Salvación que desfila los domingos bulevar de la Grande Armée abajo), si se levantaba de buen o pésimo humor. Ni si se embarcó durante su primera juventud en el sueño a la deriva de la pintura, ¿no se pretende acaso que en casi todo crítico subyace el esbozo de un artista? Karl Weiller es un misterio. Cuatro datos, un simple apunte biográfico cuyos espacios en blanco me obstino en rellenar como quien reordena al azar viejas placas fotográficas, adquiridas en Las Pulgas, que revelará por curiosidad mucho después de la desaparición de esos seres que posaron antaño, graves y endomingados, frente a la lente colocada en un trípode fuelle... Pensar en él me traslada a una atmósfera de *meublés* de paso y ventanucos de bastidores hinchados por la humedad que se abren a empellones y malamente sobre un callejón cegado. Al París sumidero de transterrados, de los míseros que cocinan en un infiernillo, de madrugada y a escondidas de sus patronas, los caldos más tristes, de los apátridas sin papeles que se zambullen en la primera boca de metro apenas divisan en una esquina uniformes de gendarmes. Ése fue, sigue y seguirá siendo, el París de los que caminan mucho. De los que van y vienen sin rumbo, ni otra pretensión que la de llegar a una casa donde se les invitó a almorzar, a una *crémerie* barata o a un Restau U[12] si hubo suerte y alguien les regaló un ticket, con sus zapatos de suelas agujereadas y sus cuellos empapados. Miran muy fijo ante sí, como si interpretasen, algo burdamente, papeles de invidentes, pero en verdad nada escapa a su sentido de la observación aguzado por la desdicha.

A «Monsieur Maurice» me cuesta más imaginármelo porque creí conocerlo.

Sin embargo, nadie cambia nunca en lo más profundo. ¿Acaso Federico se transformó realmente en Étienne de Morsay?

Ni siquiera sé a estas alturas dónde empezó uno y terminó el otro…

---

[12] Restau U: contracción popular de Restaurante Universitario.

El teléfono suena en mi mesilla… Y por supuesto, no hay nadie al otro lado. Tan sólo una respiración sibilante surgida, sin duda, de las figuraciones de mi mente cansada.

MADRID, 13 DE MARZO DE 1944

A mediados de marzo Frieda le presentó a Maurice Brün en una marisquería de la calle Goya. Era un mediodía frío y soleado y tampoco aquella mañana había acudido a la academia de Hermosilla, pero no albergaba remordimiento ninguno porque desde que se acostó por vez primera con Frieda, aquel piso interior, repleto de estudiantes de comercio y contabilidad aplicándose frente a mapas de España y los retratos del Caudillo y de José Antonio, le resultaba ajeno. Aquel lugar mal ventilado y de iluminación lúgubre, sus dos o tres profesores extenuados —trabajaban de la mañana a la noche por un salario de hambre— y su dócil alumnado habían dejado de interesarle por completo. Era igual que si perteneciesen al ámbito de una existencia anterior, a una etapa superada que no le dolía dejar atrás porque, se decía, la «verdadera» vida que tanto anheló despuntaba ahora, justo cuando ya había desistido de esperarla. Al fin y al cabo, se excusaba a sí mismo tras mentirle a Lola acerca de sus estudiantiles «progresos» semanales, nunca tuvo la más mínima intención de convertirse en contable. El mañana estaba muy lejos. Y por otra parte, ¿quién sería tan necio de preocuparse de su futuro al lado de una mujer como Frieda-Marie Müller? Le gustaba pensar que se había puesto en sus manos, y cuando lo acometía, vertiginoso, el temor de perderla (con la misma celeridad con que se encaprichó podría ella hartarse de él, se desasosegaba a veces), lo acallaba diciéndose que habría valido la pena vivir semejantes «momentos».

Carpe diem, se dijo esa mañana, recordando la vieja expresión latina que su padre solía citar, adecuándola enseguida entre risas a la más castiza fórmula del «y que nos quiten lo bailado». Entró en la marisquería con aire resuelto y enseguida vio a Frieda en un velador del fondo, junto a un hombre muy elegante que apuraba un barro de densa cerveza negra y lo saludó en francés. Al estrecharle la mano (le sorprendió su delicada suavidad), sintió una fugaz y extraña premonición… como si con ese simple gesto le estuviera dando definitivamente la espalda a algo. «Bobadas», se recriminó. Y observó a Frieda, que sonreía resplandeciente bajo un diminuto sombrero ornado de cerezas artificiales tan rojas como sus labios. Monsieur Brün inquiría detalles anodinos, alababa su acento y preguntaba, cortés, si había asistido a escuelas francesas…

—Aprendí el francés de niño, soy prácticamente bilingüe, aunque no como mi madre. Ella lo habla perfectamente.

—Maravilloso. Felicítela de mi parte… no siempre nosotros, los francófonos, gozamos de la estima española, las rencillas vecinales históricas tardan bastante más de un siglo y pico en quedar únicamente relegadas a los libros de texto, mi querido Fred. ¿Me permite que lo llame así, verdad? Me resultará más cómodo que Federico… y ayudará a que se sienta más cerca de su madre.

Lleno de malestar, Federico lo miró a los ojos, pero no advirtió en su mirada indicio alguno de burla ni aparentes dobles intenciones. Tan sólo una luminosa expresión de bonhomía.

—Mi madre está en París —murmuró—. Y no tengo noticias de ella desde noviembre del 42.

—Mi querido muchacho… Esta época nuestra es terrible, espantosa. Estoy seguro de que su madre estará perfectamente, pero comprendo su más que lógica preocupación, así que si me lo permite efectuaré, en la medida de mis posibilidades, una pequeña indagación, oh, discretísima, pierda cuidado. Quiero decir… que no llamaremos la atención de nadie que no convenga, verdad. De las autoridades de ocupación, por ejemplo, en ocasiones son excesivamente estrictos... Diría que puntillosos. Es una cuestión de esencias. Ya le habrá dicho Frieda-Marie que ambos vivimos en Alsacia, en cierta medida somos vástagos de la antigua frontera. Conozco, por tanto, ambas mentalidades, la francesa y la alemana. Deje este asunto en mis manos, los amigos de Frieda-Marie son mis amigos. ¿Le gusta la cerveza negra? No me diga que jamás la probó, yo la prefiero a la rubia en invierno. Creo que se aviene mejor con el frío. Tan cremosa y alimenticia, ya verá. Aquí es excelente… y no la tiran demasiado mal. Y déjeme felicitarlo de nuevo por su estupendo francés, ojalá mi español fuese tan bueno. Domino algunas lenguas, pero, desgraciadamente, la de su hermoso país no se cuenta entre ellas.

—Ya te lo dije, Momo. Este encanto de muchacho es exactamente lo que necesitas para estos meses en Madrid.

Frieda encargó bebidas, gambas cocidas, langostinos a la plancha y una ración de quisquillas. Y mientras comían (a Federico le sorprendió el notable apetito del delgado señor Brün, su pericia al pelar los crustáceos y la delicadeza con que chupaba las cabezas) le fue detallando la insólita propuesta de trabajo del director de L'Idéal. La «más sólida empresa cosmética de Francia, recién inaugurada en España, con sede central en Madrid y sucursales en Barcelona y Vigo. Y eso en un primer momento, existen muy buenos e inminentes planes de expansión», afirmó. Maurice Brün asentía a sus palabras, sonriente, reclamaba la carta, «no hay como este sol de invierno que los escandinavos tacharían de casi veraniego para estimular los jugos gástricos. Yo propondría pasarnos a un vino blanco frío para acompañar las ostras y unas cigalitas del Cantábrico, lástima que no tengan aquí Pouilly Fuissé. Porque desde luego, los blancos riojanos, y no digamos ya los del Rin, no tienen nada que hacer, lamento decirlo, frente a los del Loira», aseveraba. Y se lanzaba enseguida a elogiar los percebes, «manjar suculentísimo que concentra todo el sabor del océano, es extraordinario. Uno de los pocos defectos de nuestra adorable Frieda-Marie es que su aspecto le inspira… asco. Me resulta incomprensible que prefieras las navajas, son mucho más bastas, querida mía».

Arrobado y aturdido por el barro de cerveza negra —no se atrevió a confesar que detestó su sabor— y el vino blanco que su anfitrión le escanciaba de continuo, contemplaba a «Monsieur Maurice» con indisimulada admiración y a la vez calculaba, estremecido, el importe de una cuenta que parecía ser la última de las preocupaciones del hombre a quien Frieda llamaba «Momo»… Y lo curioso es que aquello ni siquiera le provocaba celos. A él, que ciertas noches no dormía, desvelado por la imagen de «su Reina de las Nieves» desnuda sobre algún hombre… uno cualquiera de los muchos que frecuentaban su salón, el periodista rumano, por ejemplo, que la saludaba con cómicas reverencias, el exportador cerealero palentino de barriga y entrecejo monumentales; hasta el nuncio apostólico, a quien su imaginación columbraba, morbosa, aligerando de púrpura su corpachón frente a la balconada del dormitorio de Frieda, lo inquietaba… casi tanto como el par de jóvenes de habla gangosa y bigotillos engomados a quienes sorprendió varias tardes (algunas veces cedía a la tentación de espiarla y perseguía su silueta por los escaparates de media ciudad hasta verla de regreso a su portal) abandonando de su brazo el piso del Paseo del Prado.

—… En realidad, no tendrías lo que se dice un horario, aunque sería bueno que decidieses presentarte a los exámenes por libre, yo misma podría conseguirte una dispensa rápida o algo similar. Tampoco se trata de un trabajo demasiado definido. Acudir con Monsieur Brün a alguna que otra reunión, ayudarlo si no entiende ciertas expresiones, acompañarlo aquí y allá en caso de que te lo pida, hacerle determinados recados, llevar sus certificados a correos, vaya, ese tipo de asuntillos. Fede, ¿me estás escuchando?

—No sé taquigrafía, ni siquiera escribo a máquina demasiado deprisa —se oyó susurrar con voz calamitosa.

Sudaba y notaba pinchazos en las sienes. Frieda había mencionado un salario, pero la cifra se le antojó tan increíble y generosa que no comentó nada al respecto, temeroso de que se estuvieran burlando de él.

—Bueno —rió Frieda—, Momo, en fin, Monsieur Maurice para ti, no pensaba colocarte de secretario… sospecho que no lo haría ni aunque yo misma se lo rogase de rodillas. En algunos asuntos se muestra de lo más clásico. Por lo general prefiere las secretarias. Experimentadas, por supuesto. Y muy, muy jóvenes.

—Si me permites la interrupción, querida, creo que el bueno de Fred siente cierta… pesadez estomacal. Pero como todo tiene remedio en esta vida, ¿tendría la amabilidad, muchacho, de acompañarme al baño? Tengo algo que lo aliviará.

Una hora después, Federico Fernet tomaba café en el bar del Wellington y conversaba de pintura con el hombre que lo impidió vomitar justo a tiempo rociándole el rostro con colonia y agua fría. «¿Me permite que lo tutee, Fred? A fin de cuentas, casi lo doblo en edad, podría ser su padre». Asintió en silencio y Monsieur Maurice, que se secaba cuidadosamente las manos con un pañuelo, tras desdeñar de un vistazo las toallas, rió, satisfecho. «Buen chico. Si puedes evitarlo, trata de no vomitar nunca la buena comida y la bebida excelente —recomendó, solícito—. Pero si lo que te ofrecen es de segundo orden, métete los dedos en la garganta sin remordimientos. Lo malo hincha, no alimenta y contamina el gusto. En este caso, el blanco era anodino, pero los mariscos y la cerveza merecen ser conservados dentro de nuestros estómagos. Se aprende todo, Fred, pero en especial a beber y a comer... despacio, mucho y bien». Todavía mareado, lo estuvo observando mientras esparcía un polvillo blanco sobre la loza del lavabo. Sacó después del bolsillo de su chaleco un canutillo, se inclinó y aspiró con suavidad el polvo por una aleta de la nariz. Luego, sonrió y le indicó el resto.

—Boliviana... remedio infalible para los mareos y ciertos estados de melancolía. Más eficaz que ningún tónico y un excelente reconstituyente... si no se abusa.

Al agacharse a su vez, Federico se dijo que trabajar para ese elegante empresario resultaría un grato aprendizaje...

Aspiró con decisión. Y farfulló, en un impulso de sinceridad que no dejó de sorprenderle: «Me gustaría... llegar alguna vez a ser como usted, Monsieur Brün».

Su inminente empleador caído de los cielos de la «buena suerte» le sonrió desde el óvalo del espejo.

—Pero si ya lo eres, muchacho...

Rememoró más tarde, orgulloso, esas palabras en el bar del hotel próximo a la incautada vivienda de Martínez Hijuelos. Pensó en Lola con una leve culpabilidad (a ella le encantaban las cigalas) y se prometió que con su primer sueldo las convidaría a ella y a Carmela a esa misma marisquería... Y le prepararía a José un enorme paquete de víveres de la mejor calidad, claro que sí. Lo habían acogido en su casa con tanto afecto… y ahora podría, al fin, corresponderles. Aliviado de antemano por sus buenos propósitos, arrimó su butaca a la de su interlocutor y lo escuchó con avidez. Maurice Brün tenía un excelente gusto pictórico. Un caballero encantador, resolvió, un auténtico hombre de mundo que no lo miraba de arriba abajo y lo trataba de igual a igual, pese a la diferencia de edad y de situación pecuniaria («monetaria, no social», se repitió para sus adentros, ¿acaso no provenía su madre de los riquísimos y encumbrados Zaldívar de Finis? El que hubiera roto con ellos no era sino un detalle insignificante por lo que a sus orígenes se refería). Se sentía a gusto —el polvo blanco había obrado milagros y terminado con su indigestión— conversando con el empresario, y por vez primera en muchas semanas logró fijar su atención en alguien distinto de Frieda, quien cabeceaba en un rincón hasta que se despidió de ellos con un bostezo.

—Me caigo de sueño, voy a pedir en recepción un cuarto, si no duermo unas cuantas horas no respondo de mí en la cena de esta noche en la embajada, Momo.

—Ve a descansar, querida. Por supuesto. Las ojeras no le sentaban bien ni a la pobre Marguerite Gautier. Yo me ocupo de nuestro amigo, no te preocupes. Es un joven con futuro… Y nos estamos entendiendo muy bien, intuyo que tuviste una buena idea en recomendarme sus servicios, de nuevo me has demostrado que conoces a las personas… y que me conoces a mí.

Besó, galante, su mano. Ambos la miraron encaminarse hacia el vestíbulo, cimbreante sobre los altos tacones de tafilete rojo a juego con su tocado, conscientes de la unánime admiración que despertaba a su paso entre los huéspedes y esos apoderados taurinos que discutían, ruidosos y con grandes habanos entre los dientes, el programa de la siguiente feria de San Isidro. «Una real hembra», aseguró en voz alta uno de ellos apenas se alejó el repiqueteo de estilete de sus zapatos. Era un hombretón fornido, trajeado sin gusto y con una pesada sortija de sello en el meñique de la mano izquierda. «Y que lo digas —añadió uno de sus contertulios—, un auténtico monumento, la extranjera. Qué carajo, su padre y su madre se marcaron matrícula con ella. Y hasta las dos orejas y el rabo». Federico bajó la vista hacia su taza de café, ruborizado. Él había tenido a ese «monumento» en sus brazos… desnuda, exigente y palpitante. ¿Cómo lo mirarían esos tipos si se enteraran? Con envidia, admiración… con respeto. Se irguió en la butaca y una sonrisa se insinuó en sus labios. Estaba tan perdido en sus reminiscencias, que tardó en comprender las palabras de un Monsieur Maurice que lo calibraba con atenta complicidad.

—El término de «monumento» ha sido bien elegido, no te parece, Fred.

—Por supuesto —repuso, nervioso. Le ardían las orejas y no se atrevía a enfrentar la mirada del patrón de L'Idéal.

Pero éste prendió un Muratti, exhaló despacio el humo y sus delicados dedos tamborilearon la espléndida pitillera con sus iniciales grabadas en uno de los cantos.

—Bien elegido porque hay mujeres que son mucho más que mujeres, amigo mío.

E inclinándose hacia él, susurró, enfático:

—Son obras... de arte. ¿Comprendes? La naturaleza es pródiga, pero no siempre resulta excelsa... necesita ayuda para superar sus límites. Por eso algunas mujeres de excepción son artistas de una única obra, la suya. Son artistas de sí mismas. Y esto es... grandioso.

Sin una palabra, el muchacho aceptó el cigarrillo. No le gustaba demasiado el tabaco, pero aquel pitillo exhalaba un picante y dulce aroma a chipre que le recordó el olor de las almohadas y sábanas de Frieda...

—Una obra de arte —repitió, dubitativo.

—Exacto, mi pequeño Fred. Obras de arte de carne y hueso, difícilmente adquiribles... merecedoras de entendidos a su altura. No hablo de esos advenedizos coleccionistas que exhiben por doquier sus *trouvailles* cual vulgares trofeos ante un pasmado auditorio de provincias, no. Tampoco, por supuesto, del servilismo de la adoración; si hay algo que detesto en este mundo es a los adoradores. Me refiero al homenaje de los verdaderos *connaisseurs*... podríamos llamarlos contrincantes, en realidad, genuinos contrincantes a su justa medida. Y en este aspecto, permíteme aconsejarte, Fred, que te desprendas lo más pronto posible de determinados... sentimientos de vergüenza. La vergüenza es pésima compañera y no ha lugar frente a las obras de arte, estoy seguro de que me entiendes. Las Afroditas, Venus, Astarté y Circes de este mundo nada saben de la vergüenza. En realidad, la vergüenza es tara y tarea de los pequeñoburgueses, un sentir a la imagen y semejanza de esas patéticas *images d'Épinal* que tanto les conmueven... La vergüenza y su hermano bastardo, el arrepentimiento, debilitan a una civilización y la arrastran a su decadencia. Si supieras qué lejos me siento yo de semejantes patrañas... Y cuán próximo a los infinitos de la promesa, al perfume de lo desconocido, a la llamada de lo imposible. Ah, mi querido amigo, sé audaz, huye de la vergüenza, no hay nada más... opaco. Si uno sabe advertirlos a tiempo, y sospecho que con la experiencia debida tú llegarás a ser, como yo, un artista de las oportunidades cazadas al vuelo, la vida regala momentos soberbios... y presta mujeres que son arte. Y eso es... motivo de celebración, no de vergüenza. Tal vez deberíamos bebernos una media botella de champaña, no hay nada más refrescante y la tarde se anuncia primaveral. ¿Querrás acompañarme después a mi despacho? No te retendré mucho, te lo aseguro. Así conocerás mis oficinas y a mi personal de primera mano. Querría que te incorporaras enseguida, en dos o tres días a lo sumo, si no tienes inconveniente.

Qué inconveniente voy a tener, se dijo, al diablo con la maldita tienda, ya inventaría luego sobre la marcha cualquier cuento para endilgarle a Lola. Pero por un instante se la representó echando el cierre metálico, saliendo sola al bulevar de Francisco Silvela con una bolsa de provisiones bajo el brazo y el ceño fruncido de preocupación y cansancio y lo inundó un remordimiento triste y agrio. Qué diablos, se revolvió entonces, ya no era ningún niño de mantilla, ¿tenía acaso que vivir como una marioneta al vaivén marcado por una mujer que ni siquiera era su madre? «No eres ningún crío», se repitió ofuscado. Pensó en Frieda, que estaría durmiendo como acostumbraba, tendida de través sobre la cama en desorden, en alguna habitación sobre sus cabezas, e imaginar su boca entreabierta, su barbilla húmeda de saliva, lo excitó. Una obra de arte... Monsieur Maurice, el patrón que lo trataba como a un joven amigo o a una singular especie de sobrino, había dicho de ella que era una «artista de sí misma». Aquello continuaba pareciéndole un poco exagerado, aunque de ninguna manera se le habría ocurrido discutírselo a un hombre que hablaba de cuadros, comidas, añadas de vino y mujeres como experto en esas y otras mil materias. Se preguntó si seguiría acostándose con Frieda, estaba seguro de haber detectado entre ellos una intimidad de antiguos amantes. Apuró su copa de champaña asombrado de no sentir celos. En cierto modo, la inmediata admiración que sintió por su interlocutor, la curiosidad que le inspiraban sus propósitos —en absoluto originales, pero no tenía ni los años ni los conocimientos necesarios para comprenderlo, así como no había llegado a entender por completo el sentido de sus palabras— borraban en ese instante todo lo demás a su alrededor.

Lo miró pagar con una simple firma («cargue también a la cuenta habitual la habitación de la señorita Müller —dijo—, ah, y asegúrense de que recepción la llama a las siete y media en punto») y se dejó tomar del brazo hacia la salida. Hasta mucho después no se daría cuenta de que Maurice Brün había hablado en un fluido y algo cantarín español...

—Mi chófer te llevará luego de regreso a donde tú le indiques. No nos demoraremos más de media hora en las oficinas, te lo prometo.

Un bronceado conductor de uniforme les abrió las portezuelas de un Mercedes con matrícula del cuerpo diplomático de Vichy. Monsieur Maurice corrió la cortinilla de separación y entrecerró los ojos con un estremecimiento de felino satisfecho.

—Frieda-Marie me ha dicho que pasas tus ratos libres en vuestro espléndido Prado —comentó—. Alguna vez me encantará mostrarte mi pequeña colección. También me dijo que pintas...

«Ahora dirá que sigo los pasos de mi padre —anticipó Federico. Y enseguida se corrigió—: no tiene por qué relacionarme con mi padre. Aunque dijo que le gustan los modernos... quién sabe si no oyó a alguien hablar de él, si llegó a ver alguna obra suya en París». Vagamente se preguntó por qué se le antojaba tan difícil la idea de poder dejar alguna vez la huella de sus propios pasos en un sitio. Por qué tenía una tibia sensación de ingravidez dentro de ese lujoso automóvil que olía a cuero de Rusia y a cigarrillos egipcios... era como flotar, liviano, en el interior de una burbuja, sin hacerse preguntas de ningún tipo...

Tampoco se las hizo cuando sintió posarse la delicada mano enguantada de Monsieur Maurice —que no se refirió en modo alguno a su padre— sobre su rodilla derecha.

—Mi querido Fred, tienes grandes aptitudes... ¿No has pensado nunca en dedicarte por un tiempo al diseño comercial? Son muchos los artistas jóvenes que arrancan en el campo de la moda y la cosmética, de la *haute couture*... un simple frasco de perfume puede también rozar... la perfección, sabes.

«Yo no quiero la perfección —pensó—, la perfección es... la muerte. El asesinato del talento, siempre lo supe, pero sólo ahora puedo entenderlo de verdad». Y por un instante su mente recuperó nostálgica los rasgos de Alejandro de la Fuente y Castiglione, lo vio encogido sobre la colcha matrimonial de borlas, flaco y febril, acechado por el miedo y por otros perseguidores bien reales, de los que redactan fichas en comisarías y custodian alambradas y muros de prisiones. Pero también rememoró la apiadada luz de sus ojos cuando alzó la vista de sus bocetos y le recomendó con timidez que no corriese tras de una quimera de sustitución... «En pocas palabras, que me dedicase a otra cosa», se dijo fríamente.

—Pues no, Monsieur Maurice, no lo he pensado. Nunca —repuso con firmeza.

—Lástima... en fin, tiempo hay para cambiar de opinión, ya que las opiniones, mi querido amigo... nada hay más inconstante en el mundo que las opiniones. Claro que los tontos suelen confundirlas con los gustos. Y los gustos... o mejor dicho, el gusto, es siempre el mismo... con infinitas variantes, por supuesto.

Retiró la mano de su rodilla al tiempo que el chófer aparcaba en la Castellana ante un palacete de columnatas dóricas. «No te muevas de aquí, Fabiani», le dijo el empresario. Y tomándolo del brazo, declaró:

—Bienvenido a casa, querido Fred. Bienvenido a L'Idéal.

Federico salió del auto y observó el blanco y estucado edificio, antigua casa de citas durante la Restauración, cuya marquesina tornasolada le recordó lejanamente a la mucho más discreta de un hotelito, estudio de pintor, cercano a la plaza de toros, pulverizado por las bombas... Todo lo que desapareció allí dentro —vidas, obras, proyectos y pasiones— continuaba ardiendo día tras día, noche tras noche, bajo sus párpados. Y era como si en su cabeza crepitasen siempre los caballetes, volasen lienzos vueltos teas, se derrumbasen una y otra vez las vigas, estallasen mil veces los cristales como preludio de sus ataques de jaqueca. ¿Cómo iba a pintar nada de nada si apenas trazaba una línea su mente la divisaba otra, anterior y ajena, y, como aquélla, prometida al fuego que la tornaría cenizas? Odiaba el color gris... y sin embargo, éste terminaba por apoderarse siempre de todo. De los colores imaginados, *planeados,* sobre los que se derramaba, como una marea sucia que sólo él percibía, por encima del rojo, del azul, de los amarillos dispuestos sobre su paleta de impotencia. Y de sí mismo, a todas horas. Sólo en la cama de Frieda había creído escapar de esa espiral de cenizas revoloteando sobre el horizonte desplomado...

De repente se notaba muy cansado y ya no deseaba sino hundirse en un sueño sin imágenes que durase años, décadas. Se sentía extrañamente viejo y sin fuerzas, pero se obligó a cerrar los puños y a adoptar una expresión de educado interés. L'Idéal... «vaya nombre más estúpido. Mamá habría dicho que de *midinette*»[13], pensó.

---

[13] Expresión equivalente a la española «modistilla».

—¿Entramos?

—Claro.

Bajó la vista hacia los peldaños de la entrada y la visión de sus desastrosos zapatos junto al elegante calzado de Maurice Brün lo desanimó. El sol alumbraba las rojas vidrieras de la marquesina y por un instante se sintió absorbido por aquel fulgor radiante...

Monsieur Maurice pulsó un timbre de campanillas y una recepcionista muy joven les abrió. Saludó a su jefe con un apresuramiento del que alguien más observador habría colegido una punta de recelo.

Pero Federico Fernet no se dio cuenta de nada porque mientras cruzaba el umbral acababa de prometerse a sí mismo que alguna vez sería tan culto, tan distinguido, tan... eminente como el hombre que lo precedía, afable, tras arrojarle sin una mirada su sombrero y su abrigo de piel de camello a la muchacha que se precipitaba a colgarlos. «Pero si lo eres ya», recordó entonces que le había dicho, amistoso, Monsieur Maurice. Y recordarlo le dio valor para entregar a su vez a la bonita recepcionista su chaqueta heredada de puños raídos y codos pasados...

Pero hasta casi una década después no empezó realmente a entender el sentido de esa fría afirmación pronunciada con el tono más cálido del mundo.

* * *

De haber tenido experiencia laboral, de haberse sentido menos encantado con su incipiente suerte, con el desprendido adelanto que le entregó, por orden expresa de su jefe, la temible Madame Coutelas, directora de un personal tan fluctuante como variopinto, Federico Fernet no habría dejado de percibir la extraña atmósfera de la sede madrileña de L'Idéal. Salvo la recepcionista y dos secretarias que se marchaban a las cinco en punto de la tarde, todos los empleados de la firma eran extranjeros, la mayoría franceses, aunque también algunos alemanes y belgas, que aparecían y desaparecían, sin horario aparente —tampoco a él se le exigió cumplir ninguna jornada en particular—, de los despachos ricamente amueblados donde aún colgaban de las paredes enteladas dieciochescas litografías de empelucados explorando escotes de novicias y pastoras. Los teléfonos sonaban incesantes y desde la mañana hasta bien entrada la tarde llegaba y salía de allí gente. «Proveedores y clientela», los llamaba Madame Coutelas, quien, con sus ajustados vestidos negros, su inquisidora mirada de ave y su tirante moño grisáceo, le inspiraba verdadero pavor. Iban con prisas y paquetes bajo el brazo y el aspecto de no dormir nunca lo suficiente. Reconoció a varios de los asiduos de Frieda, entre ellos al periodista rumano a quien Ganz —apenas lo sentía llegar se las ingeniaba para escabullirse, aunque estaba convencido de que el alcoholizado enano captaba siempre su presencia— y el comandante Máximo Ferrer llamaban a voces, y entre chanzas, «el poeta». También divisó al agregado de Prensa del Reich, el escurridizo Lazar, acompañado por sus perrunos adjuntos, y a diversos industriales y propietarios de minas que salían retratados con mucha frecuencia en las páginas de huecograbado del *ABC*. Algunos, como el propio Fabiani, cuyos guantes de conductor ocultaban los tatuajes de sus muñecas, parecían salidos de películas de gángsters y otros afectaban el supremo hastío de los vividores y juerguistas impenitentes. Unos y otros se mezclaban en ocasiones con campechana camaradería y en otras simulaban no conocerse. Los primeros iban armados, exhibían sus Luger con total despreocupación y jamás frecuentaban los «cócteles de los martes» que Monsieur Maurice mandaba organizar en la planta baja —donde no había grabados equívocos ni falocráticos idolillos de cerámicas precolombinas— para sus convidados de la buena sociedad madrileña, ese *tout Madrid* del que Frieda se carcajeaba apenas salía por la puerta, ahíta de *petits fours,* dulcerías y chismorreos, la última señora de «importancia». «Momo es un mago… seduce a todas esas vacas meapilas con su cháchara de encantador, y no sólo consigue que gasten a manos llenas en sus potingues y perfumes, que, desde luego, no las volverán más atrayentes, sino que además les sonsaca mucho más de lo que necesita… oh, naderías, la ma-

184

yor parte del tiempo, pero también asuntos relevantes, como por ejemplo quién sube y quién baja en el régimen del general Franco», le confió una tarde en su casa. Yacía desnuda frente a la chimenea de su dormitorio que él nunca llegó a ver encendida. «Conocer detalles, y si es posible también secretos, de los demás es el mejor aval», añadió con malicia. Monsieur Maurice, su patrón de «a pelo y pluma», como le oyó en cierta ocasión susurrar («que yo en esto no me equivoco») a Pilar, la simpática ex *margarita* carlista y una de las dos secretarias españolas de la firma, fue más vago, y a la vez más contundente, al respecto. Acababan de cenar en la fantasiosa intimidad de su vestidor de la casa de la calle Serrano —como aún no era capaz de discernir las fluctuaciones de un sin embargo muy intuitivo gusto autodidacta, tomó por refinada imaginación el abigarramiento del mobiliario y el acumulado caos de objetos y ropas— y Maurice Brün flambeaba una barroca pirámide de frutas con la seriedad de un *vieux beau* inconsciente del paso del tiempo. *Cherchez la femme,* rió, «la vieja consideración sigue siendo válida, Fred, incluso bajo el dominio de todos estos adláteres del cardenal Segura, que, *ma foi,* es uno de los seres más aburridos que me ha sido dado conocer en mi vida, y te aseguro, *mon petit,* que mi lista en este sentido es extensa. Claro que es muy posible que pronto no necesites mis consejos, tienes un sexto sentido casi femenino, como lo era el de Don Juan, para estas cuestiones, y a las pruebas me remito, porque nuestra encantadora Frieda-Marie aún no se ha cansado de ti. Este batín te queda, por cierto, que ni pintado... disculpa la broma, pero *realmente* realza la lozanía de tu piel. Y no, no protestes, te lo ordeno yo, que soy tu mentor. Es un regalo, me encanta hacer obsequios a la gente joven».

«Y cobrártelos», pensó Federico sin demasiado coraje; acostumbraba a preguntarse, con más curiosidad que inquina, si alguien sería capaz de guardarle rencor a Maurice Brün durante más de una hora... sospechaba que incluso en dicho caso ese alguien terminaría por inquirirse, confuso y apesadumbrado, en «qué» le había fallado al hombre que acaso le escamoteó entre sonrisas patrimonio y esposa o querida, o todo ello y mucho más a la vez. En realidad, Monsieur Maurice no *necesitaba* comprar a la gente, se dijo, porque buena parte de ésta se le entregaba motu proprio, y casi de balde, a la primera de cambio... «Lo llaman *coup de foudre,* amor a primera vista o algo similar —le explicó Frieda, con cierto deje de nostalgia latiéndole en la voz—, sólo que no es amor, sino hipnosis, fascinación y hechizamiento. Momo consigue todo lo que quiere... y por supuesto vendería a su madre si ésta se interpusiera entre él y un negocio. ¿Pero no somos todos así, en el fondo? Lo que resulta distinto en su caso es que seguramente su madre se lo agradecería encantada...»

Con un suspiro de irritación, Federico observó que a la prima de su padre seguramente le resultaría muy «preocupante» descubrir en su cómoda semejante prenda. Ya le costó lo suyo, añadió molesto, que aceptase que se examinara por libre en septiembre y que no hiciese, tampoco, demasiadas preguntas acerca de una colocación que se le figuraba insólita.

«¿Pero, dime, hijo, dónde conociste a esa gente? ¿Son vichystas, verdad? En fin, qué tonta soy, cómo no van a serlo». Respondió a un anuncio leído en un café, oh, en las páginas de una revista, no se acordaba bien de cuál, en la que se solicitaba un recadero que dominase perfectamente el francés y le sonrió la suerte, le explicó a Lola. Y ésta se calló, inquieta, y desvió el rostro cuando una semana después le trajo jamón serrano, jabón de olor, chocolate suizo y aceite de oliva para que se los llevase a José a la cárcel. A ella y a la niña les regaló con sus primeras ganancias buenos cortes de tela para vestidos, pasteles y auténtica agua de colonia. «En cuanto pueda te compro una Mariquita Peréz», le dijo a Carmela, tirándole de la coleta, pero ella lo miró muy seria y adujo que ya estaba muy grande para jugar a las muñecas. «Tú no eres el único que se hace mayor», afirmó con reposada serenidad, y Federico asintió, un poco desconcertado. Tras un silencio agobiante, Lola carraspeó y murmuró: «Que sea para bien, mientras no dejes los estudios, porque le prometí a tu madre por carta antes de la desgracia que velaría por ti». La «desgracia» era la detención de José. Por un momento demoledor, Federico revivió los golpes en la puerta de madrugada, la brutal entrada de los policías, el modo en que arrojaron, tras un histérico registro, libros, revistas y cartapacios por los suelos, los empellones con que urgieron al demudado José Sigüenza a vestirse y acompañarlos para unas «diligencias» a la comisaría donde lo mantuvieron encerrado durante casi un mes de palizas continuas. Tosió, nervioso. Que no se preocupasen por su patrón, añadió con desgaire, «es muy buena persona, un verdadero liberal, generoso a más no poder. Quizás hasta se trate de un agente gaullista... tal y como va la guerra, nunca se sabe». Mentía con aplomo, pero se excusó diciéndose que era por su madre. «Ojalá pudiera explicároslo, contaros que Monsieur Maurice ha prometido informarse y darme noticias suyas», se dijo. Y según lo pensaba, supo que aquello no era sino una mínima parte de la verdad.

Porque a él le *gustaba* llegar a ese palacete de la Castellana —solía ir caminando, no tanto para ahorrarse los céntimos del tranvía como para disfrutar del largo paseo— y embeberse de su agitación continua, de su atmósfera versátil. Disfrutaba del timbre de los teléfonos, del crujido de las faldas de las secretarias que acudían, abrumadas, a un llamado de la aborrecible Madame Coutelas o de Frieda, quien solía aparecer acompañada a cualquier hora y reclamaba aperitivos de Lhardy, platos fríos de Horcher o servicios de té de Embassy que él volaba a comprar, contento porque sacaba en limpio cuantiosas propinas y una bandeja extra para llevarse a su casa. Le encantaba preparar la mesa de reuniones en la sala de juntas (por mucho que algunos días se instalasen allí matones como Pierrot, el guardaespaldas del untuoso Delavigne, quien pese a sus cada vez más frecuentes viajes a la península despotricaba a todas horas contra «la indolencia de las razas ibéricas»), oficiar de intérprete de Monsieur Maurice en las escasas ocasiones en que a éste le interesaba fingir que no comprendía ni una palabra de español. Gozaba yendo aquí y allá, de habitación en habitación, sin mucha más tarea que conjuntar unas servilletas, disponer flores en jarrones o traducirle a las muchachas, Pilar y Fortunata, el encabezamiento formulístico de una inane carta comercial.

Muchos años después, un hombre que ya no se llamaba Federico Fernet se preguntaba a su pesar en qué momento cruzó las líneas… En qué preciso instante dejó de acomodarse a la diaria pantomima de la inocencia.

Y recordaba entonces la ocasión en que volvió a ver a Pierre LeTourneur. No sucedió en casa de Frieda. Durante todos esos meses había tratado de averiguar algo acerca de los cuadros que entrevió en su primera visita, pero fue en vano, porque apenas abordaba el asunto entre indirectas, ella lo escrutaba con recelo y desviaba la conversación. Ni tampoco en los despachos de L'Idéal, sino en el lujoso piso de Monsieur Maurice, quien celebraba su aniversario con un «pequeño baile de máscaras sólo para mis íntimos». Los invitados llegarían al medio centenar, estimó Federico por lo bajo, y por vez primera se dijo que Maurice Brün resultaba bastante pretencioso. Era un sábado de mayo muy cálido y se sentía aburrido e incómodo dentro del disfraz de arlequín que Frieda se empeñó en proporcionarle. No le gustaba bailar y lo mareaban los chillidos y risitas excitadas de las Cleopatras, María Antonietas, Pompadour y Josefinas que giraban a su alrededor, del brazo de sucesivos Calígulas, Atilas y Vercingétorix. Bebía limón granizado en una esquina, desatento a la voz empalagosa de Suzy Solidor que Delavigne, ataviado de Luis XIV, ponía una y otra vez en el gramófono mientras suspiraba, teatral, por «su añorado París»; el émulo de Darquier de Pellepoix detallaba aburridas anécdotas sobre su amiga Corinne Luchaire, «la hermosa joven, actriz *à la page*» y sus aún más queridos Lucien Rebatet y Robert Brasillach, «las grandes firmas del momento, plumas de *esprit bien gaulois* y aceradas como espadas cuyos filos relucen *chevaleresques*». Se las refería, sin permitirle colocar palabra, al ojeroso periodista rumano («el poeta», recordó Federico, mirando asqueado al pomposo Delavigne), disfrazado, cómo no, de lamentable con-

190

de Drácula. Estaba harto y lanzaba frecuentes ojeadas al reloj carrillón, dispuesto a escabullirse apenas diesen las diez, ¿dónde diablos habría guardado Frieda su ropa? La miró con resentimiento... ya no se acordaba de si su disfraz correspondía a Catherine o a Marie de Médicis. En cualquier caso, no le sentaba bien, se dijo, viendo a través del espejo cómo unía sus labios a los de un aviador de la Luftwaffe, veterano de la Legión Cóndor, sabría después, de uniforme de gala y rostro velado por un sobrio antifaz. La estudió con crítica atención y concluyó que pese al maquillaje parecía cansada y macilenta. Le diría que se encontraba empachado, que necesitaba marcharse... con o sin su ropa de calle, ya estaba más que hastiado de sus mangoneos y caprichos. Nadie lo iba a echar en falta, coligió, todo el mundo tenía encima copas de más, sin llegar, por supuesto, a la ebriedad de un Ganz-Mefisto que roncaba en un sofá, fingiéndose tal vez más borracho de lo que estaba para así captar mejor las conversaciones de los bailarines que sorteaban de un brinco sus diminutos pies estirados...

A las diez y cuarto se abrió paso hacia Frieda, decidido a recuperar su ropa. Pero entonces tropezó con alguien vestido de cardenal (Richelieu sin duda, o Mazarino, qué poco originales resultaban todos, excepto Monsieur Maurice, cuyo atavío de pavo real, con auténticas plumas cosidas a centenares sobre el fantasioso traje, causaba sensación) y le derramó sin querer una copa de champaña sobre el hábito. «Lo siento», farfulló, y una mano blanquísima, a la que le faltaban el índice y el anular, se alzó iracunda ante sus ojos.

Era la mano inconfundible de Pierre LeTourneur. Por espacio de unos segundos, estuvo seguro de que esa mano mutilada iba a abofetearlo...

Cerró los ojos y lo divisó de nuevo, agachado frente al rojo de las amapolas de Soutine...

—Lo siento —repitió—. Disculpe la torpeza.

Pero el galerista se alejaba ya, no sin antes imprecar para sí un enfurecido *sale con*.

Al otro extremo del salón inmenso de donde habían sido retirados gran parte de los muebles, Ganz se levantaba como movido por un resorte y le hacía una seña casi imperceptible a Fundler... Y éste asentía, dejaba su copa sobre la repisa de la chimenea, musitaba algo al oído de Lazar; ambos, al igual que el uniformado oficial de la Wermacht, quien bailaba ahora en un rincón muy pegado a Frieda, no llevaban más disfraz que unos simples antifaces negros. Lazar se disculpaba sonriente con una mujer de monumental tocado cónico y cuerpo esquelético y se dirigía hacia LeTourneur, que trataba de avanzar a codazos, entre bailarines y camareros cargados de bandejas, hasta la zona donde Maurice Brün agitaba sus destellantes plumas verdiazules y hacía reír a carcajadas a un corrillo de mujeres demasiado enjoyadas.

Como si intuyese a sus espaldas al encargado de Prensa alemán, Pierre LeTourneur se giró de súbito.

Y Federico percibió, aún más que su alarmado nerviosismo, el miedo en sus ojos, la brusca dilatación de las pupilas. La mano amputada temblaba, observó intrigado.

Miraba a Lazar rodearle los hombros a LeTourneur, con ademán más conminatorio que afectuoso, cuando el «murciélago» apareció a su lado de un salto.

—¿Algún problema, mi querido muchacho? ¿Tedio, quizás? Claro que, debido al lógico ímpetu de la edad, los jóvenes soléis preferir los campos del honor a los salones de baile, ¿no es cierto?

Ganz se había desprendido de su antifaz de seda, que le colgaba del cuello como el pelaje de un despojo de animal, y su diminuto rostro congestionado y surcado de arrugas mostraba una taimada sonrisa.

De reojo, Federico contempló a los dos hombres abandonar la estancia hacia el interior de la casa. El galerista, que parecía haber estado farfullando explicaciones con el aire de quien improvisa excusas, caminaba encorvado por el miedo o la pesadumbre.

Inclinó el rostro y clavó una mirada aviesa en la de Ganz.

—Le sienta que ni pintado su disfraz —comentó con acritud—, le felicito.

—Gracias, muchacho. No sé si has pensado alguna vez que incluso en un detalle tan baladí como la elección de un atavío de mascarada revelamos mucho acerca de nosotros mismos. Pero imagino que el tuyo te lo habrá elegido la querida Frieda, ¿verdad? La imaginación no es su punto fuerte, Arlequín es tan previsible, «anodino» sería la palabra exacta, *le mot juste* que dicen los franceses, tan decadentes ellos en su obsesión por el detalle femenil. Veamos… yo te habría vestido de bufoncillo medieval, con calzas y cascabeles, sería un espectáculo encantador. O puede, sí, puede que incluso de efebo de lupanar pompeyano… sí, te veo perfectamente de esa guisa. Supongo que si nuestro apreciado Maurice no hubiera estado tan ocupado en idear su propio traje de *paon,* se lo ha cosido en París, por cierto, el mismísimo Fath en su célebre casa del faubourg Saint-Honoré y tengo oído de buena fuente que se lo ha hecho llegar por valija diplomática, habría tenido la misma ocurrencia que yo para tu vestimenta. En fin, habrá más ocasiones… y otras fiestas. Ahora se impone algo más fuerte que el champaña. Un poco de armagnac, por ejemplo. Tráemelo en una copa ballon.

«Maldito enano hijo de puta». Federico frunció el ceño, suavizó enseguida la expresión y dijo con dulzura:

—Bueno, señor Ganz, dejemos que los camareros contratados hagan su trabajo, ¿no le parece? Mire, allí hay uno. Justo detrás de usted.

El «murciélago» enarcó las cejas.

—Deberías estar en Rusia. Combatiendo voluntario por la nueva Europa, en lugar de putear aquí y allá como gigoló de baja estofa o una mujerzuela de pocas luces —siseó con rabia.

—Buenas noches, señor Ganz. Ha sido un placer.

Frieda y el aviador habían desaparecido, sin duda hacia uno de los dormitorios de huéspedes, de modo que se encaminó por su cuenta al vestidor de Monsieur Maurice, donde halló finalmente su ropa tirada sobre una silla, entre las medias y la blusa de Frieda. Se vistió aprisa y salió al rellano sin despedirse ni siquiera del anfitrión, atormentado por el inicio de una de sus brutales jaquecas.

Ya en la calle, recobró algo de aplomo, aliviado por la brisa. Se alegraba de haberse marchado de la fiesta antes de que la cabeza le estallara de dolor en medio de toda esa gente pintarrajeada. «No faltaba más que ese miserable enano me viera pálido como un muerto y se pensase que le tengo tanto miedo como LeTourneur al tal Lazar, aunque a ése le teme hasta Frieda, la muy zorra», pensó irritado al recordar al oficial de la Luftwaffe. Y lo cierto es que un poco de miedo sí que le inspiraba el murciélago... «Bastante» miedo, en realidad, se confesó. Más que el que le infundía Villegas, del que se contaba que asistía en persona, y con deleite, a ciertos interrogatorios dirigidos por sus colegas de la Gestapo... Lo había visto charlar, vestido de Gran Capitán, con una bella aristócrata cuya antigua relación con el caído en desgracia Serrano Súñer era tan conocida en la pacata Madrid como el estribillo de Celia Gámez, ese chulesco «ya hemos pasao» que cinco años después del final de la guerra seguían radiando de continuo las emisoras locales. Y también Villegas lo había visto a él, ¿no aseguraba Frieda que al comisario jamás se le escapaban nada ni nadie? Con sus cabellos engomados y el oscuro bigotillo recortándose en la palidez del rostro falsamente ascético, Villegas semejaba un mórbido ser ultraterreno, venido de mundos pretéritos... «Le habría ido mejor un Torquemada que el Gran Capitán», había pensado después, al verlo enlazar el talle de la morena marquesa. Y enseguida se desmintió. Frieda, que solía referirse a él con una seriedad extraña (la misma, recordó, con que pronunciaba el nombre del cabrón de Ganz), se lo describió en una ocasión como a un libertino. «Tiene una de las mejores colecciones de literatura erótica del continente —le había dicho—, una especie de inmensa biblioteca secreta, y se cuenta que mantiene correspondencia con bibliófilos de ese tipo de medio mundo... a fin de cuentas, nadie va ir a vigilarlo a *él*. Hace bien en aprovechar sus circunstancias. Aunque a mí, que soy, o mejor dicho *fui*, luterana, no dejan de sorprenderme esas cosas en fervientes católicos como Villegas, de comunión diaria y ejercicios espirituales al menos dos veces al año… Según Ganz, en su juventud fue seminarista o algo similar, pero no sé si lo echaron de su puto convento o si marchó de esas celdas por decisión propia. A veces me recuerda a ese estirado de Pío XII. Tan lánguido… y tan peligroso como él».

Sí, Ganz se le antojaba, pese a todo, mucho más temible que el delgadísimo policía, cuyo sempiterno corbatín blanco copiaba sin recato al de Laval[14]…

Pero Pierre LeTourneur… ¿por qué estaría tan atemorizado?

Y maldita sea, apretó rabioso los puños, ¿cuándo, por Dios, pensaba darle noticias de su madre Monsieur Maurice? Quizás estuviese mintiéndole y no dispusiera de posibilidad alguna de enterarse de por qué ella no le escribía al piso de Ayala, de qué motivos le impedían revelarle a su hijo (su «segundo» hijo, rectificó) su paradero y el de su hija pequeña, Blanca… Tal vez su chismoso patrón le hubiese estado engañando durante todo ese tiempo. Y no supiese en verdad nada. O demasiado. ¿Y si su madre hubiera muerto?

Un calambre de dolor le aguijoneó las sienes. Se apoyó, gimiendo, contra una farola, los ojos cegados por las lágrimas. De pronto deseaba mucho estar en

---

[14] Laval, presidente del Consejo del colaboracionista gobierno de Vichy. Responsable directo de las deportaciones de niños judíos, fue fusilado tras la Liberación de Francia. Usaba siempre corbata de color blanco.

cualquier otra parte. Muy lejos de allí, a solas, tumbado en la oscuridad.

No, a solas no, se corrigió. Con su madre. La imaginó aplicándole paños húmedos sobre la frente. Alicia Zaldívar tenía las manos más hermosas del mundo, finas, gráciles... suaves. «Manos que refrescan y jalean, que excitan y calman», le había oído decir, de muy niño, una noche a su padre. Se había levantado al baño y se quedó muy quieto, en pijama, tras la puerta de su dormitorio... escuchaba sus risas, sus besos, «se portan como idiotas», pensó entonces con desdén, y luego los *oyó*.

Sólo que tardó en comprender que los oía realmente a *ellos*. Gemían como animales moribundos... No eran sus padres, resolvió su mente en un segundo de pánico, únicamente dos extraños monstruosos que se zaherían entre sí con prolongados lamentos de furia. Y el grito de pavor enmudeció, atravesado, en su garganta cuando la orina le mojó los tobillos desnudos y formó un charco vergonzoso a sus pies.

Jamás había olvidado su carrera, descalzo y a trompicones por el largo pasillo de luces apagadas, hacia su cuarto. Se metió en la cama, jadeando. Le temblaban las mandíbulas y se tapó hasta las cejas con las mantas y una cobija de ganchillo tejida por una vecina abandonada por su marido, que sacaba adelante el día a día de sus flacuchos hijos cosiendo y bordando de encargo...

«Qué crío gilipollas eras entonces», suspiró.

Muchos años después, y aunque las fechas no coincidían en absoluto —Blanca vino al mundo en plena guerra civil y Ventura Fernet no llegó a enterarse de su nacimiento—, continuaba fantaseando locamente con que esa noche habían engendrado sus padres a la hermana distante y en mantillas a quien entonces no llegó a querer. Apenas si se acordaba ya de sus rasgos, pero a veces pensaba en ella con rara fruición y no pocos celos.

«Dos hermanos, bueno uno de ellos sólo hermanastro, y no conozco a ninguno de los dos, si me topase con uno de ambos por una calle, el abandonado hijo legítimo del cretino de notario al volante, por ejemplo, de un Hispano-Suiza, o mi hermanita Blanca, que ahora es tan ilegítima como yo para la España nueva de Franco, no podría reconocerlos, ni tampoco ellos a mí», se decía algunas noches, sobresaltado. La niña ya contaba seis años… en ocasiones se la representaba caminando por la rue des Pyrénnées; evitaba cuidadosamente pisar los charcos, llevaba una cartera escolar de cuero oscuro comprada en Les Puces, era rubia, como su madre, y le daba la mano a Monsieur Constantin. Y aquello, desde luego, era un sinsentido, no podía ser, porque si el griego estuviera en París le habría escrito a *él* a España, no lo dejaría sin noticias. Debían de haberlas evacuado en algún momento, a Blanca la habrían matriculado en alguna escuelita de pueblo, quién sabe qué trabajos estaría teniendo que desempeñar su madre para sobrevivir en la Francia de los alemanes. No conseguía figurársela metida en tareas agrícolas en una granja o de camarera en un café de aldea repleto de parroquianos jugando a las cartas en largos domingos de lluvia...

Y entretanto, se sulfuraba, seguro de que su primer hijo, ese niñato rico del maldito bucle guardado como un tesoro («pero también a ti te abandonó, imbécil, también en esto fuiste el primero, al menos en algo no has nacido de pie», lo imprecaba, consoladora y malévola, su voz interior), se divertía a lo grande en Finis. ¿Se codearía éste con Máximo Ferrer y su tropa de falangistas por bares, salones y prostíbulos? Por algún absurdo motivo, le costaba imaginar juntos al duro capitán de navío y a su hermanastro...

«Es igual que si ellos y yo, todos nosotros, nos moviésemos sin saberlo disfrazados a un lado y otro de la frontera», se dijo estremecido.

De nuevo lo acometió otro calambre, mucho más fuerte que el anterior.

Su madre... de pronto la añoraba con angustia avasalladora. Sus manos tibias sobre su frente dolorida, la boca jugosa, los labios rientes que prometían alivio... su voz, al tiempo alegre y triste, de cuando le hablaba de aquella serie de acuarelas de las nadadoras... Aquellas criaturas que danzaban la fiesta del mundo, que bailaban al son de la música del agua, esos seres pintados por su padre que nunca había visto… Era extraño, pensó: porque su padre le había cantado al agua y su obra pereció, consumida por las bombas incendiarias, arrojadas por un tipo como el aviador que horas antes mordisqueaba, voraz y contento, los lóbulos y el cuello de Frieda.

Frieda, «menuda puta que estás hecha». Se frotó los párpados, exhausto.

Lo atemorizaba la vuelta del dolor. Y éste regresó, como un mazazo.

Veía a Frieda abrazar al oficial alemán y no era eso lo que le importaba.

Porque también veía —y escuchaba— a otra mujer, que sollozaba de dicha en los brazos de un hombre. Y a un niño asustado que corría, lleno de rencor, por un pasillo de sombras devoradoras y acechantes, que se tendían y alargaban sobre el débil pescuezo y las perneras empapadas de orina de sus pantalones de pijama. Esas sombras trataban de atraparlo, aumentaban de tamaño con rapidez aturdidora y se cernían sobre la frágil silueta que chocaba contra las paredes, de vez en vez más altas, como los edificios de un bulevar o las cúpulas de una estación de andenes interminables…

Veía el miedo de muchos materializarse ante sí.

Lo veía todo y a la vez no veía nada, porque los aguijonazos del dolor martilleaban, con frecuencia minuto a minuto más breve, su cabeza.

Una arcada lo dobló en dos. Se irguió, sudoroso y luchando por contener los vómitos.

«Mamá —susurró—, ven a buscarme, por lo que más quieras, sácame de aquí».

Una voz gritaba, no muy lejos, «¡serenoooo!».

Se echó a llorar, abrumado por los espasmos, la fiebre y la pena.

*   *   *

PARÍS, 23 DE MAYO DE 1968

Esta madrugada regresó a mí la perturbadora mirada azul; me había echado, demasiado cansado para llegar al dormitorio, sobre el diván de la antecámara, con los dedos doloridos de escribir durante horas. Es curioso volver a sentir, al cabo de tantos años de no tomar un lápiz ni un pincel, el mismo intenso agarrotamiento de mi juventud en los nudillos, empiezo a sospechar que acaso la pintura y la escritura no sean tan distintas, diferentes etapas, nada más, de esos mundos «otros» que pocas, muy pocas veces, alumbran a quien les incubó calor de vida. Debí de quedarme adormecido, porque de pronto resbalé al suelo, como quien emerge de una pesadilla en la que se ha sentido caer en picado desde el barato paraíso de un teatro. Sé que no dormía cuando los sentí bucear dentro de mí, escudriñándome. Estaba despierto, bien consciente. Tirado sobre la tarima que crujía, en ese amanecer de finales de mayo, como las pobres ramas de esos árboles, mal podados por quienes nada tienen de jardineros, que han alimentado las fogatas de las últimas barricadas de una noche de tensión extraordinaria. A mis espaldas, alguien leía por la radio, que debí dejar prendida a un volumen muy bajo, una proclama acerca de la «inmediata jornada de lucha convocada por la Sorbona» con vehemencia exaltada y jubilosa… Pero apenas si presté atención a un discurso que habría arrancado aplausos de entusiasmo arrebatado al pobre Alejandro de la Fuente y Castiglione. Aquella mirada profunda, plácida y sorprendentemente feliz, me absorbía por entero… Acudía a mí desde tiempos remotos y épocas distintas y yo me abismaba embebido en su fulgor de azogue; reconocía de repente en los ojos de agua de la misteriosa chamarilera con número de deportada en su antebrazo —en cuyo desaparecido local hallé, aunque acaso sea más exacto escribir que *ellas* me hallaron a mí, a *La muchacha de las cítaras* y a una de las seis acuarelas de «Las nadadoras» pintadas por mi padre— un viejo y olvidado sentir de mi extraña adolescencia; porque cierta noche, yo vi, o fui *visto* por ella, esa misma mirada en mi cuarto del piso de la calle Ayala… En mitad de un sueño lejano, que sólo ahora calificaría de premonitorio, esos ojos de una transparencia fluvial, esas pupilas felinas, mínimas como polvillo de una mina recién afilada, ahondaron en mí antaño, apaciguadores, por encima de

204

otras duras miradas de mujeres… mujeres nacidas de mezclados pigmentos, veladas por barnices protectores que crujían como hielos astillándose en una y mil noches. Me habían librado, durante un instante fugaz y débil, del miedo… de cierta clase de miedo.

Y me avisaron, también, de lo que vendría.

Más allá de la expresión de Frieda y sus amigos, socios y contactos, más allá de los ojos de la *Venus de la esfinge*, antes siquiera de que ésta existiese para mí y lo cegara todo, mi visión, mi mente, mis sentimientos, mi pobre, endeble, coraje, luego de descubrirla —pero a la Venus no se la descubre, te *descubres* ante ella— en la Casa de los Ángeles, el secreto refugio de Monsieur Maurice, yo vi en esos ojos algo que entonces no habría sabido descifrar. Algo que todavía hoy me resulta en cierta medida enigmático y paradójicamente peligroso… Elijo, no sin vacilaciones, el término «paradójico» porque aquella que me buscó, a través del trampantojo de un sueño de madrugada de los años negros, estaba segura de morir muy pronto…

Sé que parece que es una locura, pero no lo es.

O bien todo es una locura.

Pero yo sé que en 1944 *vi* esos ojos proféticos, entonces desconocidos, pero curiosamente próximos, en un sueño… antes de que todo sucediera de verdad.

Los mismos que he vuelto a hallar después en una chamarilería ínfima.

Los mismos que nunca dejan de verme, como yo nunca me he visto a mí... y que esta madrugada, cuando el tibio sol de mayo reverberaba sobre los cristales y los tejados de pizarra, me despertaron de mi letargo, *llamándome*.

Son los ojos de aquella vendedora estrafalaria que me escrutó con tanto desprecio. Esa mujer a la que nunca conocí antes, y que, sin embargo, sólo hoy puedo discernirlo con absoluta claridad, me visitó años atrás, en un sueño o pesadilla de juventud, y me transmitió paz y consuelo y una advertencia de peligro...

El comerciante que me apostrofó, lleno de furia, ante la entrada cegada del local en ruinas donde, y pese a que el lugar parecía sumido en un abandono de al menos dos décadas, meses antes yo había comprado a un precio irrisorio las dos pinturas sobrevivientes de mi padre, el pobre y «desventurado» Ventura Fernet, la llamó Aurélie.

Y ahora, como ayer, cuando Federico Fernet era sólo un muchacho rencoroso y perdido de antemano (pero entonces eludió saberlo) que anhelaba «cosas» —y también, aunque no se atreviera a reconocérselo, seres que le proporcionaran cosas, y que al hacerlo se le revelaran cercanos y tangibles—, yo sentía la insoportable desazón del que se halla completamente solo frente a una encrucijada de caminos sin vuelta.

Caminos que te reclaman y de los que sólo ansías huir.

Anduve hacia las ventanas y por primera vez en varios días me decidí a entornarlas.

La mañana era soleada y cálida.

¿Qué estaría haciendo mi desconocida hermana Blanca en medio del caos parisiense? Por un segundo, fantaseé con una muchacha de alborotado cabello claro que pegaba a brochazos algún absurdo y díscolo cartel sobre un muro…

Salvo que la muchacha de mis pensamientos nada tenía que ver con mi hermana perdida.

Era mi madre, tal y como me esforzaba ahora, tras tantos años de no verla, en representármela. Mi madre en los años treinta, subiéndose al estribo del expreso nocturno que la llevará a París, donde la aguarda impaciente un hombre que no es su marido. Mi madre con lágrimas en los ojos al pensar en el hijo que deja atrás, como una heroína de Tolstoi, ignorante de la no tan lejana catástrofe que la aguarda, no bajo las ruedas de un tren, sino ante una frontera invadida de refugiados con sus críos a cuestas y su pánico en ciernes.

Era mi madre, pero también, y a la par, la mujer que accedió a venderme, a un precio inconcebible, de regalo, esas dos obras de mi padre desaparecido en la batalla del Ebro. Dos obras rescatadas de la perdición, salvadas de la quema y del olvido, como la mismísima *Venus de la esfinge* se libró de las piras prendidas por los vehementes seguidores de Savonarola, aquel monje fanático de escritura llameante que perseguía a Luzbel del otro lado de los retratos y espejos de tocador, vanidad de vanidades. Dos obras de mi padre desaparecido, *La muchacha de las cítaras* y una de las acuarelas de las nadadoras...

«Usted las necesita más que yo», había dicho la mujer de los ojos azules y el número abyecto y fabril de la muerte en serie tatuado en su antebrazo.

Aurélie.

El iracundo tendero aquel la llamó Aurélie.

Y se refirió asimismo, mirándome con odio y desprecio infinitos, a un tal Drummont. Un tapicero, dijo, de la calle Aboukir o del pasaje du Caire. Dio a entender que ese tipo era responsable... ¿de qué, exactamente? ¿De crímenes, delaciones —hubo cinco millones de cartas de denuncias en Francia entre 1940 y 1944—, torturas, pillajes cometidos al amparo de los ocupantes alemanes en la época más turbia? Aquella en que se derribaron todas las barreras, todos los frenos morales, y miles de seres, de existencias honorables u anodinas o declaradas trayectorias criminales, se lucraron con la muerte, las desgracias, el martirio y las persecuciones de sus semejantes... Yo estuve bien situado para saberlo, conocía el asunto de primerísima mano... Tenía mi propia cuota de responsabilidad en la cuestión.

Sin duda, Konstantinós Kozirákis, que se movía por el mundo de la *brocante* como un guarda forestal por senderos y pistas de montaña, sabría de Aurélie. Y de Drummont.

Pero yo no podía recurrir a él.

De pronto un nombre afloró a mis labios…

Tommy da Costa.

Cómo no se me había ocurrido antes… Si durante la rápida «depuración» —a la que por otra parte escaparon tantos, cargos de mayor o menor relevancia política, policíaca o empresarial y simples ciudadanos de los muchísimos que colaboraron durante los años negros, por convencimiento ideológico o mero afán de lucro— que sucedió a la Liberación de Francia, el tal Drummont fue juzgado en algún momento, Da Costa tendría registrada su causa en sus bien ordenados archivos. Nadie poseía tanta información documentada sobre los procesos de la depuración como él. Ningún otro periodista judicial, ni en activo ni jubilado —él llevaba ya unos años retirado de su antiguo puesto en la agencia AFP—, disponía de un archivo tan completo como el suyo, que gozaba de merecida fama en su gremio.

Tommy da Costa, hijo de una cocinera de Montreuil y de un marino, judío lisboeta del barrio de Alfama nacionalizado francés, que durante la guerra trabajó para los servicios de inteligencia gaullistas, nació en Gibraltar, donde su madre regentó durante siete u ocho años un buen restaurante frecuentado por navieros y contrabandistas. Es un hombre menudo y dicharachero, de fino sentido del humor y temperamento algo excéntrico. Vive por Pont-Marie, en una chalana, junto con su perra *Maline* y un buen montón de gatos siameses.

No éramos exactamente amigos (él me conoce, como todo el mundo, por Étienne Morsay, un ocioso y discreto rentista belga), pero simpatizábamos bastante y a veces coincidíamos por las cervecerías del barrio o en «La palette». Entonces tomábamos dos o tres bocks y charlábamos de naderías, fundamentalmente de pesca. A los dos nos gusta pescar.

Todas las mañanas salía muy temprano a pasear a la perra. Yo conocía su recorrido por los muelles y estaba seguro de que ninguna manifestación o disturbio lo impedirían cumplir con su rutina diaria. A fin de cuentas, Da Costa las había visto de todos los colores, fue uno de los pocos corresponsales acreditados que cubrieron la Liberación de París junto a las tropas de Leclerc. Había seguido después a los ejércitos aliados hasta Alemania. Decididamente, las manifestaciones y huelgas de estudiantes y obreros de esta primavera de la revuelta no lo habrían recluido en su casa flotante como a una anciana medrosa.

Era hora de salir a buscarlo.

MADRID, 6 DE JUNIO DE 1944

—Me ha dicho Madame Coutelas que quiere verme.

—Siéntate, Fred. Ah, y corre un poco las cortinas, por favor. Hay demasiada luz aquí dentro. Y para colmo, este maldito calor de estación seca africana... es insoportable.

Maurice Brün parecía muy cansado. Tenía ojeras, su cenicero rebosaba de colillas y las manos le temblaban.

Qué diablos les pasará a todos hoy, se preguntó Federico. A su llegada, le sorprendió encontrar a buena parte del personal cuchicheando entre sí. Se habían callado al verlo. Hasta la tiránica Madame Coutelas se le antojó distinta esa mañana; su voz sonaba menos autoritaria que de costumbre y llevaba mal abotonada la blusa. En cierto momento hundió incluso el rostro entre las manos y permaneció así mucho rato, completamente inmóvil, despreocupada de los timbrazos de los teléfonos y del ir y venir de las secretarias, que aprovechaban su distracción para acodarse junto a las ventanas u hojear a hurtadillas algunas revistas.

Monsieur Maurice tomó un pitillo, lo miró dubitativo y lo hizo trizas entre sus dedos. Luego, suspiró y se acomodó el nudo de la corbata.

—No sé si ya estarás enterado de la noticia. Tropas americanas, inglesas y francesas han desembarcado esta madrugada en el norte de Francia. En Normandía. Las noticias son muy confusas aún, pero se lucha en toda la zona. Y no me refiero a escaramuzas, tengo oído que se trata de auténticos combates.

—No, no sabía nada.

Su madre… si al menos la supiera fuera del alcance de los bombarderos... Era tan desesperante carecer de noticias. Y a pesar de todo, una sonrisa afloraba a sus labios. Si los aliados avanzasen deprisa, la guerra podría terminar en unos meses, y entonces él… Su madre apenas iba a reconocerlo, había crecido tanto que a esas alturas le sacaba por lo menos dos palmos. Y de pronto añoraba incluso aquella escuela parisiense donde lo sentaron un primer día de otoño, lleno de vergüenza, entre dos mellizos cubiertos de pecas que se rieron de él cuando se quedó mudo a la primera pregunta del profesor.

El dueño de L'Idéal lo observaba con atención.

—Estás contento, claro.

No mostraba enfado ni resquemor, pero Federico se puso en guardia.

—No tienes por qué disimular conmigo, Fred. Yo no soy Ganz, ni Brandler, ni nuestra eficientísima Chantal Coutelas, que adora al mariscal Pétain, y a la que sospecho secretamente enamorada de Goering. La pobre... ¿nunca le oíste relatar su fin de semana en «Carinhall»? Fue miembro de una delegación oficial francesa, parte de la cual fue invitada por el mismísimo Goering a disfrutar de tres días de holganza y asueto en su residencia palaciega de «Carinhall», donde Emmy, que le disputa a Magda Goebbels el puesto de «primera dama» del Reich, recitó varios monólogos de su antiguo repertorio de actriz... secundaria. Nuestra querida Chantal volvió de allí deslumbrada. Pero en fin, a mí no puedes engañarme. Tampoco soy el todopoderoso comisario Villegas, que es más germanófilo aún que Serrano Súñer; se dice que fue Onésimo Redondo quien le transmitió, allá por 1934, su pasión por la nueva y gran Alemania.

—Ellos son sus amigos.

Se encogió de hombros y durante unos segundos su rostro recuperó su alegre sonrisa y la habitual expresión de astucia.

—Claro que sí, por supuesto. Amigos y socios. Siempre he dicho que hay que tener amigos en todos los ámbitos, querido, hasta en el infierno. La vida es muy aburrida sin amistades, sobre todo para un hombre de negocios *bon vivant* como yo.

—¿Cree que los aliados…?

Maurice Brün lo contempló pensativo.

—Yo no *creo* nada —aseveró con lentitud—, me limito a esperar los acontecimientos. Conjeturar por adelantado es una actitud poco inteligente que induce casi siempre a cometer errores. Groseros errores, además.

Susurró que debía hablarle en privado, fuera de las oficinas, y lo citó para ese mediodía en unas señas que le apuntó en el dorso de un sobre con su letra picuda y diminuta. «Le explicas a Madame Coutelas que te he mandado salir a unas gestiones. No le dirás a nadie, bajo ninguna circunstancia, a dónde vas. Quiero que esto te quede muy claro. No soy, como acabo de decirte, el comisario Villegas, pero tampoco a mí se me engaña con facilidad, ni se me escapa nada. Procura comprobar que no te sigue nadie, es importante. Esto queda bastante más allá de Cuatro Caminos —añadió bajando de nuevo la voz—, es una villita de fachada rosa, sin nombre. Flanquean su entrada dos grandes ángeles de bronce, el de la derecha blande una espada y el otro alza un cáliz y ambos tienen los ojos cerrados. Si te perdieses, pregunta por la Casa de los Ángeles. No hay confusión posible».

No la había, en efecto, comprobó el muchacho a la hora señalada, luego de cruzar varios solares y deambular entre hoteles deshabitados y ruinosos. Miraba intrigado las dos esculturas —los ángeles mostraban una curiosa expresión airada—, el minúsculo y algo descuidado jardín trasero, el estucado de un rosa de golosina infantil de la fachada, y ya se aprestaba a golpear la aldaba de la puerta cuando ésta se abrió de golpe y una mujer envuelta en un batín con bordados de pájaros avanzó hacia él y le palpó las manos y el rostro.

Era menuda —no mediría mucho más del metro cincuenta— y muy bonita. Federico tardó unos instantes en comprender que era ciega.

Dentro de la casa alguien tocaba una pianola. Los finos dedos de la muchacha, que iba medio desnuda bajo el kimono de seda y reía con atragantado gorjeo de ave, tanteaban sus facciones como si anhelasen estudiarlas a fondo para recordarlas después, en su intimidad umbría y desesperante.

Bajo la calidez inquieta de las yemas, notaba las pulsaciones de la muchacha. Sus ojos muertos tenían un brillo lacustre y él se reflejaba allí como en un espejo invertido.

—Buenos días —articuló con suavidad, apartando de sí con cierto pesar el palpitante revoloteo de aquellas manos—. Estoy seguro de no haberme equivocado de dirección. Busco a una persona, a un hombre.

—Claro que no te equivocaste, Fred. Pasa.

La música de pianola había cesado y Maurice Brün lo saludó con una inclinación de cabeza. Había aparecido de improviso bajo el dintel y parecía abatido y más viejo («aunque nunca se sabe con su repertorio de máscaras», se dijo abrumado Federico). Se dirigió a la chica ciega en francés y con insólita dulzura.

—Déjanos solos, Minou. Otro día podrás conversar largo y tendido con el joven Fred. Habla casi casi como un *parigot* de los tuyos.

Lo condujo a una pequeña estancia abarrotada de butacas, sofás, canapés y *chaise-longues*. Federico creyó percibir suaves risas femeninas y el tictac monocorde de un reloj de cuco al fondo del corredor por donde había desaparecido, sin vacilaciones ni tropiezos, la pequeña ciega del entreabierto kimono que mostró fugazmente a su paso unos senos pequeños y unas piernas de sorprendente musculatura. ¿Sería esa villa de ilustración de cuento de niños una especie de casa de citas? «A qué vendrá tanto misterio y qué pinto yo aquí, a las afueras de la ciudad, llegado medio a escondidas y con un secretismo de espía o de ladrón de joyas», pensó con leve fastidio.

Eligió una silla de alto respaldo y suspiró.

—Usted dirá.

—Lo que voy a decirte no es fácil, y tampoco quería hacerlo delante de nadie. Se trata de tu madre.

Se enderezó de golpe en el asiento.

—¿Está…?

Le falló la voz. Tenía la boca muy seca y un furioso y repentino ardor de estómago, pero su jefe hizo un ademán tranquilizador y negó con la cabeza.

—No, desde luego que no está muerta, tranquilo. Pero tenemos un problema.

El alivio fue tan grande que no entendió el resto de sus palabras y tuvo que rogar que se las repitiera. Monsieur Maurice asintió y pronunció muy despacio:

—Está en la prisión parisiense de Fresnes, como rehén. Los alemanes detienen a civiles en calidad de rehenes tras cada ataque de, bueno, tras cada ataque cometido por la llamada resistencia interior. Según los casos, a unos los fusilan, a otros los deportan y a los menos los dejan encarcelados dentro de Francia. Hasta la fecha, he logrado impedir en dos ocasiones su traslado a… en fin, su deportación al este o a Alemania, gracias a mis contactos con Wirth, un abogado luxemburgués que trabaja para el «Service Otto». Se trata de… una especie de organismo económico de compraventa, sería muy largo y premioso de explicar. Pero ahora la situación ha empeorado para tu madre, no te lo oculto. El desembarco ha puesto muy nerviosos a los alemanes de París. Ella tiene, por otra parte, la desventaja de su nacionalidad. Los alemanes detestan a los exiliados republicanos españoles, a los *rotspaniers*. Al menos no es judía, te confieso que en ese caso ni la mismísima señorita Braun podría obtener gracia. Pero yo no sé durante cuánto tiempo podré seguir evitando ese traslado, esa orden de deportación.

—O ese fusilamiento, ¿no? ¿Cuánto hace que sabe lo de Fresnes? Yo preferiría que me lo hubiera dicho. Debería de habérmelo dicho, Monsieur Brün, es *mi* madre, entiende. Mi madre.

—Cálmate, Fred. Te aseguro que lo entiendo muy bien y que he estado haciendo, y voy a seguir haciéndolo, todo lo posible por ayudarla en este… digamos penoso trance. Lo hago justamente porque se trata de tu madre. Pero dime, ¿de qué habría servido angustiarte con tan funesta noticia hace tres semanas? Tú no habrías podido aliviar en nada su situación, y entretanto yo velaba por su seguridad, por su vida. Wirth me debe muchos favores. Si te lo revelo ahora, es porque la situación ha cambiado con el desembarco. Notablemente, por cierto. Estás muy pálido… Deberías de tomar algo, un poco de cognac quizás.

Federico entrecerró los ojos. La habitación se le antojó de pronto opresiva. Odió cada uno de sus pesados muebles, su extraña y cargada atmósfera de desván, las cortinas de grueso terciopelo de un rosa marchito.

—No *pienso* tomar nada —repuso irritado.

—Intenta serenarte. Detesto a la gente que pierde la compostura.

En ese momento, lo odió también a él. «Maldito hijo de puta mundano». ¿Estaría Blanca con su madre? Tal vez se encargaban ahora de su hermana, la niña que no conoció al padre, unos vecinos o el propio Kozirákis. «No debí aceptar la maldita repatriación, no debí salir nunca de París, habría sido mejor quedarse, incluso debajo de un puente».

Imaginó a su madre ante un pelotón de fusilamiento y se estremeció de pavor y congoja. Pobre Alicia Zaldívar, repetía apiadada su mente a toda velocidad, pobre, pobre, pobre. Y en cierta y extraña medida, era agradable compadecerse de alguien que no fuese él mismo.

—¿Pretende que me quede impasible y tan tranquilo mientras lo escucho decir que ya no se puede hacer nada por *mi madre?* ¿Cree que soy como uno de esos dos jodidos ángeles?

—Desde luego que no, mi querido Fred. Pero ten presente que «siempre» —recalcó la palabra con un deleite pedante que se le antojó insufrible— se puede hacer algo.

—¿Como qué?

Monsieur Maurice estiró las piernas sobre la alfombra polvorienta. Federico miró sin ver, dominado por una especie de incoherente estupor, los pegotes de barro reseco que sus zapatos de cordobán dejaban sobre el tejido de granadas y rosas. «Ha venido hasta aquí como yo, caminando por los solares, no lo ha traído en coche ese cerdo de Fabiani», pensó. Y enseguida se invectivó: «Qué carajo, está en juego la vida de tu madre y te pones a pensar en cómo llegó el tipo a esta casa de los demonios».

Su patrón sonrió.

—Es de suponer que casi todo el mundo, si exceptuamos a cuatro locos y a algún que otro santón, de esos dispuestos a entregar su tiempo y hasta sus vidas por sus semejantes, o por cualquier necio ideal de cartas siempre marcadas en el aquí y el ahora y miras puestas en hipotéticos futuros de bonanza en la tierra, tiene un precio. Pronuncias, por ejemplo, el término «soborno» y casi nunca eres consciente de lo ilimitado de sus posibilidades. Oh, claro que en ocasiones llegas a toparte con un acérrimo, un convencido. Pero mi experiencia de hombre de mundo y de negocios me ha demostrado, querido, que la inmensa mayoría no duda mucho, llegado el momento, en aceptar la tasación de su alma. Claro está que yo jamás creí en la existencia del alma ni en patrañas similares... He de confesar que en ese terreno coincido con el materialismo.

Fijó en él la vista y Federico se sintió enrojecer a su pesar.

—Yo no tengo dinero, usted lo sabe mejor que nadie.

—Tú no, pero yo sí. *Algunos de nosotros* sí que lo tenemos. Francamente, Fred, la pobreza me resulta muy desagradable. Casi tan inconcebible como la derrota… Y puede, es una mera hipótesis, así es que debo insistir en mi prudencia a la hora de aventurar próximos acontecimientos, que los vientos de la fortuna hayan empezado a soplar… oh, digamos que en otras direcciones. Pero no nos dejemos engatusar por la actualidad, a fin de cuentas nosotros no tenemos que escribir crónicas en periódicos como Caminescu, pobre «poeta», verdad. Qué mal le sienta el uniforme de «Guardia de Hierro», parece como si lo hubiera heredado de algún camarada más robusto y salvado in extremis del infierno de Stalingrado… Si yo fuese él, intentaría ahorrar para hacerme con un sastre decente. Pero él no es yo, qué tonterías estoy diciendo. *Yo* añadiré, eso sí, que también me resulta ofensivo el tan loado ejercicio de la caridad.

«Ya estamos», pensó Federico. Preguntó, impaciente, pero curiosamente resignado de antemano:

—¿Qué quiere que haga?

La aguda risita de Maurice le sonó hiriente como un trallazo.

—Bien, no es tan sencillo, querido mío. Y tampoco te oculto que existen… *existirán* determinados riesgos. Mínimos por un lado… y enormes por el otro. El trabajo será fácil y complejo a la vez. En realidad, tendrás que hacer de momento un muy breve viaje por cuenta de L'Idéal. No he decidido todavía si te acompañará Frieda u otra persona de mi confianza. A Bilbao o a Irún, aún no lo tengo muy claro, ambos destinos tienen sus ventajas y sus inconvenientes. La salvedad es que sus objetivos no están exactamente relacionados con la empresa. O por decirlo de otro modo, van *más allá* de los ámbitos de la empresa.

Se inclinó hacia él y Federico observó, lleno de malestar, sus colmillos amarilleados por el tabaco.

—Me temo, además, que tal vez tengas que posponer tus exámenes para la convocatoria de septiembre, el principio de este verano será muy movido. Y es posible que tengas que pasar pequeñas temporadas aquí, en esta casa. Oficialmente, para tu familia y Madame Coutelas, estarás de viaje de trabajo, por supuesto. He decidido ascenderte de simple recadero a representante nacional de productos de la firma... con los correspondientes aumentos de primas y sueldo, se sobreentiende.

«Qué me importan esos exámenes y esos aumentos... a quién que tuviera a su madre en una cárcel y en peligro de muerte le importarían», se sulfuró.

Pero inquirió con musitada mansedumbre:

—¿Temporadas aquí... en esta villa? ¿Pretende que me venga a vivir aquí?

—No dramatices, Fred. Me refiero a estancias de seis o siete días... diez como máximo. No se trata de un traslado, de residencias definitivas oh, de nada semejante, créeme. Y por otra parte, Minou es encantadora. Es mi ahijada, ¿sabes? No bautismal, sino de la vida. Fue, ya te lo contará ella, una gran artista ecuestre, una célebre caballista circense hasta que un desdichado... accidente la retiró de las pistas hace ya más de ocho años. Cocina como Escoffier y es un auténtico ángel, oh, no de bronce, no, claro que no. Y aquí se siente un poco sola... no habla una sola palabra de español, no conoce las calles. No *puede* salir sola. No dejo que salga sola. Frieda-Marie la saca algunas tardes a dar un paseo, a tomar el aire... pero tú sabes tan bien como yo lo ocupadísima que suele estar nuestra bella Frieda. Entretanto, mi dulce Minou sueña con regresar a París, y no sabe que en realidad París no la abandona nunca, esté donde esté y vaya donde vaya. Ella es París. Y tú adoras París, lo sé, y no porque me lo hayas dicho, no. ¿Qué joven inteligente y de gusto no amaría la ciudad de las sorpresas?

«Hete aquí convertido en perro lazarillo y en inminente señorito de compañía de una ciega. Y quién sabe si en algo más... Ha dicho que no era de bronce, la tal Minou, que para colmo sale a recibir medio desnuda al desconocido de turno, al empleado de su padrino *de la vida*. En fin, al menos no tiene pinta de bruja y es joven y agraciada».

Su voz disimuló, cautelosa, el rencor que lo embargaba por entero.

—Permítame, Monsieur Maurice, una puntualización. ¿Cómo sabré que esos... trabajos, con sus riesgos incluidos, redundan en beneficio de mi madre?

Éste lo observó, burlón. Pero el muchacho discernió al fondo de sus ojos y en la hosca tirantez de la boca un resabio de cólera.

—Pues me temo que no lo sabrás… en un primer momento. Te queda confiar en mí. Posees la suficiente imaginación como para entender que de no hacerlo tendrás que encomendarte a la simple, vana y más banal de las esperanzas. Ahora bien, la esperanza, este sentimiento tan venerado, casa muy mal con la realidad de ciertos servicios del Reich, mi querido Fred. Y ahora, si me permites, no quisiera que a Minou se le estropease el almuerzo. Su pintada fría rellena de frutas es casi tan notable como su puré de apio y su pan relleno, te lo aseguro. Tampoco desearía hacer esperar demasiado a determinada persona.

Se levantó, indicándole la puerta con un ademán servicial, y Federico escuchó del otro lado los alegres gorjeos de Minou.

Cuando Maurice Brün abrió, se toparon de frente con LeTourneur.

Minou reía a sus espaldas como si éste acabara de relatarle una anécdota graciosa. Pero el galerista parecía todo salvo un hombre feliz y relajado y dispuesto a las bromas. En realidad, era como si la mismísima muerte le hubiera salido al paso, contagiándole una lividez de cadáver.

Pierre LeTourneur sudaba abundantemente —miraba nervioso y furtivo a un lado y a otro— y despedía un hedor agrio. Olía a miedo y confusión, pensó Federico. Al estrechar su mano sana, le desagradó la húmeda blandura de la palma. «Éste sí que no mantiene compostura ninguna, está acabado». Como si le hubiera leído el pensamiento, Maurice esbozó una afligida mueca de repulsa.

—Vamos, Pierre, ten «algo» de coraje. Ve a asearte un poco, el agua fría te revitalizará. Este calor de horno no puede sentarle bien a nadie, pero no es motivo para perder los nervios.

Le Tourneur murmuró, resentido, que la temperatura era la última de sus preocupaciones, pero siguió dócilmente a Minou hacia el fondo del pasillo. Regresó al cabo de unos minutos, con el cabello empapado de agua y colonia y una camisa distinta (proporcionada sin duda por la muchacha que seguía, sin embargo, a medio vestir, indiferente al continuo resbalar del batín de aves multicolores sobre su cuerpo de gimnasta), que le quedaba estrecha.

—Así está mejor —aprobó Maurice—. Veamos qué esplendideces nos ha preparado la preciosa Minou para este almuerzo informal, casi que un picnic de interiores, verdad. Os tengo dicho, Pierre, a ti y a mi joven colaborador, Federico Fernet, que quien descuida los placeres de la mesa en los momentos de crisis arriesga más que aquel capaz de mantener la cabeza fría y el estómago caliente en similares circunstancias. Con el café analizaremos la situación... y nuestras expectativas. No se debe enturbiar el ánimo de los comensales con proyectos de ninguna clase ni siquiera durante los postres, ésa ha sido siempre mi postura.

«Maldita retórica», se ofuscó Federico. A su modo, continuaba admirando —y temiéndolo— a Maurice Brün, pero empezaban a irritarlo sus sentenciosos discursos, que ahora tildaba, de puertas para dentro, de «monsergas». No le pasó desapercibido el evidente sobresalto del galerista de la rue de la Boétie al escuchar el apellido Fernet, ni la luz de curiosidad que se encendió en su escurridiza mirada.

¿Qué diría su madre si se enterase de que el azar, o la fatalidad, propiciaron el insólito encuentro de su hijo con el marchante que años atrás visitó el estudio madrileño de Ventura Fernet cuando al despejado horizonte de entonces no lo abrasaban las altas llamas del odio y la iniquidad?

Alicia Zaldívar no podría decir nada, ni una sola palabra al respecto, recordó, de pronto muy cansado. Estaba presa en una celda lejana y quizás él no volviese a verla nunca. Nunca. «No hay palabra más dura que ésta —pensó con un escalofrío—, porque el trazado de sus letras dibuja la exacta promesa, la atroz certidumbre de la muerte».

Pierre LeTourneur seguía observándolo con atención inusual, comprobó incómodo, temeroso de que de un momento a otro farfullase con acento extraviado: «Conocí en una ocasión a un pintor que…».

Un pintor que. Exactamente, de eso se trataba. Del vértigo y la vorágine. Construías o creías construir una vida, te entregabas al voraz y táctil sueño de una obra («galería de los sueños», apuntó, insidiosa, la voz del recuerdo, y el rostro debilitado por el sufrimiento de Alejandro de la Fuente invadió su mente) y éstos ardían y saltaban en pedazos en pocas horas... «Nadie es dueño de un único destino», se dijo, imbuido de melancolía al pensar en su padre desapareciendo, tragado por un turbión levantado por el fragor de estallido de las minas submarinas, en mitad de las aguas hirvientes del Ebro. Se preguntó si en el penúltimo instante, el del ahogamiento, le fue dado a Ventura Fernet vislumbrar sobre el fondo arenoso y entre los juncos oscurecidos por la marea de sangre arrastrando miembros humanos y restos de lanchones despedazados, la danza, el vuelo de alguna de las nadadoras que pintara tanto tiempo atrás, en una serie de acuarelas que le cantaban a la fiesta y la dicha del mundo...

Esperaba, contra todo pronóstico, que sí.

Alzó los ojos y LeTourneur desvió los suyos.

¿Conocería el famoso marchante la serie de *Las nadadoras?* Le habría gustado saber qué cuadros le compró a su padre esa tarde en el chalecito de las Ventas.

Pero ésa sería, estaba seguro, una de las muchas cosas destinadas a permanecerle vedadas para siempre.

LeTourneur empezó a referirse al desembarco, pero Maurice Brün lo hizo callar con un gesto de enojo.

—No es momento de analizar acontecimientos ni estrategias. La mesa está servida —anunció—. Fred, por favor, dale el brazo a Minou y pasemos al comedor.

La muchacha no se hizo de rogar. Bajo la manga de seda resbaladiza, Federico sintió el calor de fiebre de su piel. Habría jurado, se dijo asombrado, que al tacto ésta sería fría, como la ondeante aleta de un pez…

Minou se empinaba sobre diminutas chinelas de borlas rosadas y tacones vertiginosos y le susurraba al oído que estaba contenta, «muy contenta», de tenerlo consigo. Hablaba tan deprisa y con tal frenesí que apenas si entendió que lo llamaba «mi príncipe». «Eres un rey, lo he sentido antes, al tocar tu rostro —afirmaba, clavándole con fiereza las uñas en el antebrazo—, me puse feliz al saber que vendrías a acortarme estos días tan largos, pero ahora lo estoy aún más porque eres un regalo de los dioses de verano». «Dios mío, debe de estar loca, además de ciega, quién sabe de dónde la habrá sacado su maldito *padrino»,* se inquietó Federico mientras pasaban a un pequeño comedor que contrastaba con la estancia donde supo del encarcelamiento de su madre, ya que, al revés que ésta, apenas si contaba con más moblaje que una mesa redonda y media docena de sillas disparejas. Maurice Brün descorchaba una botella de vino («Château Pétrus», anunció, alegre) y LeTourneur miraba cabizbajo una mancha en el suelo como si buscase allí el secreto de sus males. De nuevo ostentaba un lúgubre aire de derrota que lo llenó de aprensión. Su jefe había mencionado ciertos riesgos… «enormes» riesgos, llegó a puntualizar. Riesgos que acaso lo abocarían a su vez a las miserias de una celda, luego del fracaso de alguna estrambótica y fraudulenta actividad ilegal de la que únicamente lo culparían a él, porque todos los demás, incluido el casi irreconocible, por lo angustiado y envejecido, LeTourneur, se esfumarían por el aire como humo blanco de truco de prestidigitación, coligió con amargura.

—Sin ceremonias ni remilgos —alentó Monsieur Maurice, instándoles a tomar asiento ante la mesa coja, recubierta, de manera harto incongruente, por un delicado mantel de encajes.

Y entonces, y ante su sola sorpresa —el galerista parecía más allá del asombro o bien había asistido a escenas similares con anterioridad—, Minou bendijo la mesa con voz alta y clara. Unía a su rápido y popular acento parisiense alguna que otra locución latina, y cuando terminó, Monsieur Maurice aplaudió como un padre tardío que le ríe feliz las gracias a su criatura.

—Hay hábitos que nunca se pierden, mi querido Fred, y la hermosa Minou mantiene muchas de sus buenas costumbres aprendidas durante su infancia. Se crió en un convento, en un hospicio de monjas, para más inri, ¿no es verdad, preciosa? Las buenas hermanas la soñaban futura novicia, le enseñaron a bordar y a hornear los mejores dulces caseros del *milieu* conventual, pero a los dieciséis años se aburrió y eligió las calles, si bien ésa es otra historia. Quizás ella misma te la cuente un día.

Comieron rápido y en silencio y a Federico le sorprendió la indisimulada voracidad de la muchacha; al desaforado apetito de su jefe ya estaba habituado, aunque había tardado en descubrirlo, pues Monsieur Maurice ocultaba su ansiedad de vagabundo o de reo tras de unos modales refinadísimos, *demasiado* exquisitos, pero de ese detalle él tardaría años en darse cuenta. El café y el cognac les fueron servidos allí mismo por la propia Minou, quien se retiró enseguida, pretextando absurdidades. Que esa hora la dedicaba siempre a espulgarle las plumas a su loro *Malgache*, explicó.

Y antes de irse besó muy seria a Federico en la frente, llamándolo otra vez *mon prince*. Sus labios eran ardientes y secos como papel secante y olían a vainilla.

Maurice Brün no perdió entonces ni un minuto. Comenzó a hablar sin volubilidades, serio y enérgico. Y exigente.

Parecía otro hombre, muy distinto del que aquella mañana afirmó no estar dispuesto a conjeturar nada. Ni a aventurar acontecimientos de ningún tipo.

Oyéndolo, Federico comprendió que antes le había mentido —no sólo vaticinaba inmediatos sucesos, sino que anticipaba hechos y aseguraba reacciones con el aplomo de un vidente y la audacia de quien se mueve entre las sombras y los secretos como a la plena luz del día— y que no le conocía en absoluto.

Y también que le daba miedo.

«Estoy jodido, metido hasta el cuello en un lío espantoso —pensó—, en un follón que no le desearía ni a mi peor enemigo, maldita mil veces la hora en que Frieda se acercó al bulevar de Francisco Silvela y entró en el taller». Se sentía tan atrapado dentro de esa sala como Alejandro de la Fuente y Castiglione cuando despertaba a gritos de sus pesadillas de acoso y persecución, aferrado a una almohada con furia de náufrago y los ojos en blanco. Por un instante, envidió la suerte y la condición de ese loro *Malgache* —y de haber sabido, como lo supo no mucho después, que se trataba de un pájaro *disecado,* lo habría envidiado bastante más—, al que imaginaba plácido y satisfecho, arrullado en el regazo de una joven invidente que le atusaba el plumaje con la agilidad de un afinador de instrumentos.

Maurice Brün aseguró que en determinadas ocasiones era necesario quemar las naves... a escondidas.

De repente, Monsieur Maurice lo atemorizaba casi tanto como Ganz, Brandler y Lazar a un LeTourneur a quien le castañeteaban los dientes con sólo pronunciar sus nombres.

París, 24 de mayo de 1968

Salí muy temprano a la calle con paso titubeante de convaleciente. La excesiva claridad me deslumbraba, tras tantos días de encierro, y lamenté no llevar mis gafas de sol. Por todas partes había basura desparramada (también los basureros secundaban la gigantesca huelga general) y jirones de pancartas y panfletos ciclostilados inundaban aceras y calzada. Restos de barricadas se erguían aquí y allá como túmulos de una excavación arqueológica. En el *square* de Notre-Dame, una pareja muy joven compartía sobre la hierba, aún húmeda del relente de la noche, cigarrillos y charla con tres o cuatro *clochards*. Me pareció que reían, distendidos, alegres, y por sexta vez a lo largo de aquellos días de febril emoción volví a lamentar el equívoco de mi nombre, la falsedad de mi destino y el sinfín de traiciones y mentiras de mi edad adulta. Más pronto que tarde esa pareja se asomaría a la monstruosa edad de la razón y a los vagabundos los atraparían la cirrosis, el delirio, una helada nocturna. Miré el arremolinado cabello de la muchacha, las barbas y greñas sucias de los *clochards* y envidié (¿no ha sido acaso siempre la envidia el acicate de mis «logros», el tormento perenne que subyace tras de mi urdida mascarada?) al chico que gesticulaba y que, cuando se detenía para tomar aliento o improvisar una nueva frase, le rozaba a ella la comisura de los labios y las sienes con algo que de tan absorto y fugaz no llegaba a convertirse en beso. Mirándolos, fijándome en ese grupito —no, no anómalo, quizás ese mayo de la algarada queriéndose a sí misma insurrección brotase, también, del deseo de que nada pudiese jamás volver a resultar «anómalo» en ninguna parte—, sentado en corro sobre el césped y entre los tulipanes, a primera hora de una jornada que se prometía de «lucha», me ganó la vieja y casi olvidada desesperación. La certidumbre de que aunque viviese un milenio no alcanzaría a pintarlos. De proponérmelo, los dibujaría, sí, y hasta llegaría a fantasearlos con eficiencia mentirosa y trampas hábiles de «profesional» avezado, capaz de engañar a varios críticos alevosos y a uno cualquiera de esos galeristas que no *ven* los cuadros de sus representados ni cuando los están colgando, justo antes del *vernissage* de turno. Pero no los pintaría. Sé que no podría, no *alcanzaría* a hacerlo. Realismo, cubismo, surrealismo, expresionismo, abstracción…

qué más da para mí, el esforzado de antaño, el poseedor de tantas dotes, el elegido por el tan sinuoso trazo «fácil». Yo fui, y seguiré siendo, mal que me pese, un inmenso vacío al empiece y final de una perspectiva arrasada. Un vacío hondo como pozo cegado en la noche más clara. Porque yo soy, o pude haber sido de no haberme dejado seducir por Frieda, Monsieur Maurice y sus iguales, un ilustrador. No un pintor. Un ilustrador es alguien que le «da» a los demás aquello que ya vieron, lo que de antemano están dispuestos a ver y a aceptar, pero un pintor es todo lo contrario. No ofrece, enfrenta. Y no proyecta, afronta y se deja vencer, triunfal, mientras se niega a la derrota de todos los días y todas las horas y todos los minutos y todas las quemas; le escupe encima a lo que estuvo tan cerca, ahí, del otro lado de su mirada… y se alejó, burlón e incitante, misterioso. Benigno, esquivo y tan malévolo.

Yo los dibujaría, quizás aún pudiera hacerlo sin que me temblase en exceso, de ansia, pavor y rabia, la mano, pero no serían ellos, su momento finito y eterno en esa mañana única que sus memorias acaso desdeñarían, años u horas después.

Mi padre sí los habría *visto*. Y pintado. Claro que no a ellos, sino a él mismo *viéndolos* a ellos. Qué habría visto, pintado, ahora, en esta mañana de 1968 («Jornada de lucha» convocada por la Sorbona, anuncian los panfletos arrojados por doquier), no lo sé.

Manchas, luces, deseo, geometrías, informidad, penumbra... Y al fondo del escondite —porque toda obra es escondite al descubierto—, una muchacha que asiente feliz y despierta a las palabras oraculares y demoledoras de un chico de lentes sucias y pitillo recién liado por un vagabundo al que divierten sus diatribas de burguesito aplicado (se aplica, concienzudo, a las tareas de subversión como un año antes pudo hacerlo para su preparatoria de ingreso en *Normal Sup)* contra la «sociedad». Esa «sociedad» que soy yo, por ejemplo, y sin ir más lejos, me dije con risa amarga. ¿No he mentido, engañado, matado... traicionado? ¿Acaso no busqué esconderme fuera del cuadro?

Frieda lo llama, eufemística y digna, «sobrevivir», y su Momo, nuestro Maurice, lo define, sonriente, como «sacarle provecho a todas las situaciones y partido a las horas malas».

Me he preguntado tantas veces por qué rehuí, con ahínco y cobardía, las buenas... por qué no supe verlas, *comprenderlas.* Y siempre regreso a la envidia, ese sentimiento informe y descorazonador.

Tal vez yo haya amado a mi padre a través del velo desgarrado de la envidia.

Esa jovencita que reía y fumaba junto a un chico al que sin duda apreciaba, pero no deseaba —o lo deseaba muy poco, sólo si la embriagaba esa suerte de absenta espiritual que nos predispone, en ciertos momentos de fulgor y extásis conjunto, a amar al *otro,* al monstruo y enemigo que llevamos dentro, al ser aborrecible que jamás elegiríamos en condiciones «normales»—, me hizo rememorar de pronto a *La muchacha de las cítaras.* Ella, observé al pasar a su lado, tenía como ésta, a quien por otra parte no se asemejaba en absoluto, una extraña mezcla de fogosa inocencia e indulgente depravación, un aire que simultaneaba la contrariedad y el júbilo, la certidumbre y la duda. «Son hermanas de óleo y realidad», me dije, y pasé despacio junto al ya no «anómalo» corrillo, sintiendo la frescura de la hierba aplastada bajo mis zapatos.

Si mi padre fuese yo («si estuviera en mi lugar», me corregí a tiempo, puntilloso), quizá se habría parado a hacer un croquis... un simple apunte de ese peculiar *Déjeuner sur l'herbe.* «Hija del Mayo», «Día de fiesta», «Comuna 68»... mi mente barajaba títulos para un *planteamiento,* el de un cuadro futuro que jamás sería pintado; eran títulos tan mediocres y pomposos como previsibles, pero ninguno se ajustaba a esa temprana y calma luz que precede a las más virulentas tormentas, esa luz delineándonos a todos, hasta a las rientes y corajudas gárgolas de Notre-Dame.

Allí donde Ventura Fernet habría concebido luminosa niebla, yo me habría limitado a recrear una barbilla en claroscuro. Estaba convencido, siempre lo estuve en el fondo, de que allí donde él perdió, ganándola, una batalla, yo no habría podido ir nunca más allá de unos simples ejercicios de maniobras. Maniobras de impotencia, la carrera y la huida hacia delante del fracaso.

Dudé unos segundos y me decidí al cabo a entrar en la catedral. El rosetón relumbraba a mis espaldas mientras avanzaba hacia el altar como un incendio próximo y lejano, pero un incendio de llamas frías que no pudiese abrasar a nadie. Tan sólo agobiarlo y transterrarlo.

La luz filtrada de las vidrieras era la de Monet.

Dos mujeres ancianas y un hombretón, de rasgos evidentemente mongoloides y que asía un misal entre los dedos toscos, rezaban arrodillados en los bancos delanteros.

Aquel subnormal me fascinó. Fijaba la vista en el librito que aferraba con terca resolución, pero sus ojos, redondos y oscuros como botones, no miraban las páginas ni lo allí escrito; escudriñaban con fijeza de hipnotizado el reclinatorio. Los pies, calzados con botas montañesas, inadecuadas para la estación, se movían incesantes, como dotados de una autonomía maligna y triste.

Me arrodillé a su lado y pensé en lo grato que sería tener fe. Tener fe y aspirar a la inmortalidad del alma («no creo en semejantes patrañas», había dicho Monsieur Maurice una vez, en otro tiempo, ya casi tan lejano para mí como el de los constructores catedrali-

238

cios que al proyectar ábsides pactaron sueños), al perdón de un Dios obsceno y temible porque consentía que otros hablaran por su boca.

Las rudas botas bailoteaban ante mí pasos de miedo y desesperanza. Parecían moverse, títeres de farándula misérrima, a las órdenes y el vaivén de un amo caprichoso y demente. Me sentía cansado y entorné los ojos.

Y de pronto la vi.

Era Minou; pero una Minou de otra época, una Minou que no estaba ciega ni ida; únicamente una chica muy joven, cuyo nombre artístico —el auténtico nunca lo supe y tiene gracia que lo diga yo—, *Minou Joliette*, leí una vez en la Casa de los Ángeles. Estaba impreso en letra pequeña en el folleto anunciador de un programa circense, no recuerdo si se trataba del «Médrano». La vi, tal y como la imaginaba entonces, cuando ese folleto arrugado cayó en mis manos una tarde de calor y tedio, ataviada de lentejuelas cosidas a una malla casi translúcida, bajo una carpa mil veces remendada. Saltaba de lomo en lomo de la media docena de caballos adiestrados que giraban alrededor de la pista, ante un público de niños excitados con cucuruchos entre los dedos y adultos que contenían el aliento frente a las arriesgadas piruetas y los triples saltos mortales. Puede incluso que mi padre, que como muchos pintores de su generación y las anteriores adoraba el circo (al revés que mi madre, que lo detestaba, aunque le gustaban bastante las *variétés* y los *chansonniers),* la hubiera visto, quién sabe si mientras observaba sus giros y piruetas no sacó lápiz y libreta de su maltratado gabán y se dispuso a detener su vuelo de caballista sobre una hoja. No sería tan extraño, la vida da esas vueltas de tuerca, nada es nunca lo que parece, y a veces crees ir hacia delante cuando en verdad sólo retrocedes en círculos hacia el punto de partida, hacia el polo magnético del pasado que precipitó tu futuro. En el fondo, es como girar en torno al eje del tiovivo que Monsieur Maurice le compró a Minou en enero de 1944. Se lo instaló, como regalo de su inventado cumpleaños —en el hospicio, las monjas que la recogieron, criatura de semanas envuelta en un saco de yute abandonado a las puertas de su convento, le eligieron al azar como fecha de natalicio la fiesta de la epifanía—, en el salón trasero de la Casa de los Ángeles.

«Este tiovivo le ha devuelto a mi exquisita flor de bulevar la felicidad que perdió apenas plantó el pie en Madrid —me explicó mi jefe entusiasmado un anochecer veraniego—. Yo llevaba más de un año buscándole un carrusel y al fin estas navidades tuve suerte, un feriante en dificultades me vendió esta preciosidad casi a precio de saldo. ¿No es maravilloso ver a nuestra *écuyère* revivir sin riesgo sus días de gloria? Si hasta me parece advertir cierto brillo de sudor en estas monturas de maderas coloreadas».

Ambos contemplábamos a Minou, que vestía un *maillot* de baño rosa púrpura, subida a horcajadas sobre un alazán de crines doradas a la purpurina. La escuchábamos cantar a pleno pulmón, con su voz pura de niña de coro, la letra feroz de una melodía apache que nada tenía que ver con el pasodoble del carrusel en marcha, y nos conmovíamos al unísono. Ese grandísimo hijo de puta de Maurice Brün tenía, lo recuerdo muy bien, los ojos húmedos, y muy a mi pesar yo me sentí partícipe de su emoción, *comulgué* con ella. Era un asesino, un repugnante colaboracionista, estafador, traficante y chantajista sin escrúpulos, por supuesto, pero en ese momento, y delante de la muchacha a la que ocho años atrás vio caer de espaldas en mitad de un doble salto mortal, al principio de una función de las de primera hora de la tarde y escasos espectadores (en un impulso extraño le pagó primero el hospital y se la llevó luego, ya invidente y medio perturbada, a compartir sus días), parecía inofensivo. Un tipo de mediana edad con un vaso alto de *eau à la menthe* en la mano, que disfruta viendo jugar a su criatura favorita… «Cuidado», me dije entonces, ganado por un violento escalofrío. Y al volver a mirarlo, me topé otra vez con el hombre de las mil máscaras y ni un solo remordimiento; el eficiente y escurridizo criminal autodidacta que abominaba del real interés de las jugadas porque sólo le importaban los beneficios. Como en tantas otras ocasiones anteriores, ese hombre se aprestaba a cambiar de bando y a eliminar, si fuese necesario, a sus genocidas aliados de ayer mismo, guiado por su olfato depredador y ese innato sentido de la oportunidad que lo inducía a calcular el montante de sus apuestas y a distribuirlas, con audacia prudente, en números y filas varios. Pensé, con preclara melancolía, que mi patrón pertenecía a la estirpe de los que siempre salen a flote, siempre caen de pie. Y supe que los sentimientos que le inspiraba su ciega protegida, su pequeña «ahijada de la pila de la vida», no lo tornaban más débil, ni proclive a ninguna clase de compasión, sino más, muchísimo más, despiadado y peligroso. Porque tal vez ella le transmitía la misma irreverente devoción que a mí me inoculó la *Venus de la esfinge* desde la primera vez que la vi, mal colgada sobre bastidores un poco torcidos, en la pared de una habitación vacía del piso superior de la maldita Casa de los Ángeles. «El imbécil que se la vendió a LeTourneur la creía falsa, la obra menor de un discípulo del maestro de los maestros, pese a lo mucho que le insistió en contra de ese estúpido empecinamiento suyo la persona que hizo de intermediaria de su propietario durante la venta más necia y apresurada del mundo —me contó Maurice Brün, cuando al fin consiguió arrancarme, medio paralizado y sin aliento, de la vera del cuadro—. Qué podría saber de la leyenda que aureoló durante siglos al famoso cuadro que se creyó perdido, voluntariamente entregado por su autor para ser *quemado* en una hoguera purificadora, un estraperlista de tres al cuarto… Según LeTourneur, se cree que fue pintado por encargo de Piero Bini, el padre de esa Lucrezia que se casó con un viudo, un tal Gianozzo Pucci, y que en sus esponsales recibió, entre otros regalos de boda, los cuatro paneles de la serie llamada *Historia de Nastagio degli Onesti,* tres de ellos los habrás visto mil veces en el Prado desde que hace dos o tres años se los donase al museo su propietario, un político creo que catalán. Pero tampoco es muy seguro que la *Venus de la esfinge* perteneciese al susodicho Piero Bini, nada está muy claro por lo que se refiere a este cuadro, algunos historiadores del arte pretendieron incluso que jamás fue pintado, que no existió nunca fuera de las desbordantes imaginaciones de los románticos ebrios de enigmas. Decían que se trataba de una simple leyenda. A Hitler, y no digamos a Goering, les habría vuelto locos de entusiasmo *poseerla*… sospecho que Adolf se la habría quedado para sí en lugar de enviarla a su faraónico proyecto de museo en Linz. Pero en fin, al Fürher se le están atravesando los asuntos… y los territorios, y preveo que su magno museo de Linz no lleva trazas de ir a inaugurarse de acá a unos meses, será para otra ocasión. Te confieso que a mí me gusta más la pintura moderna, según el gusto de disgusto de los nazis soy un *degenerado* total en estas cuestiones. Y Botticelli, por otra parte, me repele ligeramente…

Detesto la crueldad, por extraño que te parezca. Y hay en esas mujeres suyas, de contornos tan precisos, una especie de crueldad y una frigidez infinita. Me temo que esta pintura será difícil de colocar. Es lo que ocurre con las leyendas, Fred querido. A *todo* el mundo le gustan… pero casi nadie *anhela,* se atreve, a vivir bajo su égida».

Sentado en ese banco y en la silenciosa, sacra frescura de Notre-Dame, vi desfilar ante mí los espectros de aquel verano. Rememoré la indiferencia serena de la Venus, la irritación de Frieda, el menudo y afilado rostro de Minou Joliette. Durante las primeras semanas de mi ir y venir a esa casa donde almacenábamos las obras que Monsieur Maurice, y un LeTourneur de día en día más abrumado, le escamoteaban bajo sus barbas a los alemanes y a sus gestapistas de Vichy —todos ellos se las robaron previamente a coleccionistas y artistas judíos, a particulares y marchantes huidos o deportados—, mientras fingían trabajar para la causa del Reich en su prudente salvaguardar en países «neutrales» los tesoros rapiñados en previsión de una cada vez menos improbable derrota, yo creí, vagamente, es cierto, «amar» a la atolondrada muchacha de los ojos muertos. Bueno, amar es mucho decir. Amar como puedo, podía, amar yo, que a lo largo de mis dos vidas sólo he amado de veras y sin ambages a dos mujeres: a Alicia Zaldívar, mi madre (la madre de Federico Fernet, para ser más exactos), y a la *Venus de la esfinge.*

Me gustaba su impudor alegre, esa manera suya de pasearse desnuda delante de cualquiera, como si éste también estuviese ciego al encanto de su cuerpo de muñeca atlética, falsamente liviana. Me regocijaba sobremanera observarla acunando entre canturreos al loro disecado, verla brincar sobre las monturas de madera del tiovivo, descubrirla, entremedias de cazuelas y fogones —le bastaba poco tiempo para hacerse con las medidas de un espacio, de hecho jamás la vi usar bastón—, metida en guisos complicados. A veces me sorprendía pensando que me habría gustado mantener con mi prima Carmela, quien, enfadada por mis ausencias y mis secretismos, apenas si me dirigía ya la palabra, la misma relación de tutelaje y divertido afecto existente entre Maurice y Minou.

Y me gustaba, sobre todo, acostarme con ella. No era de bronce, en efecto.

Y era un descanso de Frieda.

Había en su forma de amar una ligereza de criatura acuática... libre de los reveses de la memoria y de la angustia del porvenir.

Nadie me ha tocado jamás como ella.

Cuando Frieda, que la trataba como a una niña díscola y pesada y no se molestaba en ocultar lo mucho que le exasperaban sus risitas y ocurrencias, se dio cuenta de mi encandilamiento, resopló con desdén.

—También tú tienes algo de monstruo... de tarado. En el fondo, sois tal para cual. Un cretino guapo y una ciega idiota… bonita «selección» —arguyó.

Pero yo me limité a sonreír y a recomendarle que cuidase de que no la oyera su querido «Momo». Le recordé lo poquísimo que éste toleraba los agravios a su ahijada, la diminuta caballista que con su caída del domado corcel le rozó una tarde el corazón que nunca tuvo. Y disfruté al verla estremecerse, encogida sobre una silla de hierro de jardín que necesitaba con urgencia varias capas de pintura.

Todo en la Casa de los Ángeles necesitaba reparaciones. Incluso nosotros. Sin duda, Monsieur Maurice la había escogido por ese motivo; la alquiló a sus expensas, y sin decirle en un principio nada a nadie, a las pocas semanas de establecerse en Madrid. Allá dentro, se notaba que se sentía a sus anchas, se tornaba incluso menos ceremonioso. Un poco menos «refinado», con un punto de brutal vulgaridad que lo devolvía acaso a lo que fue antaño, a sus bien despistados orígenes.

Un cura con casulla blanca pasó junto al altar como si se deslizara silencioso sobre una nieve muy blanda. Pensé en Aurélie, la misteriosa chamarilera, y me dije que se hacía tarde y era hora de acudir en busca de Tommy da Costa.

Ya iba a levantarme cuando el pobre subnormal me cogió la mano como si le fuese en ello la vida, apretándomela con una especie de agradecimiento y de congoja.

Un hilillo de baba le resbalaba por la comisura de los labios y la tristeza de sus ojos oscuros era devastadora.

—Discúlpele, señor, mi Gérard no sabe lo que hace. Vamos, hijito, deja al señor, no ves que le vas a hacer daño.

Una mujer pequeña y enjuta, vestida de luto, de mirada febril... hablaba muy rápido, con ansiedad suplicante.

—No se preocupe.

—No sabe lo que hace, es inocente el pobre, igualito que un niño a sus cuarenta y siete años —repitió.

Apreté a mi vez aquella manaza roja y suave y mi gesto pareció gustarle, porque aflojó la presión y antes de soltarme me sonrió con calidez, mostrando una blanquísima y soberbia dentadura.

—Así está mejor, hijo, ya ves que le caíste bien a este señor tan amable... pero debes tener cuidado con tu fuerza, no te das cuenta de lo fuerte que eres.

Y volviéndose hacia mí, la enlutada madre susurró:

—Gracias por su paciencia. Normalmente es tranquilo, no suele molestar a nadie. Le encanta venir a Notre-Dame... llueva, nieve o truene, tengo que traerlo sin falta. En verano, ni siquiera podemos salir de París. Llora desconsolado si pasa varios días lejos de aquí. Supongo que de un modo u otro, y aunque no sepa lo que hace, percibe la presencia divina. Es un consuelo, ¿no le parece?

Asentí con vaguedad y me levanté con un gesto de despedida, encaminándome hacia el atrio bañado de luz. Cuando me fui, los divisé a hurtadillas; madre e hijo tenían las cabezas gachas y muy juntas y se habían arrodillado, tomados de la mano. Quizá le rezaban a su Dios. O agradecían, nada más, el instante de quietud, el tranquilizador contacto de sus dedos entrelazados.

«No sabe lo que hace —lo excusó ella, azorada—. Es inocente, sólo un inocente».

Pero yo sí sé lo que hice.

Y me pregunté si alguna vez, desde que tuve uso de razón, fui inocente…

Encontré a Tommy da Costa en el muelle des Célestins, de regreso de su habitual paseo matutino. La perra *Maline*, una mezcla de cócker y de fox-terrier, correteaba suelta aquí y allá y él la dejaba hacer, con la correa inútil que jamás lo vi usar en una mano y su pipa de espuma en los labios. Me descubrió de inmediato (sospecho que Da Costa ve incluso a sus espaldas) y me lanzó una gran sonrisa maliciosa.

—No me digas que un pudibundo conservador como tú se prepara desde bien temprano para «la jornada de lucha» que se avecina.

—Nunca te dije que fuera conservador, Tommy.

—Vamos, a ver qué otra cosa sino un amante del orden podría ser un discreto rentista belga como tú,

248

que desciende de negreros del muy cabrón rey Leopoldo… Y que para colmo, y te lo he dicho muchas veces, no «parece» belga en absoluto… pero así son las cosas, amigo. Lo que parece no es y lo que es no lo parece. ¿Vienes a discutir el rumbo de la revolución en marcha con este viejo plumilla retirado, o a hablar de anzuelos?

Acaricié el hocico y las orejas de *Maline* y me esforcé en aparentar calma, porque las ocasionales agudeces sobre mi persona de Da Costa me causaban desasosiego. Siempre intuí que adivinó desde un principio la falsedad de mi respetable pantalla de pacífico burgués aficionado a la pesca —me lo daba a entender a su modo—, pero que por el motivo que fuese yo le inspiraba simpatía y se le daba un ardite que acarrease a mis espaldas, por ejemplo, un pasado de ladrón de cajas fuertes o de amable estafador de aseguradoras.

—Ni lo uno ni lo otro.

—Pues haces mal por lo que respecta a lo primero. Hacía años que no me divertía tanto. Desde agosto del 44, para ser exactos, cuando esta ciudad fue una fiesta de chicas con ropas tricolores besando felices a los GI y a los FTP y FFL después de tanta sangre, y nosotros, los periodistas, bebíamos champaña a chorros por las calles. Ahora no es lo mismo, claro, no pretendo comparar. Pero esta primavera también es hermosa… nos rejuvenece. Anteayer estuve en una asamblea en l'Odéon y créeme que lo pasé muy, pero que muy bien. Hubo discursos increíbles… quien no ha conocido París con barricadas no puede presumir de haber captado el espíritu de esta ciudad. ¿Irás a la manifa de esta tarde, imagino? Vamos, no puedes perdértela… corren rumores de un posible golpe de Estado, impensable, ¿verdad? Pero, por otra parte, ¿quién habría anticipado esta revuelta de críos, obreros y empleados, hace tan sólo un trimestre? He empezado a escribir una novela, así en caliente; aún no tengo título, pero la cosa marcha, llevo un buen montón de páginas. Lisette ha leído algunas y me ha dado su aprobación… piensa enseñárselas a Marguerite Duras, son muy amigas.

Lisette es su ex mujer. Yo sólo la vi una vez en «La palette», aunque la *péniche* de Da Costa está plagada de fotos suyas. Ejerce de sagaz, aunque durísima, crítico literario en *Le Monde* y Tommy mantiene con ella una curiosa relación de intimidad constante y dependencias mutuas. Son cómplices y confidentes, más allá del hecho de engendrar una hija y de haber reñido —y enseguida engañarse mutuamente— sin cesar desde el mismo día en que se casaron. «Es curioso —me dijo él una tarde—, Lisette y yo sólo hemos empezado a llevarnos bien, muy bien en realidad, a partir de nuestro divorcio».

Tommy guarda su célebre archivo de causas judiciales referidas a la Ocupación en casa de su ex mujer, en la calle Madame de Sévigné.

Lo felicité por su novela y aduje que necesitaba su ayuda.

—Se trata de unos datos que podrían estar en tu archivo —añadí.

—Cuéntamelo en casa con un café.

La casa flotante de Da Costa es una chalana, una *péniche,* de nombre «Océane», donde pasa las primaveras y los veranos. El par de meses más duros del invierno se traslada con sus animales, debido a sus dolores articulatorios, a un hotel modesto de la calle Cujas donde la vieja patrona y sus dos hijas solteras lo miman como a un impedido adorado o a una criatura consentida, pero a la semana él ya siente nostalgia del balanceo bajo sus pies.

Sólo había entrado en una ocasión en la «Océane», para que me mostrase el equipo de buceo que pensaba regalarle por Año nuevo a su hija Nadine. Ahora volvió a sorprenderme, como entonces, la ordenada pulcritud del pequeño salón bajo la cubierta.

—Toma —volvió de la diminuta cocina y me tendió una taza de café—, bébetelo antes de que se enfríe. Está fuerte, muy bueno. Le he puesto una gota de St James. Yo voy a hacerme un verdadero *canard.*

Distinguí bajo su butaca los ojos, de un azul de llama de gas, de uno de los cuatro gatos siameses y suspiré, luego de que él me dijera «dispara».

—Te va a parecer una tontería… —empecé.

Y le conté «casi» todo, callándome, naturalmente, que los dos cuadros que le compré a la susodicha Aurélie eran obra de mi padre. Después de todo, él nada sabe de Federico Fernet. Se los describí muy por encima, aunque me explayé largo y tendido acerca de la misteriosa ex deportada y sobre las enfurecidas reacciones del tendero que me abordó junto a aquel comercio que parecía llevar cerrado una eternidad. Insistí en la exactitud de mis recuerdos, en el aspecto de la mujer del caftán, el gorro de piel y los ojos oceánicos (sonrió levemente al escuchar el término), hablé del viejo mesón de autopsias, del desgarrado traje de novia, de los aguamaniles abollados, de las mecedoras rotas y los sillones desfondados y era como si de nuevo los tuviera a la vista, alojados en una precisa y recurrente simetría. «Drummont el tapicero», pronuncié muy alto, con una especie de rabia, y mencioné el número 93 de la calle Aboukir, el pasaje du Caire. Drummont, «cuya cuenta sólo la pagará la muerte», había gritado el tendero que no olvidaba un antiguo dolor, viejas afrentas... Y yo repetí sus palabras, sin preocuparme de si al pronunciarlas el buen y astuto Da Costa me tomaba por un ser truculento, patético.

Tommy frunció el ceño al escuchar el apellido Drummont.

—No, no estoy pensando en el antisemita del siglo XIX, en el autor de ese opúsculo repugnante titulado *La France juive* —me aclaró—, sino en otro tipo posterior… un *collabo,* claro. Hubo un juicio y justamente la coincidencia de su nombre con el de ese infame *antidreyfusista* me llamó la atención en su momento, allá por el 47. Por obvias razones familiares, familiares del lado paterno, siempre me han obsesionado esos teóricos antisemitas como Drummont o Von Leers, del que se sospecha que lleva ahora una existencia dorada en Egipto, donde ha adoptado la religión musulmana y el nombre de Omar Amin. De modo que el apellido Drummont se me quedó grabado. Un tapicero, dices… no recuerdo ese dato. Si aguardas un poco, estoy seguro de que me acordaré de los detalles… y del tipo en cuestión, no de la tal Aurélie superviviente de los campos, desde luego, de ella sí que nunca oí hablar. Te confieso que tu historia tiene, por ese lado, la atmósfera de un relato de Maupassant… leído, por ejemplo y desgraciadamente, por alguien como Jean Améry.

Tomó otro terrón y lo hundió en su café con aire meditabundo y reconcentrado. Da Costa tiene una memoria prodigiosa y yo esperé, expectante, observando cómo sus dientes trituraban el azúcar mojado. Uno de los gatos, el de pelaje más claro, se frotó contra sus tobillos, ronroneante. Le acarició una oreja y el cogote con gesto distraído, como una mujer que acuna a un bebé mientras mira por la ventana a otros niños mayores que el suyo jugando a las cuatro esquinas un día de sol. Sentí que me entraba sueño, a pesar del café, que a él le gustaba muy espeso, a la turca. Me sacaron del entumecimiento su sonora palmada, su chillido de excitación.

—¡Ya lo tengo! Justin Drummont, más conocido entre la banda gestapista del 93 de la calle Lauriston por «Fefeu Riton». Condenado en el 47 a veinte años de presidio, no debe de haber cumplido más de ocho el muy cerdo, seguro. No recordaba que hubiera empezado de tapicero, en mis imágenes de entonces figura más bien como perista, no sé por qué. Pero todo concuerda a la perfección, porque se especializó en el robo y el pillaje de arte y mobiliario de época. Delató al principio, según las más que probadas acusaciones, a mucha gente: judíos y no judíos, enseguida contactó con los alemanes, allá por otoño del 40 se puso a su disposición y en la vista hubo testigos que aseguraron que más tarde fue el cabecilla de una banda que desvalijaba viviendas de los barrios buenos, faubourg Saint-Honoré, Passy, Madeleine, etc., con sus habitantes dentro. Los mataban in situ o los enviaban para ser interrogados a su sede de Lauriston. Como es lógico, muy pocos sobrevivieron a esos interrogatorios o a la deportación. Uno de los que trabajaron para él fue el mismísimo Abel Danos, apodado «Mamut», quien operó bajo uniforme alemán contra los maquis de Périgueux y de Tulle y que en la posguerra se unió al famoso gang de atracadores de «Pierrot le fou», el alias de Loutrel. Una banda extremadamente novelesca, la de *le fou,* imagino que la recuerdas… la integraban ex gestapistas como el propio Pierrot, delincuentes de todo tipo y hasta un antiguo y valeroso resistente, el ex boxeador Jo Attia, cuyo romántico romance con Marguerite Chissadon entusiasmó durante meses a las lectoras de revistas femeninas. No he olvidado las fotos que los captaron abrazándose entre risas a las puertas del furgón policial… Ella acababa de teñirse de rubio platino, parecía una actriz de cine secundaria a la búsqueda obsesiva de un papel de protagonista. En realidad, toda aquella historia tenía un aire de irrealidad cinematográfica. Piénsalo, las dos Francias del crimen organizado, la pétainista y la resistente, uniendo fuerzas en la inmediata posguerra… Resultó un auténtico «serie negra», el mejor *polar.* Danos, cuyo padre se ahorcó desesperado por la terrible trayectoria de su hijo, fue ejecutado por crímenes de guerra en el fuerte de Montrouge el 14 de marzo de 1952, y hay que decir que ni siquiera los caíds y truhanes de su ambiente se condolieron demasiado. Tenía mala fama en el *milieu,* desde que el 1 de noviembre de 1948 dejó abandonada a Pierrette Chaude, la mujer embarazada de su colega Naudy, en medio de un tiroteo cerca del puesto fronterizo de Pont-Saint-Louis. Su grupito había desembarcado en plena noche en la playa de Menton… donde los aguardaba una emboscada de la gendarmería. A Danos lo detuvieron en 1948 en la rue de la Boétie, como a un pardillo primerizo, a él, que fue uno de los grandes caíds de los atracos llevados a cabo en los famosos coches de tracción delantera… trataba de escapar en bicicleta tras de un robo frustrado en el apartamento del criado de un millonario cuando lo agarraron entre dos gendarmes y un bombero, la prensa se chanceó lo suyo con esa detención, ¡uno de los jefes del *milieu* atrapado como un ladronzuelo de poca monta! Sólo que no era un descuidero ni un carterista del montón, el hijo puta de Abel Danos, no. Fue uno de los más sádicos torturadores de la Gestapo francesa… Su superior Drummont tuvo más suerte, le fue conmutada su pena de muerte inicial. Hizo muchísimo dinero en esos cuatro años, tu Drummont, y no sólo a través del pillaje. Era un íntimo de los alemanes, visitante asiduo de los despachos del Service Otto. Traficaba con toda clase de géneros, se llegó a rumorear incluso que había adquirido una fortuna en inmuebles de Montecarlo, que fue, como Szkolnikov, un hombre de paja de Brandl, pero la fiscalía no pudo aportar pruebas concluyentes en ese sentido. Tengo que pasar mañana o pasado por casa de Lisette, así que te buscaré todos los recortes del caso. Oye, ¿qué te ocurre? Te has puesto muy pálido. Como si estuvieras viendo visiones.

Balbucí cualquier incoherencia. Visiones. Rue de la Boétie… me repetía el nombre de esa calle y divisaba de nuevo ambas galerías, la del exquisito Rosenberg, moderna, luminosa y elegante, en el n.º 21, y la de LeTourneur, más trasnochada y llamativa, con su puerta giratoria a la entrada que le confería un aire de recibidor de hotel costero algo decrépito, situada unos metros más allá, en la acera de enfrente.

—Eh, que no estás ante fantasmas… soy yo, Da Costa.

Me esforcé en sobreponerme y le pregunté cómo era Drummont.

—Pues que yo recuerde se trataba de un tipo anodino. Mediana edad, ni alto ni bajo, un mostacho rubio, la mirada huidiza… Ya lo verás en las fotos. No llamaba la atención, en cualquier caso no era de esos acusados que suscitan odios y pasiones desenfrenadas. Quién sabe, hoy día puede ser cualquiera en una calle. Tal vez haya rehecho fortuna y relaciones, esté casado y represente gustoso el papel de un honorable padre de familia y buen negociante, no sería el primero ni el último, sabes. Ha sucedido con muchos de los *collabos* de la época. Es fácil toparse con algunos en las páginas de huecograbado de la prensa, salen retratados en Auteuil o en Longchamp, en los grandes estrenos operísticos. Leemos sus nombres en la crónica financiera, en la mundana. Industriales del ramo automovilístico, cosmético o de la siderurgia, políticos, altos mandos policiales… fueron muy pocos los que pagaron de veras por sus crímenes y expolios, sabes. No es tan complicado darse la vuelta y adoptar un papel al uso, imagino.

Desvié la mirada.

«No es tan complicado darse la vuelta y adoptar un papel al uso».

Sí, Tommy, sí que lo es, estuve a punto de decir. Pero me mordí los labios y callé, ¿qué podría yo haber dicho? Yo, que ni siquiera soy yo.

—¿Piensas escribir la biografía de ese oscuro tapicero cabrón? —volvía a encender, sonriente, la pipa—. ¿No? Lástima, los rentistas ricachos como tú tenéis mucho tiempo para escribir… Pero, por otro lado, te diré que sería un trabajo inútil. Impublicable, casi. «Nadie», óyeme bien, nadie se interesa ya en Francia por ese tiempo… ni siquiera los mocosos bienintencionados y tan divertidos que gritan esta radiante primavera por las calles que se sienten *judíos alemanes*. No tienen ni idea de lo que fue el nazismo, claro está. Y no es su culpa. De pronto, el ayer se ha vuelto elogio fúnebre a unos cuantos y losa apartada en cementerio clandestino de la que resurgen y resucitan, en silencio y sin alharacas, otros muchos… los más comprometidos, bajo otros nombres, otras situaciones y devenires, y los menos, bajo los de antaño. El pasado reciente es ahora una medalla guardada bajo siete llaves, una moneda enterrada, Étienne. Y ya sabes lo que ocurre con las monedas fuera de curso. Alguna vez un pico, una pala, una excavadora las sacan, en un campo de remolachas o a orillas de una carretera secundaria, a la luz… la única luz de los arqueólogos y numismáticos. Las desentierran, entre fragmentos de vasijas y armas melladas, las limpian y restauran, las etiquetan bajo una vitrina… Y excepción hecha de cuatro estudiosos y de algún que otro turista suscrito a revistas históricas, éstas vuelven así al limo del olvido, al lodo estratificado del pasado. Al subsuelo. El régimen de Vichy es hoy una de esas monedas, viejo. Nadie la quiere en su palma. Y quienes fueron procesados por crímenes de guerra, delación y pillaje, y aun así tuvieron la inmensa fortuna de ver conmutada la pena que los encomendaba al paredón, como tu tapicero Drummont, menos que nadie. Les gusta más saberla en las vitrinas. Lejana, intocable… *sagrada*. Tiene gusanos microscópicos y ácaros invisibles en sus cantos, pero ¿a quién le importa lo que no se ve? El polvo bajo la alfombra, el óxido bajo la pátina, la mancha solar bajo el maquillaje, la derramada sangre de antaño, limpiada, fregada y desaparecida en nombre del pacto de *reconstrucción* y concordia… No hace falta ser ese hombre, Simon Wiesenthal, para saber cuántos criminales nazis, cuántos colaboracionistas de todos los países ocupados, son hoy gentes respetables. Ex policías, plumillas, abogados, ingenieros, arquitectos, funcionarios, empresarios, muchos de éstos en los ramos del automóvil y la cosmética, que en demasiados casos ocupan ahora incluso puestos de relevancia y colaboran, beneméritos, con obras de caridad. Repugnante, ¿verdad?

Asentí, distraído. Qué extraña geografía la de las vidas, me dije. ¿Habrían coincidido Drummont y LeTourneur en el 18, 23 y 24 del *square* del Bois de Boulogne, a pocos pasos de la avenida Foch, inmuebles requisados por el Service Otto para su labor expoliadora del arte y las materias primas de la Francia vencida? No habría sido tan raro. En la primavera de 1941 trabajaban ya allí más de cuatrocientas personas... Visitantes y vendedores —de lo ajeno— se agolpaban en los ascensores, se cruzaban por los rellanos y escaleras, se saludaban, fríos o efusivos, en los recibidores y a su alrededor se afanaban las secretarias, las *ratas grises*. Se celebraban reuniones, sonaban los teléfonos. Rememoré la agitada atmósfera de las oficinas españolas de L'Idéal, el tránsito perpetuo por sus despachos de comisionistas y cambistas de nacionalidades varias —recuerdo en especial a un muftí jerosomilitano de grandes ojos azules, traficante de oro, que organizó en Viena el acantonamiento de una brigada de voluntarios musulmanes que operarían en Bosnia-Herzegovina al servicio del Fürher—, de diplomáticos y agentes de inteligencia alemanes, de madamas de burdeles de lujo, de esposas de altos cargos y de dirigentes falangistas, de militares, como el adusto marino Máximo Ferrer, que se enriquecieron gracias al wolframio. L'Idéal era el flotante islote de tantos y tantos negocios turbios de la Ocupación en medio de aquella triste península agotada de la «neutral» posguerra española… Un «decorado» que vendía, muy provechosamente, maquillajes y perfumes a las mujeres de los vencedores y utilizaba su fachada para sacar bajo cuerda de Francia, hacia la propia España o determinados bancos y empresas lusitanos, en previsión de los días peores que acaso vendrían, óleos y tapices, joyas y manuscritos robados por las tropas de ocupación y sus incontables servicios: el ERR, la Wermacht, la Luftwaffe, los SS, la WIFO, el Siecherdinsdatd, la Kriegsmarine, la Gestapo… El temible comisario Villegas, Máximo Ferrer y otros españoles, agradecidos adictos al Reich, sacaban tajada del asunto, cómo no.

Estaba íntima, absurdamente seguro de que Monsieur Maurice se habría cruzado, un atardecer cualquiera, en el *square* del Bois de Boulogne con el antiguo tapicero enriquecido de la noche de la derrota a la mañana de la invasión. Quizá no intercambiaron palabra o, por el contrario, discutieron de negocios ante una mesa multitudinaria en las oficinas de control del *Uberwachunsstelle,* instaladas primero en el número 5 de la rue Velasquez y después en el 18 de la rue Auguste-Vacquerie, y disfrutaron, en compañía de oficiales felices de hallarse lejos de los frentes del este, de noches inacabables en alegres cabarets o en el lujoso prostíbulo de moda entre alemanes y colaboracionistas, el carísimo «One Two Two». Quizá fueron vecinos de mesa en las cenas pantagruélicas ofrecidas por Brandler y su jefe Hermann Brandl, alias Otto —supe de labios de Maurice que, aunque ambos se detestaban, se sentían unidos por la similitud de sus apellidos de una manera supersticiosa—, o en los convites del traidor y escurridizo, muerto de hambre en 1940 y multimillonario a los postres de la ocupación, uno de tantos hombres de paja de los nazis, Michel Szkolnikov, quien desapareció en España en el 46. Fue, por cierto, venturosamente *dado por muerto* por la dócil policía española… Como el propio Maurice Brün. O no compartieron mantel y cubierto, se entrevieron sólo de lejos, nunca fueron presentados en una recepción del Eje, un salón literario afín, un *thé dansant,* un estreno en el que Abetz, el «embajador» del Reich ocupante, reinaba en los entreactos con a sus espaldas —y a sus pies— toda una *troupe* de narradores, dramaturgos y poetas entusiasmados por el brillo de luminarias, las espuelas, los uniformes, las medallas… y las tiradas y traducciones facilitadas por sus *camaradas.* Céline —quien lanzó, tras un venenosísimo artículo en que pedía que se le «midiese el ángulo de la nariz», a la Gestapo contra el enseguida deportado Robert Desnos—, Brasillach, Drieu La Rochelle, Rebatet, Montherlant, Jacques Chardonne, Abel Bonnard, que envejecía en España, Giono, Jouhandeau, Marcel Aymé, Anouilh, Léautaud, tantos otros…

No obstante, es posible, asimismo, que Maurice Brün y el tapicero Drummont no llegasen a coincidir nunca. Que jamás supieran el uno del otro, que se limitasen a compartir los interiores, las calles, los muelles, cafés y bulevares de una misma ciudad de rostro doble, asustado o complaciente, rebelde o sumiso, donde unos tiritaban de miedo, en la vulnerabilidad de sus casas o escondites precarios, del alba al toque de queda, y otros reían, ávidos, disipándose en el instante de la muerte ajena... ¿Cómo podría yo saberlo? Sólo me restaba imaginármelo... Y tratar de recuperar lo vivido y lo sospechado a través de los ojos muertos de un Federico Fernet que de tan ajeno se me volvía cada vez más próximo. Más próximo que nunca...

Entornaba los ojos —o los cerraba, tal vez para siempre, como el caballero agonizante a los pies de la Venus secreta y perdida de Botticelli que nos perdió a tantos—, y todo se entremezclaba y confundía en mi interior; los rasgos delicados de Minou Joliette, el nerviosismo de Frieda al volante del pesado Volkswagen negro con matrícula diplomática de los viajes al norte, la frialdad con que Maurice Brün empujó y apartó de una patada el cuerpo de Fundler, la manera en que evitó los grandes ojos abiertos del cadáver de LeTourneur, la blanca mano mutilada de éste sobre el vientre agujereado.

Da Costa cambió de tema, sin duda incomodado por mi silencio. Me hablaba de una nueva revista de pesca que un viejo colega suyo de la AFP se disponía a lanzar ese otoño, «porque ya te puedes figurar que todo volverá al orden apenas comprendan estos chicos que se juegan repetir curso en las convocatorias de septiembre, mi amigo Bernard Frank lo tiene muy claro y sus promotores aún más. De momento, la vida es una fiesta permanente en los bulevares... pero con la resaca llegarán de nuevo esas viejas aficiones que permiten a un padre y a un hijo, a un tío y a sus sobrinos o a dos viejos compañeros solterones de una oficina ocupar sin dramas medio fin de semana a orillas de un río. La pesca es un remedio excelente contra los fracasos, la soledad, el aburrimiento, tú bien lo sabes, Étienne. ¿Acaso no olvida uno todo caña en mano?

Lo interrumpí con una pregunta que en el fondo no le sorprendió demasiado.

—¿Por qué te hiciste periodista, Tommy?

—Menuda tontería... Ni yo mismo lo entiendo, porque en el fondo, y al revés que Lisette, siempre detesté escribir, por eso me asombra lanzarme ahora, a mis años, a contar historias, divertirme tanto fabricando una novelita. A mí sólo me gustaba recopilar información. Habría sido un excelente documentalista, tú sabes. Ni siquiera anhelaba eso que los cursis y los provincianos llaman «ver mundo». Supongo que no serviría para otra cosa. O me aburriría demasiado pensar en mí mismo, hacer proyectos, yo qué sé. ¿Te entrenas para biógrafo conmigo o me tomas el pelo, Étienne?

—La crisis de los cuarenta, tal vez.

Me levanté y vi desperezarse a *Maline* junto a los estantes donde Da Costa guardaba, por orden de aparición, la obra completa de su escritor favorito, Jules Verne.

—¿Bromeas? Tú no tienes crisis de la edad, Étienne. Tú tienes otra cosa… simplemente, te da miedo ser quien eres. O lo que eres. No me digas si me equivoco… porque no tiene ninguna importancia. Sabes que puedes contar conmigo.

«Miedo a aquello en lo que te convertiste», añadí para mis adentros. Todo cobraba de repente una acuciante importancia, pero no podía decírselo.

—Lacan perdió un buen sucesor contigo, Tommy —y añadí en un impulso—: Quizá sí que tenga que pedirte en las próximas semanas un pequeño, en realidad un gran favor personal. Un asunto nada complicado, te lo aseguro, pero que reviste una suma importancia para mí.

—No seas duro de entendederas. Acabo de decirte que puedes contar conmigo.

Nos despedimos con un abrazo más fuerte y hosco de lo habitual. Bajo la soleada cubierta, el Sena rebrillaba como una plancha metálica.

—Te buscaré toda esa información, pierde cuidado. Supongo que no habrá ninguna referencia a tu misteriosa Aurélie, pero prometo revisarlo todo línea a línea, por si acaso. Cuídate, tienes mala cara... Supongo que es inútil animarte a que vengas conmigo y Lisette, que tiene, por cierto, un par de amigas estupendas, a la manifa de las seis.

—Soy un maldito pequeñoburgués, lo sabes desde nuestro primer bock. Y desconfío de las amigas de las ex esposas.

—No te falta razón, no. En fin, en ausencia de mujeres, siempre nos quedarán nuestros soñados salmones de Noruega... serán el principio de una hermosa amistad, Étienne.

Me hizo un último gesto burlón con la mano.

Yo aún seguía riendo cuando lo perdí de vista. Pero no era una risa alegre, la mía.

De pronto me molestaba mucho que Tommy da Costa me conociese por Étienne Morsay. El resto del mundo podía irse al carajo, yo inclusive, pero me habría gustado revelarle el enterrado patronímico que me eligió mi madre. «Te puse Federico en recuerdo de Friedrich Engels —me contó ella una tarde de fiebre y anginas—, fue un gran tipo, así es que deja de quejarte y de gruñir que tu nombre no te gusta. A mí me habría encantado que me llamasen Alicia por la niña de Lewis Carroll... pero si me bautizaron así fue en honor de una tía abuela espantosa, loca por el bridge, reaccionaria y avara hasta el delirio, a la que mis padres detestaban con toda su alma, aunque se cuidaban mucho de demostrárselo. Se pasaban, por el contrario, media vida haciéndole la pelota, que si *queridísima tía Alicia* por aquí y que *contentos nos sentimos de que tu reúma haya remitido un poco durante tu estancia en Cestona* por allá... No les sirvió de nada, porque el mismo día que cumplí cinco años la tremenda señora se murió de un síncope y les dejó toda su fortuna, que era inmensa, a las monjas del *Sancti Espiriti*». «Todo el mundo debería poder elegir su nombre», había insistido, terco, el niño enfermo...

Mi madre se rió con ganas, me embutió el termómetro en la boca y me dijo que no era tonto. «Otro nombre, otra historia, otra familia, otro país y si me apuras, hasta otro mundo y otra galaxia —reflexionó después, con la mirada azul chispeándole de malicia...—. También se puede jugar, ¿sabes? jugar a ser otros, unos desconocidos que llevasen vidas muy distintas. Lo haremos alguna vez, será divertido. Fingiremos que tú eres un niño perdido que busca a su madre y yo una señora desmemoriada y viajera que busca a su hijo por todas partes, entre las multitudes, en puertos, ciudades y aldeas, en pasos de fronteras y en islas todavía por explorar. Y menuda alegría sentiremos cuando descubramos que entre toda la gente del mundo, millones, miles de millones de personas, somos lo que esperábamos, quienes buscábamos. Lo que queríamos». Entonces se le nubló la mirada y susurró para sí, con desconcertada sorpresa triste: «Dios mío, pero qué tonta puedo llegar a ser… Me parece, jovencito, que sería hora de ir pensando en dormirte».

A veces un recuerdo doloroso te asalta en mitad de una frase, de un paseo, de una lectura. Y es absurdo, pero de pronto deseas volver a la raíz misma de ese sufrimiento antiguo.

Ella había «visto» de golpe al hijo perdido y primero entre las sábanas donde Federico Fernet, su segundo vástago, el eterno «segundón», luchaba contra la tos y la subida vespertina de la temperatura.

Y yo recuperaba ahora su dolor y lo hacía mío.

Nunca llegué a saber, ni mientras fui Federico Fernet ni después, ya convertido en Étienne Morsay, el nombre de aquel hermanastro lejano que crecía en la gótica y ventosa Finis —«Joya opulenta del Cantábrico», la denominan retóricas las guías y folletos turísticos—, ajeno a la rubia criatura gordezuela eternizada en un retrato oval que Alicia Zaldívar, su madre, *nuestra* madre, se llevaba a los labios en sus madrugadas de insomnio. A solas, besaba la rígida cartulina a través del cristal empañado por el vaho de su boca y soportaba la hiriente acometida de la nostalgia sin desfallecer, muy erguida y en silencio. Sospecho ahora que ella agradecía la mordedura de ese dolor perenne, que nada ni nadie apaciguarían nunca, porque se le antojaba el signo bienvenido de una presencia.

Llevo años tratando de no pensar que quizá madre e hijo hayan terminado por reencontrarse… pero sucede que en ocasiones mi imaginación se dispara. Y entonces los «veo», llego casi a escucharles comentando mi desasosegante «desaparición», son dos adultos con las cabezas muy juntas en el saloncito de la rue des Pyrénnées. ¿Cuántas arrugas exhibirá ahora su rostro liso y sin maquillaje de antaño? ¿Se habrá teñido el cabello, luchando contra las canas, o se mostrará indiferente a su aspecto, al cabo de tantas pérdidas, tantos reveses y extrañamientos? Ella le muestra quizá viejas fotos mías, de su «hermano» desconocido, devorado por las sombras y los telones caídos. Allí, yo soy para siempre un niño y un casi adolescente de flequillo oscuro y altos pómulos desafiantes. «Igualitos a los de Ventura», apostilla ella, estremecida. E imagino a mi hermanastro —me lo represento alto y rubio, tímido y levemente afeminado, con los mismos labios curvos y las cejas y pestañas translúcidas de *nuestra* madre— barajando fotografías sacadas de una caja de latón. «Mira, aquí está Fede en el Palacio de Cristal del Retiro, le entusiasmaba echarle pan a los patos y a los cisnes y esconderse en la pequeña gruta. Este retrato se lo hizo un fotógrafo callejero, del tipo de esos que había en el paseo Colón de Finis las mañanas de domingo, a la caza de enamorados y de grupos familiares, supongo que los habrás visto de niño, hijo, con sus cámaras y sus trípodes al hombro, tenían siempre un aire acechante y el andar un poco encorvado, a mí me encantaban», le dirá *ella*...

O bien, y tras pescar otra foto borrosa, de entre un montón esparcido sobre sus rodillas: «Míralo aquí, delante del estudio de su padre… esa sombra que se ve a sus espaldas es la plaza de toros de Las Ventas, la inauguraron en 1929. Ésta se la tomé yo, Ventura acababa de comprar la cámara porque sabía que a mí me entusiasmaban todos los adelantos técnicos, los artefactos, las máquinas, el cine, las poleas… todo eso. De nacer ahora, yo sería, seguro, ingeniera o inventora, pero ya ves. Aún no dominaba el asunto este de las fotos, al niño se le ve un poco a contraluz, pero aun así salió muy guapo, ¿verdad? Tu hermano Federico llamaba la atención desde muy pequeño. Era un crío serio, reflexivo, muy observador… Y tan guapo».

He imaginado estas y otras escenas similares multitud de veces… me las he figurado nostálgico, celoso y abrumado.

Pero sólo en ese instante columbré que acaso ellos dos no buscasen tanto el mutuo consuelo como la reinvención de sus pasados, que a partir de un momento se bifurcaron y al hacerlo se les tornaron póstumos. Eso en el supuesto, naturalmente, de que se hubieran reencontrado, de que llegasen a conocerse de verdad, si es que él pudo perdonarle a su madre su abandono de antaño, y ella logró superar el miedo y la culpa y aprendió a disfrutar del reanudado contacto con ese hijo hecho hombre y caído del cielo, tras de tanto tiempo de representárselo niño de pocos años, los que contaba cuando ella se marchó de su lado en un tren nocturno, furtiva y excitada como un salteador a las puertas de su primer gran robo…

Si esa situación se ha producido, dándole la vuelta, según la expresión de Tommy da Costa, a los distorsionados hechos de nuestras vidas paralelas —de repente ella me añora a mí, el misteriosamente desaparecido hijo segundo y *segundón*, a través de la presencia física del otrora perdido hijo primero, y lo sucedido vuelve a suceder en otros términos, otra medida, otra dimensión—, es de creer que mi venida al mundo ha terminado, al menos, por servir de algo.

De consuelo, tras de tanto dolor, tanta inquina y azarosos sobresaltos. De reencuentro. Quisiera creer que así ha sido, que así es.

No sería poca cosa, me dije, extrañamente satisfecho.

Me repetí que me habría gustado saber el patronímico de mi hermanastro de Finis… y hablar con él y revelarle quizás el mío, el secreto, ese que aún desconozco porque lo habité durante tan poco y confuso tiempo.

Puede que sólo la *Venus de la esfinge* no necesite nombres. ¿Cómo escaparía al gran auto de fe savonaroliano del último día del carnaval de 1497, cuyas hogueras contra la *vanitas vanitatis,* la pervivencia del «espíritu del paganismo» y la pecaminosa celebración de la carne llevaban semanas siendo prendidas, domingo tras domingo en Santa Maria del Fiore, por la mecha anticipatoria de los sermones del predicador que proclamaba, iracundo, en la ciudad de los Médicis, *Non volsi mai donna?*[15]

Convertido a la ira de la pureza y a la contricción anatemizadora del pecado, Bartolomeo della Porta entregó motu proprio ese último día de carnaval, todos, absolutamente *todos,* sus cuadros al altar sacrificial de las llamas.

Me pregunto si mi padre pensó en ese pintor al verse de pronto huérfano de toda su obra… Trato de figurarme la impotencia con que su mujer debió de tratar en vano de rescatarlo de la danza de la muerte. Y fracasó, quién logra introducirse en la piel, el drama de otro…

Muy cerca de mi portal, comprendí, con clarividencia pasmosa, mi odio por Étienne Morsay.

Yo era una máscara de saturnales condenadas.

---

[15] *Non volsi mai donna,* «no he querido nunca mujer», palabras textuales de Savonarola en uno de sus sermones.

Irún, martes 11 de julio de 1944

Era un café estrecho, oscuro como un confesionario, en la parte vieja de la pequeña ciudad fronteriza, atendido por dos camareras de cofias y mandiles rígidos y un patrón hosco, con tatuajes de la Legión en los antebrazos que le recordaron a Fabiani. Llevaba su cédula identitaria, el salvoconducto —que certificaba su «buena conducta y afinidad al régimen»— conseguido por su patrón y el permiso de viaje, firmado a regañadientes por su tutora Lola Beltrán, en los bolsillos de la chaqueta húmeda, y cada poco rato lo asaltaba la tentación de extenderlos sobre el velador como si fuesen los naipes de un solitario, los documentos de un extraño. «Vendrá alguien y te dará un mensaje, unas señas, más o menos como siempre, ya sabes», le había precisado Frieda, que esa mañana estaba citada a primera hora en San Sebastián con el director de la sucursal donostiarra de L'Idéal. «A la primera oca-

273

sión, me deshago del tipo, Dios mío, qué aburrimiento me espera. Me detallará los nombres de toda su prole, rozándome al descuido el escote, una rodilla, las caderas. Aníbal pasará después a buscarte en la camioneta». Monsieur Maurice había contratado a Paco Tejero, más conocido por «el Aníbal», un antiguo boxeador medio sonado que no abría la boca salvo para pedir cuádruple ración en las casas de comidas, con el encargo de que condujese una de las furgonetas de reparto de la empresa en las idas y vueltas a Bilbao y a la frontera.

Aquél era su tercer viaje y estaba cansado. Apenas había dormido la noche anterior en el modesto hospedaje próximo a la estación de ferrocarril. El descanso de Frieda, alojada en el Gran Hotel de Fuenterrabía, habría sido muy diferente, supuso. Tan distinto como su viaje de regreso, que efectuaría en avioneta de la Lufthansa o en un lujoso coche cama. Él estuvo en cambio dando vueltas y vueltas en la cama de muelles hundidos, oyendo el repique manso y monótono de la lluvia sobre las contraventanas, los brutales ronquidos de Aníbal en la habitación contigua. De madrugada se vistió y salió al pasillo, donde escuchó a dos hombres comentar a media voz que ingleses y canadienses habían arrojado el ocho de julio dos mil quinientas toneladas de bombas sobre la ciudad de Caen, donde se atrincheraban los alemanes, aunque tras arduos y durísimos combates los aliados habían logrado hacerse al fin con el aeródromo. «Al fin —recalcó uno de ellos, con indudable deje de esperanza, y añadió—: los aeródromos son más importantes que nada en esta fase de las operaciones». No distinguía los rostros, pero sus palabras le llegaban con absoluta claridad. Los americanos progresaban hacia Saint-Lô, aseguró el otro, y la alegría era patente en su voz; debió de pisar entonces una tabla suelta, porque al sentir el crujido ambos se callaron al unísono, y ya sólo percibió el sonido afanoso e inquieto de sus respiraciones.

Al otro lado de los cristales, la plazuela de tamarindos y la pina calle en cuesta se estancaban en una amortiguada luz de invierno, bajo la batida imparable del agua. Alguna que otra difusa silueta de mujer se apresuraba, capacho al brazo y bajo el paraguas, hacia el rótulo esquinado de una pescadería, a cuyas puertas ladraba un escuálido perro negro.

Del fondo de la barra le llegaba olor a mejillones recién raspados y puestos a cocer, el lento canturreo de una mujer entonando a Luis Mariano por encima de un trajinar de cazuelas. *Fandango du pays basque / Fandango simple et fantasque / pour te danser dans les bras d'un garçon / une fille ne dit jamais non.*

«Vendrá alguien», había dicho Frieda. Pero llevaba allí más de dos horas, aguardando ante vacías tazas de achicoria y la intacta palomita que pidió en un impulso de hastío (apenas la probó, descubrió que el

275

anís le repugnaba), y nadie había entornado la puerta del café «Garmendia», a excepción del cristalero descomunal, cuyas enormes botas de goma dejaron surcos de lodo sobre el piso ajedrezado; el hombre cambió a toda rapidez, entre silbidos, un rajado panel delantero de vidrio, sin desprenderse del chubasquero amarillo con las siglas de una cofradía de pescadores impresas en la espalda. Lo estuvo mirando faenar, aburrido y somnoliento (ni siquiera se había despojado de la capucha y las gotitas de agua formaban a sus pies de gigante de cuento un charco circular y encantado), hasta que éste cobró su dinero y salió con un parco gruñido de despedida hacia los árboles enanos y rutilantes y esa mañana oscura de un verano disfrazado de invierno.

Saint-Lô… repetía para sí el nombre de la ciudad desconocida, entrevisto en el relieve de un colgado mapa escolar de los departamentos franceses («los aeródromos son más importantes que nada en esta fase de las operaciones»), y le hallaba un aire exótico, colonial, a esas dos sílabas por las que unidades enteras se enfrentaban a vida o muerte acaso en ese mismo instante bajo el mortero y el tableteo inmisericorde de las ametralladoras de baterías antiaéreas. Saint-Lô, Saigón… ambos nombres se confundían y brujuleaban en su interior, sugestivos e intrascendentes como el estribillo de una canción. *Tout le pays est en fête / et tout le monde est poète… Fandango… Fandango /*

Que rythment les bravos / que répète l'écho / de Sare à Bilbao.

La mujer cantaba ahora con mayor brío, alargaba la O final de *Fandango* con una especie de entusiasta desesperación, de tragicómico desenfado. Tenía una entonación muy pura, de *mezzo* —Alicia Zaldívar tocaba pasablemente el piano y le enseñó de niño rudimentos de solfeo y a distinguir el timbre y la cualidad de las voces—, seguro que llevaba años participando en una de esas corales de grave repertorio sentimental a que tan aficionados eran los vascos.

… *Que répète l'écho / de Sare à Bilbao.*

A pesar de lo mortecino de sus fachadas sucias de hollín y hondos portalones, le había subyugado aquella ciudad tendida sobre una ría de coloridas gabarras y reflejados puentes de hierro mostrándole sus aún no del todo restañadas heridas de guerra al horizonte humeante y fabril. Bilbao. Acaso porque su breve estancia allí —Aníbal y él se alojaron en el piso particular de una extraña casa de torreones torcidos y bodega de vino y vinagres a granel a la venta en el bajo— se correspondió con el primero de esos «viajes» que según Monsieur Maurice «aseguraban», en una medida en absoluto desdeñable, la no deportación al este, o a la Alemania bombardeada día y noche, de su «pobre madre». Bajo su rezumante tristeza gris, al través de ruinas y socavones, Federico creyó discernir el pulso, los latires desbocados de una urbe al tiempo golfa y pacata, avasalladora y púdica, mundana y rancia; muchos años después, y cuando ya no se hacía llamar Federico, ni se apellidaba, tampoco, Fernet, regresó al exacto sentimiento que le inspiró entonces la capital vizcaína al ponerle una muchacha de paso, de cuyo nombre no se acordaba, en el tocadiscos de su *chambre de bonne,* la canción *Bilbao,* de Bertolt Brecht y Kurt Weill, interpretada por la voz burlona y desgarrada de Lotte Lenya.

En Bilbao, donde pudo deambular a su guisa un par de horas antes del concertado encuentro con el fornido anticuario tocado con boina *requeté* (cuya estudiada gravedad de monóculo y bien cortada vestimenta de excelente paño imitaba a la del proscrito cineasta Von Stroheim, a quien la edición en español de la revista *Signal* tachaba de «encanallado semita»), había tenido tiempo de pensar en aquellos vagos «riesgos» que Monsieur Maurice sólo se avino a detallarle a medias en el último minuto.

«Ciertos alemanes, entre ellos Goering, si acaso el más frío, lúcido y astuto de todos ellos, no se hacen ilusiones respecto al curso de la guerra», comentó con aire meditabundo en el bar de abajo de Ayala, donde lo citó de improviso la noche antes de su partida. Le hablaba en francés, como de costumbre, pero en aquella ocasión a Federico le resultó extrañamente irreal su acento alzándose entremedias del entrechocar de fichas de dominó y de las frascas de vinos y aguardientes adulterados. Tenía la impresión de estar soñando, de moverse bajo un agua turbia. «Por eso han decidido ir sacando, con mucha, muchísima cautela preventiva, algunos… bien, contentémonos con llamarlos *bienes* producto de la guerra, a los bancos y cajas fuertes de los países *neutrales,* amigos. Una prudente medida de inversión para el mañana inmediato, una garantía y una fianza destinadas a financiar la lucha subsiguiente a una nunca acatada derrota… si es que hay, si es que puede haber derrota —puntualizó enseguida muy serio, pero con la risa menudeándole por los ojos cargados por el tabaco y la falta de sueño, su jefe—, nuestros amigos *Fritz* no son de los que deponen lucha y armas así como así, no es cierto. Y no tienen un pelo de tontos a la hora de las ganancias. Saben, por ejemplo, que su aborrecida pintura *degenerada* alcanza buenos precios, oh, una excelente cotización, en ciertos mercados artísticos del coleccionismo privado… o al menos muy discreto».

E inclinándose hacia él, había murmurado: «Pero tampoco algunos hombres de gusto y *connaisseurs*… entre quienes tengo a bien incluirme, lo ignoramos. Y en los negocios, mi queridísimo Fred, uno no puede permitirse ceder a los sentimentalismos. De ningún tipo. Los caballos ganadores no siempre resultan ser quienes arrancaron como absolutos favoritos en la línea de salida. Sin dármelas de profeta, papel que me disgusta hasta extremos que ni te imaginarías, puedo desde ahora permitirme subrayar, sin temor a equivocarme, que en la posguerra *se hablará mucho inglés* y bien poco alemán, salvo el del asentimiento. Naturalmente, como es lógico y loable, mis admirados Ganz y Fundler no estarían de acuerdo con... digamos que con este punto de vista que ahora expongo. Son idealistas... valientes, empecinados. Cuentan, por supuesto, con mi más absoluta admiración. Si bien determinadas mentes, más frías o menos arrebatadas que las suyas, no dudarían en estas fechas en presumir que pecan de una excesiva, y muy militante, falta de perspectiva. Su estrechez de miras les impide ver en su totalidad el bosque más allá de las copas de unos cuantos árboles venerados; me refiero a las mentes de algunos de sus correligionarios, altos mandos destinados a la carnicería del este, por ejemplo. E incluso a las de determinados camaradas dirigentes de su partido como... como el mismísimo Goering, de quien se murmura —había bajado la voz, convirtiéndola en un ronco susurro— que su máximo deseo, bien poco perspicaz y realista, sería el de conseguir una a todas luces imposible paz separada frente a la URSS. Ni Roosevelt ni Churchill ni el rebelde De Gaulle quieren ni oír hablar de ir por ahí, exigen la rendición total, e incondicional por supuesto».

Todos aquellos circunloquios, rememoró fastidiado el muchacho, para darle a entender lo que él ya había calibrado a grandes rasgos. Que mientras sus compinches se esmeraban en sacar su rapiña de lingotes y «tesoros artísticos» robados a sus legítimos dueños asesinados, deportados o huidos, al refugio seguro de España, Portugal e incluso la lejana Argentina, como fondos de *inversión* con los que comerciar y volver a levantar la cabeza desde la clandestinidad en caso de derrota bélica, Monsieur Maurice se agenciaba sus propios emolumentos, distrayendo aquí y allá algunos *restos* de obras y sumas de esos envíos por cuya seguridad afirmaba velar ante sus mandamases nazis con vehemencia de colaboracionista de temprana hora.

No siempre las obras entregadas eran, reveló ese anochecer, con las palmas extendidas hacia el techo sucio de aquel bar que apestaba a refritos y grasas rancias, *auténticas*. Al menos, no todas las correspondientes a ese maremágnum de estilos que los nazis englobaban bajo su despectiva etiqueta común de *arte degenerado*. El querido Pierre LeTourneur tenía tantos conocidos... buenos artistas, extraordinarios copistas, de pulso firme y ojo avezado. No sólo en París, claro que no. LeTourneur era un galerista de fama internacional, un entendido que se movía de una punta a otra de Francia como el mejor zahorí. No sólo encontraba tesoros ocultos, también los *creaba*. Disponía, por ejemplo, de un contacto excelente en Bayona, un formidable experto en impresionismo... Y en Burdeos gozaba de la inestimable confianza de un estudioso del cubismo, un reputado catedrático, que firmaba, por lo demás, sus artículos para la prensa ginebrina con pseudónimos siempre cambiantes, pero reconocibles para los seguidores de su estilo, erudito y un poco plúmbeo… Bien distinto del muy encantador pintor Claude Sérigny, entusiasta propagandista de Vlaminck, quien a pesar de su fidelidad a la política de amistad y colaboración con el Reich no desdeñaba, desde La Rochelle, donde ocupaba, nombrado por Vichy, cargos importantes, *facilitarle* a LeTourneur, el antiguo marchante de sus días de juventud antes de que un feliz matrimonio lo retirara de las lides del arte, su creativa, exacta y minuciosa mímesis de las últimas, cotizadísimas vanguardias del período de entreguerras… que en la ya inminente posguerra iban a cotizarse, ni que decir tiene, *muchísimo más,* apuntó, circunspecto, pero rotundo, Monsieur Maurice. Los negocios eran los negocios, ¿verdad? Y sería de necios anteponer lealtades ideológicas a las ganancias, no aprovechar determinadas coyunturas.

Alzó las perfectas cejas —Federico sospechaba que, además de depilárselas, se las teñía— y sonrió a su aturdido acompañante. Por supuesto, *ellos* vigilaban, a su modo… nadie sabía *ya* quién era quién, ni a qué se dedicaba cada cual. De las copias ni sospechaban, por supuesto. Pero todo lo demás… el oro en barras, las piedras preciosas, los incunables y pergaminos sacados a punta de pistola de conventos medievales, los codiciados lienzos flamencos o dieciochescos confiscados de museos o perseguidos con saña detectivesca hasta sus escondrijos, tantas veces revelados por antiguos sirvientes u «observadores» vecinos, esos cuadros «modernos» despreciados, pero encaminados a subastas ventajosas y a futuros trueques, los obsesionaban ahora más que nunca, adujo, agitando como un hacedor de sombras chinescas sus dedos finos bajo el cartel escrito a mano que advertía: «Se proibe blasfemar y kantar».

«Ya no se trata únicamente del ERR, todos, incluso los más ignorantes, quienes no distinguirían un Renoir de una imagen de Épinal, se han lanzado a la incautación y al expolio. Si la guerra se alargase, pronto no quedaría ni un lienzo colgado en las paredes de los países ocupados... de manera que las ganancias en este campo son innumerables», aclaró su patrón. ¿La seguridad? Por supuesto, era un asunto muy importante, pero él, Federico, no tenía nada que temer... En fin, casi nada. La policía y la guardia civil españolas tenían otros asuntos en que pensar. Por no hablar de que a muchos se les había sobornado, untándoles previamente, para que hiciesen —y esto lo dijo en un español impecable que sobresaltó a Federico— «la vista gorda». A las brigadas destinadas a la persecución de ese fecundo contrabando, en que participaba gustoso un número nada despreciable de sus mandos y miembros, les preocupaba sobre todo, a esas alturas, la entrada en la península de guerrilleros republicanos, de *maquisards*. Estaban histéricos y llenos de pánico, su aprensión era tan grande que descuidaban las tareas de represiva vigilancia y cometían un sinfín de errores, añadió.

Claro que siempre podría ocurrir, pese a que el nombre de L'Idéal soliese ejercer en esos menesteres de auténtico salvoconducto, que alguna patrulla puntillosa de la guardia civil o un control alemán, camuflado o no, decidiesen registrar la camioneta de reparto. Y en ese caso y muy, pero que muy lamentablemente —sonrió al decirlo y Federico divisó entre sus dientes delanteros, tan parejos y luminosos que desde su primer encuentro los adivinó falsos, un pellejo de aceituna negra—, se las vería solo... ¿Aníbal? Sí, claro, tampoco Aníbal, que no sabía nada de nada, «a qué contarle cosas que no iba a entender», dijo con un encogimiento de hombros, podría contar en dicha coyuntura con protección alguna; no se trataba, qué se figuraba, de ninguna cuestión personal. Sintiéndolo mucho, si por pura y rara, insistía en ello, rara y mala, malísima suerte se encontrasen ambos alguna vez en semejante tesitura, ni él ni nadie («no, tampoco Frieda-Marie», se adelantó) de la empresa acudirían en su ayuda.

«Tendremos que fingir, muy a mi pesar, mi querido Fred, has de creerme, que Aníbal y tú nos robasteis la camioneta en los almacenes de L'Idéal —le aseguró—. Una camioneta cuyo *verdadero* contenido mis socios y yo desconocíamos absolutamente, por supuesto, jamás habríamos sospechado que transportaseis otra carga que la de nuestros cosméticos y perfumes... Diremos, en descargo del bobo de Aníbal, que sus pasados combates lo dejaron KO y permeable a las peores influencias... Y en el tuyo, que recibiste una educación fatal a cargo de exiliados enemigos de la patria. Oh, yo montaré, desde luego, el consabido numerito del piadoso llamamiento a la redención realizado por el magnánimo y afortunado empresario... Pero tienes que saber que si os agarran, no os libra ni Dios de una paliza de órdago, y eso como simple aperitivo, la policía no se anda aquí con miramientos. Y también que al ser menor de veintiún años te espera en ese caso una larga estancia en un correccional, seguida de seis o más años en un batallón de castigo del ejército. Escucha, ¿no tienes hambre? He cenado en realidad dos veces, una muy temprano, fue más bien una merienda, en casa de Frieda-Marie, y la otra, abundante, pero infame, en un convite espantoso ofrecido por la Cámara de Comercio. Estas olivas al pimentón no están mal... ¿qué me dices de unos boquerones en vinagre? No se me ocurriría incitarte a pedirlos fritos en este sitio, con el aceite que usan aquí debieron de quemar antaño a los herejes en su maldita Plaza de la Paja. Por cierto, ¿qué tal cocinaba tu madre?»

«Hijo de puta». Habría querido insultarlo entonces, pero no lo hizo, no se atrevió. Se había limitado a observarlo con airada fijeza y el rencor impotente de los acosados.

Recordar en ese café irundarra los atracones del cabrón de Maurice Brün, que comía como si fuesen a fusilarlo a las pocas horas, lo entresacó de su modorra. «Si al menos dejara de llover», se lamentó. Dibujó un rostro femenino sobre el vaho de la cristalera y lo borró enseguida al comprobar que la boca se parecía a la de Carmela. Pronto señalarían las once las manecillas del pesado reloj colgado a su espalda, junto a enmarcadas fotografías de *aizkolaris* y traineras y a una relamida acuarela que mostraba a unos negros acarreando fardos en el muelle de un puerto colonial.

—... *de Sare à Bilbao / c'est le chant des ruisseaux / c'est le chant des oiseaux...*

La voz llegaba ahora de la cocina, donde se freían cebollas y pimientos. «Si el monstruo de Maurice se hallase aquí conmigo, ya estaría levantándose a olfatear por las inmediaciones como un perdiguero. Se las apañaría para que lo dejasen entrar allí a destapar ollas y meter cucharones de prueba en los pucheros y sartenes, se reiría como loco mientras rectificaba la sal y la pimienta de una salsa verde, aconsejaba unas briznas de romero en el mechado de la carne y una cebolla en el caldo hincada con no uno, por Dios, en se

286

mejantes detalles radica el éxito de un plato, *sino tres* clavos para realzarle el sabor a la sopa de moluscos o de su puta madre. Pellizcaría las mejillas y las nalgas de la cocinera y sus pinches y ninguna se enfadaría, porque lo sentirían cercano, infinitamente próximo, pese a su carísimo traje de firma, a la camisa de popelín egipcio y a la cartera abultada de billetes que representan sus sueldos conjuntos de varios meses», se dijo con amargura Federico. Hacía ya algún tiempo que sospechaba en su histriónico patrón un gusto secreto —tal vez se tratase simplemente de añoranza, a esas alturas descreía por completo de sus fabulosos relatos acerca de una infancia itinerante a la vera de *misses y gouvernantes* contratadas desde el Báltico hasta el Egeo— por los bares baratos, los cafés y espectáculos a la ruina, las clandestinas pensiones de citas montadas en oscuros pisos con goteras, grifería herrumbrosa y gatos legañosos por los rincones.

—... *De Sare à Bilbao / c'est le chant des ruisseaux / c'est le chant des oiseaux / c'est le chant de l'amour Fandango!*

En lo alto de la cuesta San Marcial, el carrillón del ayuntamiento dio la hora con graves campanillazos.

«¿Pero por qué yo?», le había preguntado a Monsieur Maurice, y éste, encogiéndose de hombros, comentó que «LeTourneur empezaba a estar quemado». Añadió que en las embajadas alemana y francesa ya no se fiaban de él; un colega de Ganz, de la Gestapo de

Bayona, había enviado a Madrid un informe acusando al galerista, próximo a los círculos del caído en desgracia Déat, de «probables estafas recientes al Reich». «Es muy posible que a LeTourneur lo manden seguir en sus desplazamientos fuera de Madrid», concluyó.

Y a él… ¿Lo estarían siguiendo? ¿Los vigilarían a él, a Frieda y al idiota de Aníbal?

Ellos se llevan «la pasta», pero yo me arriesgo al correccional, al batallón militar de castigo y quién sabe si a algo muchísimo peor, jodido Maurice, se estremeció.

Observó a su alrededor con aprensión. El café continuaba vacío, aunque intuyó que no lo estaría por mucho tiempo, pronto invadirían sus mesas funcionarios del cercano municipio, de finos bigotillos y escudos falangistas con el yugo y las flechas en las solapas, panzudos comerciantes, agentes aduaneros enriquecidos por el contrabando…

¿Sería el desconocido que esperaba algún empleado de una cualquiera de esas florecientes compañías de aduanas que, como la Bakumar, siglas de la Baquera, Kusche y Martín S.A., colaboraban con la empresa alemana de transportes Schenker & Co?

En Bilbao se trató de aquel anticuario de ensayadas poses y atuendos de dandi bajo la ladeada boina roja tradicionalista que lo citó en la calle Oquendo… Durante su anterior visita a Irún el contacto fue una mujer de edad avanzada y mirada huidiza que lo llevó de madrugada, a tientas y con los ojos cegados por unas gafas de cuarzo, a lo que en un primer instante, cuando al fin le indicó ella que podía quitarse las extrañas lentes que no eran tales, tomó por la trastienda de una mercería. Allí, la mujer se apresuró, codiciosa, a tomar el fajo de billetes (lo asqueó el roce de sus dedos, de puntas heladas y secas) y le entregó a cambio una bolsa de tela impermeable con un rollo muy prieto metido dentro.

Aquélla fue la única vez que se permitió abrir y deshacer —la anciana le daba la espalda, evitaba obstinadamente mirarlo o tal vez contaba con morosa delectación los billetes— uno de los misteriosos paquetes que pagaba, recogía y entregaba a su vuelta a Monsieur Maurice…

Y al hacerlo sintió, al igual que cuando descubrió aquella primera tarde, por puro azar, las violentas, *clamorosas* amapolas de Soutine, mientras Ganz el murciélago lo arrastraba por un húmedo pasillo laberíntico hacia la salida de servicio de la casa madrileña de Frieda en el Paseo del Prado, una emoción tan intensa que el miedo se le fundió dentro como un pedazo de hielo.

Noche estrellada, Vincent van Gogh.

También ese cuadro, perteneciente a una serie, como *Las nadadoras* de su padre, lo había visto antaño, con la boca abierta y el corazón desbocado, en la exposición inaugurada en el Jeu de Paume durante la *drôle de guerre*… Seguro que Pierre LeTourneur también la habría visitado, aquella exposición… y no una, sino varias veces. Pierre LeTourneur, que esa tarde en casa de Frieda se agachaba, se *inclinaba,* ante las amapolas de Soutine como años atrás lo había hecho frente a un lienzo de su padre en el desaparecido estudio de Ventas… la misma enamorada reverencia con que mucho después lo vería abismarse ante *Mujer de rojo con mandolina y delantal* de Matisse, exhibida en el 21 de la rue de la Boétie, la galería de su envidiado y admirado Paul Rosenberg…

Noche estrellada, de Vincent van Gogh… y no se trataba de la copia.

Étienne Morsay leería en un *magazine,* más de una década después, que *uno* de los cuadros de esa serie, sacados ilegalmente de Francia durante la Ocupación, había ido misteriosamente *a parar* a las manos de un coleccionista japonés, ex diplomático y consejero del emperador, quien se lo regaló al nieto primogénito, huérfano enfermizo y delicado del hijo *kamikaze,* por su séptimo aniversario… El nieto residía en Nagasaki. Acaso lo último que atisbaron sus ojos esa mañana de apocalipsis, antes de que los devorasen las partículas radiactivas del sol terminal de Los Álamos, fuese la luz cósmica de una noche pintada que se desintegró con él.

Le temblaban de dicha las manos que mimaban en el aire, a escasos milímetros de la obra, el empuje vertiginoso de las pinceladas, el nocturno y radiante frenesí intercambiado antaño a la desesperada por un plato de comida, un litro de vino, una copa de calvados…

«No nos está permitido desenvolver los paquetes». La voz algo cascada de la mujer tenía un matiz de escandalizada censura. «Guárdelo de nuevo y póngase las gafas, que se hace tarde. Tenemos que marcharnos».

«Vendrá alguien, como siempre», había asegurado Frieda.

Pero no llegó nadie.

A las doce menos cuarto, cuando ya se planteaba, nervioso, si no sería mejor salir fuera a estirar las piernas bajo el aguacero interminable mientras oteaba los alrededores diciéndose que tal vez se hubiese producido un cambio de planes del que no se le pudo avisar, vio venir hacia su mesa al encargado de los tatuajes.

—No quiero nada más, sólo la cuenta, por favor —se adelantó.

Contempló con repugnancia (desde pequeño lo desagradaba la manida retórica de marinos y mercenarios, esos corazones, serpientes, claveles, fieros lemas y rosas de los vientos grabados en los cuerpos) la medusa sucia, el ancla de un azul desvaído destacándose sobre la tirantez de las venas.

—Tu cuenta está pagada. ¿No te gusta el anís o te consideras demasiado joven para beber como los hombres?

El dueño o encargado del «Garmendia» observaba su copa intacta con tranquila sorna y un punto de divertida crueldad.

—¿Quién ha pagado por mí?

Preguntó sin alterarse… y se fijó entretanto en la picada dentadura, la comisura ensalivada de sus labios. «Es un tarado y está loco. Te pegaría un tiro a la más mínima y se echaría luego a dormir, tan campante. Os lo pegaría a ti y a cualquiera que se interpusiera en su rumbo… o que le molestase», pensó.

—Te esperan en los almacenes, detrás de la despensa —se limitó a responder su interlocutor. Y una abrupta indiferencia oscureció sus ojos de escualo mientras se levantaba para indicarle el camino.

El café comenzaba a llenarse de hombres mojados que se palmeaban jocundos las espaldas. Atravesó la cocina humeante, donde tres mujeres —¿cuál de ellas habría estado cantando ese *Fandango du Pays Basque* que alcanzó en la afinada pureza de su voz el desgarro del desarraigo de tantos?— limpiaban chipirones y pelaban verduras, y bajó pinos peldaños, hacia un cuartito alumbrado malamente por lamparillas de queroseno.

Dos hombres tomaban pacharán bajo hileras de lomos y jamones. Los muros sin revocar estaban cubiertos de estantes atestados de conservas y sacos de legumbres.

Y entre ellos, vestida de un blanco polar que destacaba allí dentro como una boya, se hallaba Frieda.

Frieda, que nunca tendría que estar presente, ni durante las entregas y recogidas del «material» ni en los viajes de regreso a Madrid, según dejó muy claro en sus instrucciones Monsieur Maurice.

Frieda, que lo llamó Aloysius delante de esos tipos y en todo momento le habló en francés.

Hizo un gesto de rechazo al divisar el uniforme de alto mando de la guardia civil de uno de ellos, pero ella, que lo advirtió al segundo, le dijo muy rápido que el teniente coronel era *un ami... un très grand ami*.

Y para corroborarlo, besó sus labios gordezuelos, mordisqueó riéndose el bigote que parecía trazado a pincel.

Su acompañante, un extranjero gordísimo, de papada cercenada por un ridículo corbatín de lazo, se le antojó más peligroso. No entendía sus palabras —hablaba en alemán—, pero pudo colegir de su tono airado que la suma convenida de *antemano* (eso repetía Frieda en francés, con la sonriente insistencia de una meretriz que intentase convencer a un cliente caprichoso de la peligrosa «absurdidad» de ciertos juegos) no le parecía suficiente. El tipo amenazaba —y al hacerlo pasó a un horrendo francés de turista orondo que visitase, guía *Baedeker* en mano, los monumentos del país ocupado por los *suyos*— con avisar a la *kommandatur* de Hendaya donde se le tenía en «gran aprecio». A la *kommandatur* del puesto fronterizo hermano y, por supuesto, también a la comandancia de la benemérita de San Sebastián, iban a extrañarles mucho, muchísimo las actividades «extraoficiales» de su compañero, el teniente coronel Aquilino Martínez, recalcó.

La erre de Martínez rechinó entre sus dientes como si masticase arena. Él no era especialmente chismoso, pero tampoco ningún necio al que la bella Frieda-Marie, ese bribón de LeTourneur o el sarasa melifluo de Maurice Brün pudiesen enredar en sus tramas para aficionados. Oh, Adolf podía permitirse, en su supina ignorancia, claro que sí, valorar como a Dureros las vistas de Carintia de cualquier pintorzuelo de postales sólo porque le recordaban las ínfulas de su mediocre juventud, pero eso no significaba que a él, ¡a él! —vociferó iracundo—, se le tomase por un imbécil desnortado sin criterio. ¿Pensaban de *veras* que iba a desprenderse por esa suma ridícula de tres formidables Jules Pascin, de dos grandes Max Ernst y de un espléndido Juan Gris que le pondrían los dientes largos a cualquier marchante suizo o coleccionista de ultramar? Le había costado meses conseguir esas obras escondidas, antes de su marcha precipitada a Nueva York en los últimos buques que zarparon de Francia en 1940, por su dueño, un reputado editor parisiense descendiente de hugonotes, aulló. Tuvo que pagar —su olfato no era el de cualquiera, indicó enfurecido— a los fascistas *miliciens* locales para que registrasen su villa y *manoir* abandonados, lanzarse a la rebusca desenfrenada por toda la región de los putos Pirineos Atlánticos, sobornar a una vieja limpiadora medio chocha, quien, tras muchos ingresos en su libreta bancaria, se avino a *recordar* el doble fondo de un armario en una alquería perdida del Béarn profundo... «El señor André y la señora Solange solían pasar allí sólo cuatro o cinco días al año... la señora Solange, la *segunda* señora de Jacques Martel en realidad, la heredó de sus abuelos, unos granjeros a la cuarta. No era exactamente una *señora,* usted me entiende, quiero decir que Madame Solange, una lagarta de cuidado que se cameló al señor Martel hasta conseguir que se divorciara y se casase con ella, no venía de mejor cuna que la mía. Pero el dinero, ah Monsieur, el dinero obra milagros, transforma a las gentes, borra orígenes y labra futuros... Y yo tengo un sobrino... especial. Muy especial para mí. Quiere hacer Filosofía en Pau, pero yo estoy dispuesta a que se licencie en Derecho o en Ciencias Políticas en París, estimado Monsieur. Pero su manutención allí costará dinero...», le señaló aquella maldita vieja con la aviesa mirada reluciente.

El gordo alargaba su historia (era un excelente cuentista, de esos que conquistan sin esfuerzo la atención de un auditorio), ofrecía todo tipo de detalles, actuaba. Remedaba, con su horrísono acento francés, el habla de aquella delatora madre soltera que se calificaba a sí misma de «tía», y, al hacerlo, sus ojos bulbosos despedían una magnética intensidad, una eficaz virulencia de actor de cine mudo.

Frieda, sin embargo, no se dejó impresionar. Le habló, exasperada, como si se dirigiese a un niño muy pequeño, grotesco y poco amado.

—Escucha, Heini, tú *aceptaste* este precio… todos sabemos que eres un experto… que fuiste uno de los más grandes especialistas en arte moderno de la Viena anterior al *Anschluss. Fuiste,* Heini. Ocurre que eso ya no importa. Esa clase de arte ya no cuenta, y tú, que decidiste unirte a los vencedores como agente secreto informador del exilio parisiense, a los pocos meses de expatriarte, lo sabes muy bien. Sé razonable… *caballeroso.* Un pacto es un pacto. Aceptaste esta suma. Y es la que recibirás. No es culpa nuestra si estás alcoholizado, si todo te sale mal, si nadie confía en ti.

El gordo rió sin alegría y Federico se sobrecogió al advertir el modo en que le temblaba la gelatinosa, descomunal papada.

—¿Y *quién,* di, preciosa, podría confiar en ti, ex señora Weiller? No el bueno de Karl, ni que decir tiene. ¿Dime, se pudre en Drancy, camino a Dachau… o su fantasma de pobre marido bondadoso y corajudo merodea aún por los muelles de Le Havre, a la espera inútil de tu llegada para marchar juntos al Nuevo Mundo?

Frieda rascó una cerilla, la apagó con un suspiro y puso los ojos en blanco. El teniente coronel de la guardia civil, que presumiblemente no entendía una palabra del agrio francés del austriaco, colocó una mano pálida y velluda sobre sus muñecas con ademán protector un poco ridículo.

—Ya no eres nada, Heini, sólo una vaca lamentable. Antes fuiste un gordo, desaseado e impotente, pero simpático, que caía bien a las mujeres y a quien temían, y mucho, los hombres por su mordacidad, pero ya no te pareces ni a ti mismo. Mírate, por Dios. Una simple masa truculenta de carne… Y aún te atreves a endilgarme reproches moralizantes. Tú, el prestigioso crítico vienés, el gurú del expresionismo y mil ismos más, que a fines del 38 corrió a escondidas a la embajada alemana de París a ofrecerse como voluntario para espiar a sus amigos de la desgracia reciente, a cambio, no de unos marcos postinflacionistas y prebélicos, no… A cambio sólo, miserable hijo de puta, de poder *volver a firmar,* bajo pseudónimo, eso sí, tu bilioso y egocéntrico veneno en las páginas de sus nuevos periódicos. A cambio de sentirte otra vez poderoso, siquiera desde esporádicas sombras, les revelaste domicilios, relaciones, simpatías políticas y personales, trabajos, pobrezas, préstamos de amistad y necesidad que nunca serían devueltos, porque a quienes contrajeron esa deuda se los llevaron por delante los arrestos, las redadas del 41, la del *Vel d'Hiv* y las siguientes. Traicionaste.

Entregaste de antemano a mucha de la gente que ahora es polvo y nada más que polvo, Heini, ¿quién diablos te crees que eres y con qué derecho te atreves a recriminarme *nada?* No eres mejor que yo.

—No me creo ya nada, preciosa. Quiero el dinero justo, eso es todo. El suficiente para eclipsarme tranquilito. A Zúrich, por qué no. O a Montevideo, más adelante, quién sabe. No pretendo causaros problemas, ni a ti ni al truhán sinvergüenza de Maurice. Pero no olvides que yo, el viejo y corrupto «informador» del exilio de París, también tengo mis relaciones, mis contactos… Y a algunos de mis conocidos no les entusiasmaría precisamente saber que les estáis aligerando un poco la carga… y hasta dando, como se dice corrientemente, «gato por liebre» en más de un caso. Sé *tú* razonable, bonita. ¿Ya no tienes influencia sobre el viejo Maurice? Vamos, no me cuentes folletines, Frieda. Gordo y todo lo que quieras… pero sigo sin parecerme ni un ápice al «sensible» Karl, a quien te confieso que aprecié y admiré mucho, por qué no admitirlo. Él, tan afable, tan socialdemócrata, tan inteligente, es de los que no sobreviven… al revés que nosotros, Maurice, tú y yo. Y miles más, como este patético oficial del tricornio lorquiano que te mira con gesto de borrego y le redondea el sueldo a los suyos con nuestros enjuagues. O este jovencito rapaz que no suelta prenda y esperaba tal vez recibir de mis manos un simple paquete, como si yo fuese un estúpido viajante a comisión… ¿es bueno al menos en la cama, el crío? Ay, Frieda, deberías conocer el viejo refrán existente, sospecho, en casi todas las lenguas europeas. «Quien con niños se acuesta, meado se levanta»… Claro que no vine aquí a darte lecciones de moral sexual. Sólo a cobrar lo que me corresponde. Y no me iré sin ello, te lo advierto.

«El maldito gordo cree que no entiendo su francés de boche», se dijo Federico, y tuvo que contener unas locas ganas de reír.

Dinero, pensó. Todo se reducía a eso, como casi siempre. Por qué diablos se empecinaría Frieda… Deseó que cediese de una vez para que pudiesen recoger el «material» y salir a la calle. Se ahogaba allí dentro, bajo ese techo bajo y la semipenumbra de búnker.

—No deberías mencionar a Karl —reconvino Frieda en un susurro.

—¿Por qué no? Ya no eres la joven «señora Weiller», ¿verdad? Esa guapísima muchacha en quien ese iluso depositó tantas esperanzas… tanto amor de novela «vieja». Tanta pasión y tanta fe. Lo dejaste tirado, te comportaste como una putilla de alma a quien un oficial invasor enseña de lejos un collar y corre a sus pies, conquistada por el brillo, por su *valor*. Y ese oficial era Alemania, la gran Alemania, *notre mère à tous*, que repetía antaño la plasta de la Staël, y el collar era de imitación, un *Burma* de bisutería selecta, de la place Vendôme y todo lo que quieras imaginar, pero resultó ser falso al fin y al cabo, ¿no? No me vengas con que no lo supiste, Frieda. Eso no. Todos lo supimos y no nos importó, no nos *importa*. Después de todo, ni tú ni yo somos vanos idealistas demócratas ni semitas perseguidos. No nos hostiga nadie… de momento. Y menos que nadie nuestra conciencia. Así que dejémonos de filosofadas, bella. Si quieres mis bien guardados lienzos, quintuplica el precio. A partir de ahí, empezaremos a discutir.

—El precio acordado era otro. Tú lo sabías, lo aceptaste.

El obeso lanzó una carcajada que sonó a graznido.

—Uno acepta muchas cosas… hasta que llegan otras distintas y las acepta igualmente. Los dos lo sabemos. Imagino que el pobre Karl, si es que sigue vivo, si logró escapar a tiempo, lo recordará cada vez que piense en ti. Escucha, Frieda, verte sigue resultándome un espectáculo medianamente agradable, los años te han afinado mucho, ahora tienes incluso, como un gran vino, un *bouquet* del que entonces, cuando eras sólo una ignorante brutilla guapa, carecías por completo, pero no tengo todo el día, ¿sabes? Me gustaría regresar pronto a Saint-Jean de Luz.

Entonces todo sucedió muy deprisa. Tan rápido que Federico no llegó nunca después a revivir en su memoria la escena completa. La rememoraba sólo mediante fragmentos: unos globos oculares desorbitados, un rictus de empavorecida sorpresa, el ruido de una silla y de un cuerpo inmenso que caían contra el suelo de cemento…

Frieda había cogido con inusitada rapidez el revólver del teniente coronel, lo sacó de su funda sin que a su dueño le diese tiempo ni a levantarse de la banqueta.

Y había encañonado al gordo en la sien. Bajó después el arma hasta la papada y el vientre gigantescos, titubeó apenas un segundo y lo amartilló.

Disparó a la cintura desparramada sobre el cinturón de piel de serpiente.

El guardia civil salió violentamente despedido de su taburete de resultas del manotazo del gordo…

Con el rabillo del ojo, vio a Frieda tapándose con una mano la boca mientras la otra dejaba caer el arma a sus pies. Pero lo vio muy, muy lentamente. Tan lentamente como al oficial de la guardia civil, que se levantaba de un salto, con el uniforme salpicado de sangre. Lo oyó gritar «¡joder!» no una, sino varias veces. *Tres veces, hincas tres clavos de olor, tres, óyeme bien, han de ser tres, en la precisión de los detalles radica el éxito*, chillaba una voz familiar dentro de su mente enloquecida. ¡Joder, joder, joder!

—¡Joder, señorita Müller, me cagüe en la puta, a ver qué hacemos ahora!

En los detalles radica el éxito… ¡Cállate!, le gritó a su propio desvarío. Y nunca supo si había llegado a despegar los labios.

Los labios.

El gordo Heini movía los suyos como un bebé a la búsqueda ansiosa de alimento, y babeaba sangre. *Su* sangre, pensó mareado Federico.

Apartó la vista, horrorizado, del boquete por donde asomaba palpitante el intestino.

De Frieda que se inclinaba hacia el moribundo y lo apremiaba con la fría calma del odio.

—¿Dónde están los cuadros prometidos, Heini? Dímelo, cobarde saco de grasa.

Lo insultó en alemán. El cabello le caía en mechones revueltos sobre la frente y por vez primera Federico la descubrió fea y brutal. Entonces su mente vislumbró en un destello la tatuada medusa del patrón del «Garmendia» y le sobrevino la primera arcada.

—Señorita Müller, échese a un lado. Hemos de avisar a un médico…

—No llamaremos a nadie, coronel Martínez. Este señor… este caballero no salió nunca de San Juan de Luz, me entiende usted de sobra.

—Pero… señorita.

El gordo hacía esfuerzos denodados por alzar la cabeza. Quería… deseaba escupirle a ella a la cara, intuyó espantado.

También Frieda debió de darse cuenta, porque arrimó su rostro al del agonizante y habló en francés muy despacio:

—Pobre Heini… De qué te sirvieron tu ingenio, tu cultura, tus maldades de salón, tu inteligencia a la línea. Eres una basura, Heini, comida para los peces del Bidasoa, sólo eso.

Pero no se dirigía a él, era como si conversase únicamente consigo misma, moviendo apenas los labios alucinados de posesa, las manos que tiraban sin un temblor de los faldones de la camisa del herido y se manchaban de sangre.

—Pobre hijo de puta…

Y repetía idéntico sonsoniquete una y otra vez, con la mirada vacía y en trance.

—Pobre hijo de puta…

—Señorita Müller, apártese, le he dicho. Maldita sea, no me haga tener que soltarle un bofetón. Joder, malditas mujeres.

El gordo lanzó un estertor desesperado, se convulsionó atrozmente y expiró.

Federico vomitaba inconteniblemente en un rincón, y al escuchar el chasquido seco de la bofetada que el teniente coronel Martínez acababa de propinarle a Frieda, creyó por un segundo, justo antes de perder el conocimiento, que se trataba de otro disparo. De un balazo cuyo destinatario era él.

París, 25 DE MAYO DE 1968

Se rumorea que anoche ha muerto un estudiante, pero las noticias al respecto son muy confusas, nadie confirma nada y varios comentaristas aseguran que se trata de un simple infundio. Según la radio, que corrobora que los astilleros del Sena siguen ocupados, arde el edificio de la Bolsa por los cuatros costados, los cócteles molotovs vuelan sobre las comisarías y los manifestantes, que marchaban en iracundo tropel a tratar de apoderarse de la alcaldía y del Elíseo, han sido rechazados por las fuerzas policiales. Los huelguistas son ya casi dieciséis millones por toda Francia. Pompidou ha hablado, entre grandes pitadas y abucheos, del «riesgo de guerra civil» y De Gaulle acaba de anunciar, entre la rechifla e indiferencia generales, la «reforma de la universidad». Un locutor anuncia que mañana volverá a pronunciarse el premio Nobel Jacques Monod a favor de los estudiantes y sus reclamaciones y que a estas horas gobierno y sindicatos negocian activamente en la calle Grenelle.

Apago la radio con un suspiro y la vaga tentación de acercarme a la plaza de la Bolsa, como un pirómano secreto decidido a solazarse con el espectáculo de las llamas… Llovizna tras la ventana, sobre un continuo clamor de bocinas y sirenas.

El agua y el fuego sobre París… me habría gustado pintarlos.

¿Dónde estará en estos momentos Alicia Zaldívar, la entusiasta hija del banquero que de jovencita leía a escondidas a Engels como quien se cita con un primer amante misterioso, *distinto,* y avanzó después hacia el otro lado de un cuadro en el que pronto arderían todas las perspectivas?

La imagino asomándose entonces a ese lienzo expuesto en una sala del provinciano Círculo Artístico de su ciudad cántabra como quien se enfrenta a las simas del más oscuro y resplandeciente de los espejos que nada reflejan ni convocan, la imagino correteando ahora mismo por los bulevares donde llamean fogatas de barricadas y llueve sobre los cartelones que aclaman al surrealismo y le imprecan, solares y altivos, al mortecino, repugnante realismo socialista del otro lado del telón de acero. Ágil, libertaria y turbulenta como una niña, va de acá para allá, con un mechón rebelde y encanecido entretapándole el diáfano azul de la mirada, preguntándole a unos y a otros, ofreciéndose para esto y aquello, mientras grita *¡Franco assassin!,* feliz porque la muchachada de su alrededor secunda de inmediato su herido grito de la guerra que perdió…

Divago y mi mente dibuja su volatinera, frágil silueta entremedias de la turbamulta finisecular que reivindica la alegre gloria efímera del presente contra los porvenires lejanos y dudosos, esos *lendemains qui chantent* [16] en cuyo nombre se levantaron ominosas horcas en la Praga bajo dominio soviético, no muy lejos del pueblo arrasado por los nazis de Lidice, diecisiete años atrás. Procesos estalinianos de 1951, condenas sumarísimas de 1952.

«Los nombres no significan nada —dijo Alejandro de la Fuente—. Si ni siquiera hemos podido elegirlos, si nos los han impuesto». Pero se equivocaba, porque los nombres que en un principio nos significaron terminan por significar, de un modo u otro, casi todo; lo que reverenciamos, temimos u odiamos, lo que amamos y despedimos de buen o mal grado, aquello a lo que decidimos permanecer fieles contra los vientos del infortunio, las mareas del agravio y los más aciagos desencantos. Le damos nombres a los sentimientos y a las cosas para que existan lejos de nosotros. Para no temer tanto a lo que encarnan, asumen y representan.

---

[16] *Lendemains qui chantent,* literalmente «mañanas que cantan», conocida letra de un himno del comunismo francés.

La pequeña Alicia se habría vuelto vieja luego de morder la galleta envenenada de una historia de relojes sin manecillas… Pero yo —demasiado me daba cuenta— preferí *seguir* viéndola pequeña y tenaz ante el hoyo abierto al centro de una tierra recorrida por conejos intrépidos que siempre llegaban tarde al submundo de los sombrereros locos.

De pronto ya no me molestaba comprender que a mis años seguía locamente enamorado de mi madre.

Incluso me divertía.

El teléfono llevaba media hora sonando. Quienquiera que fuese colgaba al cabo de mucho rato y volvía a marcar enseguida, metódico.

No me figuraba a Tommy da Costa obstinándose junto al teléfono de un café con el cartel de «Cerrado por huelga general» colgado en la entrada, pero con algún que otro joven camarero incitando, de puertas para dentro, a su recién hermanada clientela a servirse a sí misma y a dejar lo que se le antojase sobre la barra de cinc a modo, no ya de pago, sino de *contribución*… Que yo supiera, Tommy no disponía de teléfono en su gabarra y a mí no me gustó nunca buscarlo en casa de su ex mujer.

Por si acaso, me levanté y descolgué el auricular.

Recuerdo que del otro lado de la línea me llegó, por debajo de una respiración asmática, el acostumbrado silencio de los últimos días.

—*Allô,* diga, diga…

Sacudí el aparato lleno de furia.

—¡Diga algo, joder, por ejemplo que es un gilipollas de mierda!

Entonces escuché con toda claridad la inequívoca risita burlona.

—Antes no solías ser tan mal hablado… tan grosero, mi querido, muy querido… Étienne.

—¿Maurice? ¿Eres tú? —inquirí con cautela.

Por supuesto que era él, me reconvine enseguida, quién si no me hablaría con tan pomposa suficiencia.

—Gabriel Serrano Villar para el siglo, mi querido Fred, ¿es un ruego imposible pedirte que lo recuerdes alguna que otra vez?

Tomé un cigarrillo con dedos temblorosos, lo encendí al revés y lo arrojé de mal humor al hogar blanco de polvo.

—¿Cómo puedes llamarme desde Martinica? Se supone que las operadoras están en huelga.

Reía con abierto regocijo.

—Pues es bien sencillo, hijo. Porque no estoy ya en los Trópicos, son una pesadez. Mosquitos, huracanes tarde sí y tarde no, temporales ahora sí y mañana también, aguaceros sin fin… Y lo peor de todo, viajeros jóvenes y pedantes que durante sus treinta días de libranza abominan de la palabra «turista» a la búsqueda de la *negritud* en pensiones atroces y disfrutan como energúmenos devorando langostas acartonadas, recocidas o naufragadas en el picante de los malditos pimientos de cayena… Lo de la cocina *créôle* es una broma de mal gusto, te lo aseguro. Si supieses cuánto suspiraba allí por una buena langosta *à la armoricaine,* que no a la *américaine,* que dicen hoy día tantos ignaros… hay que ver el modo en que la ignorancia lo confunde y tergiversa todo, hasta lo más sagrado, como la gastronomía.

Si lo dejaba explayarse a su aire sobre sus temas favoritos, tendría que estarme escuchando sus divagares hasta la apoteósica *Jam-session* trompetera del maldito Juicio Final, me dije. De manera que lo interrumpí sin contemplaciones.

—Oye, Mau… Monsieur Serrano, quiero decir, ¿dónde estás?

—Bien, pues bastante cerca de ti, hijo. En realidad, llevo desde finales de abril pensando en hacerte una visita. Pero siempre me gustó demorar los reencuentros… digamos afectivos. Se goza más anticipándose a los placeres mediante su postergación. Te llamaba y colgaba, no me decidía a hablarte… No me negarás que todo este jaleo… Esta especie de espantosa Comuna, a todas luces necesitada de un nuevo Thiers y de sus magníficos versalleses, ha influido también en mi… llamémosla inmovilidad transitoria, no es cierto. Nada más llegar compré un coche, alemán, por supuesto, no hay como los *Fritz* para fabricar buenos motores, se pongan como se pongan los de Detroit y mis queridos amigos de la *Régie.* Pero naturalmente, esto fue a mediados de abril, no se me ocurrió hacer acopio de gasolina, quién se iba a imaginar esta algarabía, esta demencia.

—¿Pretendes decirme que estás en París? ¿Es que te has vuelto loco? ¿Sabes la de gentes que podrían, que te reconocerían sin dudarlo, a la vuelta de cualquier esquina? ¿Está Frieda contigo, joder?

Me respondió con tono ofendido y pudibundo. Pero adiviné sin esfuerzo que se estaba *divirtiendo*. Maldito viejo cabrón, no cambiaría nunca. Ninguno lo hacemos, en el fondo.

—Te rogaría que no me gritases, querido Étienne, me costó mucho inculcarte ciertos modales en los viejos tiempos, supongo que lo recuerdas, verdad. No todo el mundo ha tenido la suerte de contar con maestros tan pacientes. Vayamos por partes. No, no estoy en París… aún. Problemas de suministros de gasolina, como acabo de decirte. Pero me hallo muy cerca, en un precioso y aristocrático pueblo de sus alrededores, un poco aburrido, te lo concedo. Nada de boîtes nocturnas ni de agitación *boulevardière,* sólo una burguesía muerta de pánico y encerrada a las noches en sus casas bajo siete llaves… También algunas, en realidad bastantes de esas gentes podrían reconocerme, por cierto, pero ¿y qué? Soy *español,* Étienne, te lo recuerdo… un español, nacido en Guinea Ecuatorial, provisto de un excelente pasaporte franquista español en regla. Al más mínimo problema acudiría sin dudarlo al amparo de mi estimada embajada. Soy tan español como tú eres belga. Muchas personas se asemejan de manera increíble a otras, ¿no lo sabías? Se parecen cual sosias… *pero no son ellas,* hijo. Eso lo reconoce hasta el más fino de los fisonomistas. Te diré asimismo que nuestra encantadora Frieda-Marie no está conmigo, con *nosotros.* Porque ni siquiera me has preguntado por Minou… La pequeña Minou, que quiere saludarte, se puso loca de contento cuando le dije que pronto te veríamos… en París. Sabes lo mucho que os ama. A ti y a su ciudad.

—Pásamela.

Había empezado a sudar como si estuviese en agosto. En la canícula española del último día de agosto del 44, pensé y por espacio de unos segundos volví a verme en aquella alquería ruinosa de la carretera de Burgos. Los dedos me temblaban tanto que no conseguía prender el pitillo.

—*Allô,* Minou, yo te saludo, hermosa, la más bella de entre todas las bellas…

Chilló de júbilo y comenzó a contarme todo tipo de menudencias y avatares muy deprisa, con su vocecita atiplada de muchacha atrapada por el sueño circular y eterno de una música circense. Me parecía incluso adivinar, entremedias de sus palabras, un trasfondo de pegadizas melodías de carruseles girando en medio de la noche estrellada más triste. Escucharla era sentirla de nuevo sobre mí, amazona briosa que gozaba yéndose en triunfales gritos de inocencia y doma, calor y olvido. «Fredy, Fredy», me arrullaba, excitada. Y ¿sabía yo que a *Malgache* habían tenido que dejarlo allí, enterrado frente al mar en un féretro de cristal bajo un volcán dormido, porque su plumaje, podrido por el salitre de los trópicos, era irrecuperable y ni el mejor taxidermista de Fort-de-France consiguió restaurarlo? Tenía que saberlo, porque ella me había *visto* en un sueño en el que yo rezaba, compungido y solemne, ante la urna transparente del pequeño loro. Maurice le regaló tras el disgusto y la horrible pérdida una cotorra y un ave del paraíso y ella los llamó *Frédivine* y *Frédotruc*, pero eran nombres tan largos que sospechaba que nunca se habituarían a ellos, ante la duda pensaba acostumbrarlos a los más comunes diminutivos de Fred y Fredo. Y nunca adivinaría cuántas ganas tenía de besarme, todas las ocasiones en que despertó, en aquella loca isla del otro lado del mundo, con mi nombre en los labios, más dulce que una nube de algodón de feria, y una humedad por la piel como si yo estuviera rozándole muy despacio los muslos entre los caballitos y alces de madera del tiovivo de la Casa de los Ángeles.

Fredy, Fredy.

Gorjeaba ese apelativo con la feliz procacidad de antaño y volví a sentir bajo las yemas de mis dedos el latido de unos párpados que sólo resguardaban oscuridad perpetua, las esquirlas mal recordadas de un mundo que se hizo añicos sobre la arena apelmazada de una pista de circo, ante las sillas solitarias de una primera función de tarde.

Fredy, Fredy, *rezo siempre por ti.*

Oí a Monsieur Maurice rogarle que se fuera a acostar mientras tomaba el auricular de sus manos sabias de invidente.

Siempre estás en mis oraciones y pido que éstas te alejen de la señora malvada que todo lo ve sin saber que lo ve porque no le importa nada verlo. Yo la he visto, no con mis ojos que no ven, sino con mis dedos que van más allá de la vista y de la mirada. He tocado su rostro guardián de los secretos y el del hombre moribundo a sus pies que olvidó quién era y también las orejas y la boca de ese animal al que llamáis esfinge. Ese animal que no lo es, no existe y por eso no puede morir y precisamente porque no puede morir ella lo quiere siempre a su lado como a ningún otro ser en el mundo.

Pero eso Minou me lo había dicho en otro tiempo, semanas antes de que yo matara a Brandler un último anochecer de agosto de 1944 en una alquería abandonada de la carretera de Burgos. Me lo había dicho en su dormitorio del piso superior de la Casa de los Ángeles, después del amor. Recuerdo que yo le acariciaba, vaciado y conmovido como jamás he vuelto a estarlo, los pómulos, la suave línea de las cejas, y que me sobresaltaron sus palabras. Lo primero que pensé fue que era extraño oírla hablar así, porque la última persona a quien yo habría imaginado poniéndose trascendente y fatua era a ella. *Ninguno somos buenos, pero si no muriésemos seríamos peores. Como ella*, concluyó con una tristeza que no parecía pertenecerle. Y a mí se me erizó el vello de todo el cuerpo. Me acuerdo de que la arropé con cuidado (se durmió de inmediato y a la mañana siguiente no recordaba, pude comprobarlo, ni una sola de sus frases sobre la Venus de la esfinge), que me desvelé y pasé entera esa noche en una silla del jardín trasero de la Casa de los Ángeles, lleno de añoranza por el piso de Ayala, los ires y venires de Lola y de Carmela. Me decía que acaso lo mejor fuese revelarles a las dos sin cortapisas el lío en que estaba metido, la situación de mi madre, cuya vida pendía, según Maurice, de un hilo; confesarles el horrible desaliento que se apoderaba de mí a las noches pasadas aquí o allá, la angustia del mentir constante, el pánico de aquel sinvivir que sustituyó, sin previo aviso y de un día para otro, al vano orgullo de haber empezado a vestir medianamente bien, de disponer de dinero crujiente y fresco para gastar con aprendidos gestos de sonámbulo y ese automatismo que sin duda exhibiría en Finis sin apercibirse —pero yo sí me *daba cuenta*— mi hermanastro, bisnieto y nieto de banqueros e hijo de notario. Pero iba posponiéndolo, no lo hice, fui cobarde y en las cada vez más escasas ocasiones en que cenábamos los tres juntos rehuía sus miradas y les contestaba con monosílabos. Ya no iba nunca a visitar a mi primo José Sigüenza al penal de Burgos, pero le compraba viandas de lujo y ropas caras, que su mujer envolvía, junto con las muestras de jabones de olor y aguas de colonia que me traía de L'Idéal, la noche antes de su partida, sin que ni ella ni yo nos atreviésemos en ningún momento a mirarnos a los ojos.

Había caído muy bajo, supuse entonces, y no me enorgullecía de ello. No era eso que los más superficiales llaman «feliz», pero si me comparaba con otros, con la inmensa mayoría… en fin. Me sentía estúpidamente afortunado, a qué negarlo, a pesar del miedo, del asco, de la infamia.

Simplemente, todo aquello con lo que soñé, Frieda, dinero, ropas, había pasado de obsesionarme a aburrirme, pero era aún demasiado joven para haber aprendido a defenderme del hastío de las cosas, los seres y uno mismo.

—Étienne… ¿sigues ahí?

Se me pasó por la cabeza la idea de responderle que «nunca había estado realmente ahí»… Pero sería mentira, por supuesto. Otra más.

Una falacia. Patético.

—Claro. Siempre a sus órdenes… *Monsieur Serrano*.

Lanzó uno de sus tremendos suspiros de diva operística. Pero cuando habló, lo hizo con una tristeza sin énfasis que me sorprendió.

—Escúchame, hijo, porque hay muchas novedades y ninguna es buena. Lo primero, y también lo peor, al menos para mí, es que a Minou le han detectado hace cuatro semanas escasas un tumor cerebral. Por eso hemos venido a París, a que la operen, si es que —bajó la voz— aún pueden operarla, en el hospital americano. No me pidas más detalles, porque no los hay o yo no sabría explicártelos.

Hinqué las uñas en el brazo de la butaca. Las lágrimas me caían por el rostro. Dije, con esfuerzo y ferocidad:

—Al final, no eres del todo y por completo un hijo de puta, Maurice... O Gabriel, perdona. No tenía ni idea de que la quisieras tanto.

—*Nadie* es del todo y por completo un hijo de puta, Fred... creía que al final entendiste al menos eso. O que Étienne lo entendió desde el principio.

—Hitler...

—Sí, claro, pero yo no soy Hitler.

—*Sólo* trabajaste para él.

Volvió a suspirar.

—A tu modo, y aunque impelido, te lo reconozco, por ciertas circunstancias que sin embargo no explican ni justifican todo, también tú lo hiciste. Pero no divaguemos. ¿Cómo es posible que no hayas comprendido aún que salvo los exaltados, que eran muchos, de acuerdo, pero no la inmensa mayoría de esa masa asentidora y consentidora, *nadie* trabajó al cien por cien para él… ni por cualquier otro? Muy en el fondo, todos trabajaron, trabajamos, ciertamente, para sí o contra sí. Ganz, por ejemplo, lo hizo, como activo militante, contra su estatura de enano. Me he enterado, por cierto, de que dirige ahora un espléndido complejo hotelero en Punta del Este e imparte en sus ratos libres cursillos muy bien remunerados sobre antisubversión y tácticas de contrainsurgencia en selectos círculos militares del Cono Sur. Ganz hablaba del hombre «superior», filosofaba barato y con cada discurso ganaba centímetros. Yo mismo, Fundler o el mismísimo Brandler lo hicimos por ampliar capital y, por qué no reconocerlo, también por *curiosidad*. Otros, científicos, juristas, gacetilleros del montón o periodistas talentosos, se apuntaron al asunto por oportunismo y comodidad. Y los obreros, esos miles de obreros de sus sindicatos crecientes, lo hicieron en «agradecimiento» a los empleos dispensados por la industria armamentística, o porque de pronto se les dijo que valían *más* y eran mejores, sin haber hecho nada para demostrarlo, que esos otros, sus vecinos, sus desafectos compañeros de trabajo… los judíos, por ejemplo. Es fácil dejarse convencer de que se es, por *esencia,* mejor que el de al lado. Esa certeza te convierte, por mísero o mediocre que seas, en una especie de aristócrata de la sangre. Pero ya qué más da. A mí me divierte mucho ganar: dinero fresco, valores y acciones, capital inmobiliario, lo que sea. Incluso habichuelas en una taberna campesina donde se juega al dominó y a las siete y media con avidez idéntica a la de los habituales de los casinos de Deauville y Montecarlo. He invertido siempre para ganar, no por amor a la inversión en sí, en ese aspecto tengo muy poco de artista... Cuando me he arriesgado, y lo he hecho en tantas ocasiones que ya pierdo la cuenta, ha sido motivado por un íntimo y profundo instinto conservador. Quiero decir que odio el fracaso, detesto *perder*. Y me temo, querido, que ahora estamos perdiendo... Una mala racha, que se suele decir.

—Hábleme claro.

De pronto volvía a llamarlo de usted, vencido por el formidable pánico de antaño...

—Tan claro como que nos han encontrado... A mí y a Minou. La llevé a Nueva York apenas recibimos en Fort-de-France los resultados médicos, para un chequeo más exhaustivo y riguroso. Y alguien del hospital debió de reconocerla, reconocernos... o ató cabos, cuando ella, en toda su inocencia, contó el accidente en la pista de circo parisiense y describió la rotura craneal, la subsiguiente ceguera. Alguien que conocía el París de esa época, el de las vísperas de la guerra y también el de después. Alguien que me conoció a *mí*, que supo entonces que yo me había hecho cargo de la pequeña caballista accidentada. Y ese alguien pasó información a quien correspondía, quizá ya la pasaba entonces, cuando el pacto de Múnich y aun antes, el París de anteguerra era un hervidero de agentes del *Reich*. Oh, ellos siguen teniendo gentes en las sombras, y agentes —rió— en todas partes, se trata de una auténtica *internacional negra*. Supongo que nunca oíste hablar del «Proyecto Dantzig».

—En absoluto.

—Bien, es una organización digamos... privada. Muy privada, ultrasecreta. Jerarquizada en cierta medida.

Calló un instante y prosiguió:

—Una organización nazi paramilitar de élite que caza a los cazadores. Una respuesta a Simon Wiesenthal, si quieres. Una respuesta de venganza a los afanes justicieros. Pero no sólo les interesan los servicios secretos israelíes lanzados a la caza y captura de los verdugos y dirigentes o las organizaciones de judíos y ex deportados en pos de justicia. También buscan a *sus* traidores... a quienes previsoramente desertamos de su bando perdedor. A quienes nos llevamos parte del amasado botín que debía asegurarles, durante la derrota que entendieron, como no podía ser menos, *provisional,* su retorno triunfante a la hora de una victoria definitiva. No son hombres de negocios, hijo, considerarían un insulto que se les definiera como tales. Son exterminadores y por tanto no se puede negociar con ellos.

Un frío intenso me recorrió la espina dorsal. Miraba sin verlas realmente —o las veía con intensidad cegadora y deslumbrante— la isla de la Cité del otro lado de los cristales, las torres de Notre-Dame bajo la llovizna cálida de una primavera de heridos y locas ilusiones que el tiempo, desencantador de eficacia despiadada, se encargaría de desbaratar más pronto que tarde.

Tenía miedo.

—¿Mau… por qué me cuentas todo esto por teléfono? No es… no es prudente.

—Nada lo es, pero es que puede que ya no quede mucho tiempo. Trataron de matarme a la salida de ese hospital neoyorquino. Me dispararon desde vete a saber qué ventana, con tan buena fortuna para mí y tan mala para una pobre transeúnte que paseaba a su perro, que yo te estoy llamando y la dueña de ese caniche, que se me adelantó en un cruce de semáforo, está muerta. Se quedó tendida en la acera, el perro aullaba desesperado mientras le olfateaba la sangre del cerebro hecho trizas… fue algo muy desagradable, querido mío. Volví sobre mis pasos, apresuré la orden de alta de la pequeña Minou, cambié de hotel y compré a toda prisa billetes de vuelta a la vieja y deliciosa Europa. ¡Qué maravilloso fue pedir nada más llegar unos *escargots à la mode de Bourgogne* y una *blanquette de veau* de salsa untuosa y perfecta, después de todos esos camarones descabezados de sabor a plástico! Si me matan, que sea al menos después de un almuerzo en condiciones, no te parece.

—Me parece —repuse enfurecido— que venirte, veniros, a París no ha sido muy brillante. Es como… una especie de suicidio.

Monsieur Maurice soltó una carcajada. Era la misma fresca petulancia egocéntrica que yo recordaba, esa frívola disponibilidad para lo que se terciase —a condición de que lo que se terciase entrañara alguna clase de ganancia— que me cautivó por la época en que confundí, dentro de aquella España miserable de mazmorras, el egoísmo con la elegancia, la amoralidad con la apertura de espíritu.

—Creo recordar que eso mismo te señaló nuestra incombustible Frieda-Marie, cuyo teléfono, por cierto, no responde ni de día ni de noche, cuando decidiste comprar tu piso de la isla. Y que se lo refutaste mediante ejemplos literarios, algo muy típico tuyo, que a fin de cuentas amabas la ficción de la pintura. Un cuento de Poe, ¿no? No te faltaba razón, si te persiguen no hay refugio más seguro que el de la boca del lobo… ni escondite más fabuloso que el que se halla a la vista de todos. Pero París, el caótico París de *esta primavera,* no es ni siquiera la boca del lobo, muchacho. Y créeme, no tengo ni la más mínima intención de imitar a Gérard de Nerval. No pienso ir a ahorcarme en medio de ninguna *noche demasiado blanca* a la plaza Châtelet, ni a cualquier otro sitio. Me temo, o me congratulo, qué diablos, de ser de los que no se suicidan. De los que venden muy cara, carísima, su piel.

—Pero has dicho que con esa gente es imposible negociar.

Soltó un bufido. Por detrás de sus respingos intuí la desolación, el miedo. Llevaba desde 1944 colocando en el clandestino y fructífero mercado sin fronteras del arte robado durante la Ocupación arte «no declarado» a ningún gobierno, a ningún fisco, piezas maestras… reinvirtiendo enseguida los beneficios obtenidos de estos y de otros fabulosos y mucho más ruines negocios anteriores en anónimas sociedades inmobiliarias, en petroquímicas y en bolsa. A su modo, Maurice Brün, ahora Gabriel Serrano, era un genio de las finanzas, pero también un excelente analista de las «circunstancias».

—Sí, claro. Por eso he querido avisarte. Puede que alguien recuerde que tú… en fin, sabes que me refiero a lo de Brandler.

Y yo volví a ver a Brandler resbalando hacia el suelo pringoso de aquella casucha de tejado medio demolido, situada a unos treinta kilómetros de Madrid, donde nos aguardaba la emboscada de la que salimos (no todos, pues LeTourneur cayó el primero, justo antes que el chófer Paco Tejero, conocido por «Aníbal») ilesos de milagro.

—Es altamente improbable, pero a veces lo improbable sucede, querido. Un golpe de azar, un encuentro desafortunado, y cuanto organizamos con paciencia y rigor meticulosos se nos desarticula en un momento. Realmente, yo que tú me tomaría unas vacaciones apenas se calme la situación y se reanuden los transportes.

—Ya veré. Gracias por el aviso.

Soltó una risita amarga.

—No me lo agradezcas a *mí*, ¿recuerdas que tras dispararle a Brandler, me chillaste histérico, de vuelta a la Casa de los Ángeles, que yo era el peor de todos, un tipo con una caja de caudales en el cerebro, pero una caja de caudales llena de basura? Confieso que no andabas muy desencaminado, pero aunque de ser necesario te habría liquidado sin el menor remordimiento, había un lugar para ti entonces en mi corazón. Porque entendí muy pronto lo mucho que te *parecías a mí*. Por eso te dejé en custodia y usufructo a tu tan deseada *Venus de la esfinge* cuando nos largamos a Portugal, con esos *verdaderos papeles falsos de una primera identidad provisional* que nos proporcionó el querido comisario Villegas, de quien tengo entendido que el general Franco puede nombrarlo ministro del Interior en cualquier momento. Como verás, yo tuve razón, Villegas no era nada tonto, lo demostró al ocurrírsele la idea de hacer pasar a un muerto por otro. Me hizo un gran favor... a precio de oro, naturalmente. Lingotes, varios lienzos de importancia, hasta un par de estatuillas egipcias que el pobre Le-Tourneur quería para sí, sacó en claro, además del dinero, el querido comisario Villegas. Al revés que buena parte de sus correligionarios, él empezó a prepararse en secreto para la posguerra de los aliados antes incluso de la insurrección de París. Su ferviente admiración por el nazismo dio paso enseguida al distanciamiento, apenas observó las primeras grietas en la quilla del buque alemán... Pero te repito que no tienes nada que agradecerme, estamos en paz. Tú me salvaste la vida en aquella choza inmunda y yo te dejé la Venus.

—Pero de resultas de aquel embrollo, perdí a mi familia —acusé.

Perdí a mi familia y traicioné la memoria de mi padre, me dije.

Pero no era en él, ni en mi madre y mi hermana desconocida en quienes pensaba al replicarle así, sino en el pobre y bondadoso José Sigüenza y en Lola Beltrán, que con tanto cariño me acogieron en su casa, en mi dulce prima Carmela de mirada profunda, que hoy será ya una adulta que acaso me recuerde de tarde en tarde, con el malestar de quien intuyó antes que nadie, ni yo mismo, lo que se ocultaba tras de mi agraciada máscara de muchacho tranquilo al que ella amó de niña, con la silenciosa desesperación del amor primero. Quizá llegó a creer la vaga versión oficial de que yo *pudiera* haber muerto también en esa incendiada alquería de la carretera de Burgos, donde supuestamente fue hallado, entre los restos de otros cuerpos apenas identificables, el cadáver carbonizado e irreconocible de mi flamante patrón de L'Idéal. Pero sospecho que no lo hizo. No debió de costarles demasiado a ella y a los suyos, que fueron los míos y dejaron de serlo por mi única decisión, discernir la patraña y reconocer la mentira.

Nunca sabrían los detalles, por supuesto. Ni el hecho de que yo mismo le prendí fuego a la alquería en ruinas, con los cadáveres de Brandler, Aníbal, Finet y LeTourneur en su interior. El incendio lo apagarían malamente horas después varios lugareños del pueblo cercano, donde un buen fajo de billetes de Monsieur Maurice consiguió que un campesino nos condujese sin preguntas en su carro hasta el apeadero de ferrocarril más próximo. Lo prendí minutos antes de que mi patrón, que llevaba un torniquete en el brazo —un simple rasguño sin importancia, el balazo apenas llegó a rozarle—, y yo nos deslizásemos, furtivos, hacia los caminos de esa última noche de agosto en que París era una inmensa fiesta. Una fiesta de habitantes y combatientes que celebraban su recobrada libertad danzando bajo las estrellas. ¿Estaría mi madre, recién liberada de la prisión de Fresnes —Maurice cumplió su promesa y sus contactos lograron evitarle a Alicia Zaldívar la inclusión en ese último convoy que salió del ya sublevado París hacia los campos de la muerte—, entre la muchedumbre que aclamaba a los FFI, los FTP-MOI y a las tropas estadounidenses y les arrojaba una marea alta de flores, besos y botellas de champaña celosamente guardadas para la ocasión?

Me alegraba pensarlo, a la par que me entristecía no haber estado allí, con ella, compartiendo la mayor dicha del mundo. Esa dicha que no les fue dada vivir en su martirizado país a Lola Beltrán y a Carmela Sigüenza, quienes escucharían la liberación de París y su vuelo jubiloso de campanas a través del informativo entusiasta de Radio Londres, con lágrimas de felicidad y una enorme esperanza...

Jamás volví a verlas, ni a ellas ni a José Sigüenza. Desaparecí de sus vidas como un ladrón que huye de los remordimientos más que de sus perseguidores...

Salimos de España, Maurice, Minou, Frieda y yo, que llevaba a la *Venus de la esfinge* enrollada a mis pies dentro de varios calendarios metidos en un cilindro de cartón, en dos coches con matrícula del cuerpo diplomático portugués que nos proporcionó el comisario Villegas; los cofres iban a rebosar, y sé que otras muchas obras le llegaron la semana siguiente a Monsieur Maurice a unas señas de Lisboa. Por valija diplomática, del Vaticano, por cierto. No recibió allí todas las esperadas, desde luego, también Villegas se había cobrado su parte del botín y servido a manos llenas.

Nos vinieron a recoger a la Casa de los Ángeles y yo no me despedí de nadie.

Al recordarlo sentí de pronto un fuerte sentimiento de congoja, una amarga vergüenza.

—Vamos, querido, no seas ridículo. Siempre se pierde algo por el camino. Y quién te asegura que con el tiempo no te habrías hartado de toda esa gente que sólo hubiera podido proporcionarte una vida mediocre, gris y bien poco interesante… tu familia, dices. La gente como nosotros no tiene familia.

—Minou es tu familia, la que tú escogiste.

Me corrigió, reflexivo y con un deje de melancolía.

—Minou no es mi familia, yo, como Gide, aborrezco todos los lazos de sangre. O los todavía más peligrosos del afecto, que lo debilitan a uno a la larga. Y también a la corta, qué diablos. No me arrepiento de este error, aunque debería. Porque *Minou ha sido y es mi único error,* hijo. *El único error duradero.* ¿Me entiendes?

Era un cabrón, el viejo Maurice Brün, un criminal astuto y amoral que estafaba a unos y a otros, enviaba a la muerte o al infierno de la tortura a quien se le cruzase por delante de sus planes y entorpeciese sus designios. Habría vendido a su madre a los mejores postores sin dudar ni un segundo, habría regateado al alza, divertido, el precio de su alma con Mefistófeles o cualquiera de sus émulos y descendientes, pero jamás tuvo ni un ápice de tonto. No se engañaba a sí mismo. Eso no lo tornaba mejor, por supuesto. Había ahora, o yo creí detectarla, una fatalista aceptación del fracaso y la derrota, *su* derrota, bajo ese cinismo que lo acompañaba desde antaño como una segunda piel.

—Claro que lo comprendo.

—Eso está bien —rió—. Antes de despedirnos, y ya que te muestras algo más despejado de entendederas de lo que acostumbrabas, quiero que te quede muy claro que si has seguido vivo todo este tiempo, y no me negarás que con una vida más que buena, excelente en verdad, no ha sido por mí, ni por Frieda-Marie. Yo detesto los testigos de todo tipo, terminan por resultar muy molestos. Pero Minou te aprecia mucho. Te adora, para ser exactos. Y hablando de Minou... hace un momento ha vuelto a insistirme en que te deshagas del cuadro, opina que la Venus, a quien ella, mi hermosa inocente, llama la *malvada señora,* sólo te acarreará desgracias. Ya te comenté que nuestra deidad... legendaria será difícil de colocar. Te llevará meses y meses de espera hasta conseguir que la autentifiquen oficialmente. Ya puedes inventar una buena historia al respecto, aunque eso no te será difícil, no careces de imaginación. Mi recomendación, sin embargo, aun a riesgo de que tengas que vender bastante más barato, es que te dirijas al mercado... llamémosle extraoficial... a Zúrich, por ejemplo. Conozco allí a alguien que...

—No me interesa —corté.

Suspiró, contrito.

—De acuerdo, no insistiré, es inútil empeñarse en hacerlo con necios como tú, aunque por si acaso te dejaré escritas unas indicaciones sobre el modo de contactarlo en la recepción del Hospital Americano de Neuilly. Instrucciones muy precisas, redactadas en nuestra vieja clave, recuerdas, y en un sobre dirigido al nombre... al nombre fugaz que sólo usaste en una ocasión, la de nuestra última salida de la Casa de los Ángeles, ¿comprendes?

Ángel Villar. Recordaba perfectamente ese nombre (¿lo habría elegido el comisario Villegas al azar?), que utilicé para cruzar de noche la frontera portuguesa, con la Venus escondida a mis pies. Sólo que esa noche no me limité a salir de un país a otro, de una dictadura a otra. *Ángel Villar* no era únicamente un nombre falso, escrito en un falso pasaporte en regla entregado en mano por un alto cargo de la policía política franquista. Fue, sobre todo, la línea demarcatoria que escindió para siempre mi vida en dos mitades irreconciliables. ¿Cómo habría podido olvidarlo?

—No. Quieres decir que... bueno, ¿que no piensas obligarme a... venderla?

—Maldita sea, Étienne, los años y la fortuna te han vuelto todavía menos listo que entonces... cuando eras nada más que un chiquilicuatre muy guapo y lleno de rabia, que hervía de ganas de vivir... a lo grande. Actitud esta que yo respeto mucho, desde muy joven se me antojó encomiable. Quiero decir lo que he dicho, querido. Haz lo que te venga en gana con la maldita Venus de los ojos distantes y el cuerpo helado, con su esfinge sabia y su caballero caído en las mil muertes y todos los desastres, pero deshazte de ella cuanto antes, ése es mi consejo. Sacándole tu buen provecho; ¡no se te ocurra, por ejemplo, donarla estúpidamente, imbécil! No lo digo por mí, ni por mi parte que es ya, desde hace mucho también, la del pobre fiambre de LeTourneur, a quien ese ídolo renacentista le obsesionó casi tanto como a ti... Es que sospecho que esas partes, la suya y la mía, podrían salirme muy caras. Nunca he sido supersticioso, pero, y te juro que no sé el porqué, esas tontas aprensiones de Minou han terminado por contagiárseme un poco. Sólo un poco, claro. Estoy a cubierto, soy un *español impecable, de orden,* un caballero peninsular de irreprochable filiación franquista nacido en una horrible colonia africana, que dispone de magnánimos saldos a su favor por los paraísos de medio mundo, pero... Querido mío, casi siempre terminamos por chocar de bruces contra la valla mortífera del fatídico *pero,* verdad. Dejémonos de circunloquios. *Puede* que no me quede mucho tiempo, al igual que, ojalá no lo permita el destino —bajó la voz hasta convertirla en un susurro—, a la deliciosa y pequeña Minou... *Proyecto Dantzig,* recuérdalo. Infinita noche de los cazadores de cuchillos largos que aspiran a reinstaurar su imperio continental, y que entretanto se ejercitan despejando los horizontes de esos testigos de cargo que les sobrevivieron, los buscan, encuentran a veces a alguno que otro de ellos y lo acusan en los tribunales. Quién sabe cuántos serán... A diferencia de tantos chaqueteros de fortuna, esta gente evita las primeras planas. De los reconvertidos, en cambio, sí que tenemos noticia, verdad. Los hay a miles, querido, no sólo en la dulce Francia, también por toda la vieja Europa de las conquistas *Bliztkrieg* de sus amigos de ayer... Empresarios, políticos, altos cargos que esquivaron las depuraciones, tipos del montón. Algunos se fabricaron incluso de la noche a la mañana un falso pasado de resistentes. Finalmente, a muchos de los veteranos de Vichy tampoco les ha ido tan mal en la posguerra. Han sabido darse la vuelta y recuperar parte del pastel. Convencidos hasta el final de su *nosotros lo valemos,* claro.

Comprendí que hablaba desde el rencoroso constatar de quien tuvo que agazaparse entre las sombras mientras observaba desde su refugio antillano el ascenso en la «dulce Francia», o allende sus fronteras, de algunos de esos travestidos de *demócratas* que durante los «años negros» realizaron suculentos negocios con él y los suyos, a la vera instigadora y complacida de los invasores. ¿No ocupaban ahora acaso las direcciones de las filiales española y estadounidense de L'Idéal notorios ex *collabos* con larga lista de crímenes contra la humanidad en su haber? Eran de esos que aplaudieron decretos de persecución racial, redadas y medidas de exterminio y se regocijaron con los editoriales de *Je suis Partout* y las soflamas germanófilas de Radio París. *Radio Paris qui est allemande,* como canturreaban, burlones, resistentes y opositores, apenas sonaba su sintonía.

A inicios del verano del 44, Monsieur Maurice se lanzó, acaso con prematura impaciencia, a la arriesgada operación del cambio de intereses y de bando. No le salió bien, sin duda porque su avasalladora personalidad no era de las que gozan del pasar desapercibido; él amaba la luz de los focos y el público renombre casi tanto como un actor primerizo a quien aún encandila leer su nombre en un programa y le asombra divisarlo, destacado en negritas, entre las líneas de una reseña benevolente. Era muy conocido en demasiados círculos. Como le sucede a tantos nuevos ricos y desclasados surgidos en esas movedizas épocas turbias en que se *puede* subir como la espuma a costa de la sangre y la desdicha ajenas, del sofocamiento de la conciencia propia, Maurice Brün no llegó a percibir a tiempo las grandes posibilidades de inversiones a plazo fijo implícitas en la palabra *discreción*. El hijo de aquel alegre cortador anarquista, que se hubiera revuelto de ira de haber podido entrever la trayectoria adulta del hijo único, se dejó ganar por la quimera, los fastos vanos de sus sueños de pobre. Pero los fastos, eso *sí* había terminado por aprenderlo, nos pierden mucho antes de que su relumbrar se nos muera entre los dedos como la llamita de un fósforo.

No me daba, no *debería* darme ninguna pena. Y sin embargo…

—Mau… escucha, Mau. Quiero ver a la pequeña Minou. Ir a visitarla.

Callé un «antes de que sea tarde», pero «Monsieur Brün» lo adivinó.

—Ella no desea que la visite nadie… y mucho menos tú, así que respétalo. Van a raparle el pelo para la intervención, su hermosa mata de pelo de la que tan feliz y orgullosa se siente. Sólo quiere que te pongas a resguardo… a la sombra de mis viejos colegas. Unas simples vacaciones en temporada baja, Étienne. Muchos rentistas lo hacen… a fin de cuentas, disfrutarás del placer de ahorrarte el próximo espectáculo del vulgo, veraneante a la «Renoir hijo», que durante dos meses lame helados y masca garrapiñadas en playas a rebosar, bajo sombrillas con anagramas de anisados y marcas de tabacos impresas en sus toldos.

Ahora quien se carcajeaba era yo. No hay peor clasismo, me dije, que el de los *parvenus* decididos a labrarse una duradera reputación de «snobs» a cualquier precio.

Pero no me reía cuando inquirí, a guisa de despedida:

—¿La quieres como un padre? ¿O como a la niña que quisiste ser?

—Malditos sean todos tus nombres, pequeño imbécil. Y hasta los míos, sí —pareció reflexionar un instante, y afirmó enseguida, tranquilo y solemne—:

Desde que Minou Joliette se cayó de ese caballo de domadas cabriolas tristes y crines ornadas de lentejuelas, la he amado *sin tocarla,* me oyes, sin tocarla, como a la Diosa de la Luz que desde luego es, y a la muchacha mágica que me fue anunciada de niño en sueños en los que yo no era espectador de ninguna función, sino participante y estrella de todas… Cuando era pequeño, mi padre, que adoraba, como todos los muertos de hambre, el circo, solía llevarme a las localidades más baratas lleno de entusiasmo. Comprábamos almendras tostadas, buñuelos rellenos de confitura de grosella, cucuruchos de maní, algodón dulce, y él reía hasta reventar con las gracias de los payasos, que a mí me atemorizaban. Yo amaba hasta la locura a los trapecistas, los funambulistas, los domadores de fieras. Y, por encima de todo, a las caballistas. Años después, cuando vi y me *hice* con ciertos cuadros de bailarinas de Dégas, reconocí en la pincelada precisa y obsesiva de este pintor una común fascinación por el músculo que se entrena, el sudor del ejercicio de horas ante una barra o sobre una grupa de caballo que girará, enjaezado, alrededor de una pista como las manecillas de un reloj. Ese triunfo conjugado y final del momento glorioso que los aplausos coronan sólo segundos después, cuando ya todo ha sucedido… Para mí, no ha habido nunca nada tan grande como la ilusión del circo. Te apunto además, mi querido impertinente, que nunca quise ser niña… ni tampoco niño, sólo una música que anunciase, desde una distancia cada vez más menguada, la llegada del espectáculo mayor, su emoción intrínseca y contagiosa. Quería ser esa música y vivir dentro de ella, para que no se terminase nunca. Supongo que te sorprende.

—No del todo.

—Bien, no nos alarguemos más. Te deseo unas buenas vacaciones. Si no quieres hacerme caso a *mí,* házselo al olfato de la bella Minou. Aléjate de la *señora malvada,* de esa fría dama que acaso no fue pintada de encargo en 1482, como cuentan algunas versiones, sino, y como aseguran otras, en 1497. Pintada motu proprio, exclusivamente para ser enseguida entregada a las llamas de unos esponsales forzosos... Una especie de prometida al fuego más acérrimo, al prendido por frías almas muertas que odian y condenan los cuerpos, eso podría ser ella, según Minou. Un ser concebido y destinado para el sacrificio que sofocaría deseos y vengaría ultrajes al *pudor,* si es que tienen razón quienes afirman que Botticelli la pintó en 1497 para ofrendarla a las expiaciones colectivas savonarolianas de ese último día de carnaval, no puede darle buena suerte a nadie.

—Yo nunca he tenido suerte. Desde mucho antes de ver a la *Venus de la esfinge,* de saber que ella existía en alguna parte.

Ella había existido en el alma ansiosa de Alejandro de la Fuente, pensé conmovido, y siguió existiendo en el escondrijo improvisado que él debió buscarle antes de arrojarse, entre centenares de miles de derrotados, a los caminos del éxodo donde lo apresó, hambriento y humillado, la venganza de los vencedores.

Y antes había existido, durmiendo un sueño de siglos y polvo, dentro de la hueca figura que ornaba una de las hornacinas de un largo y poco transitado corredor palaciego. Alguien la ocultó allí... ¿quién? ¿Su autor, el mismísimo Botticelli, apiadado en el último instante de su belleza de hielo y fuego, caricia y herida? ¿Algún discípulo de su taller, horrorizado ante la idea de verla arder en las piras del tormento de los desdichados *herejes*? ¿Alguna limpiadora a quien le conmovieron su desnudez lunar, la clara fijeza de sus ojos ciegos?

Alguien la ocultó en el ala de ese palacio toscano y un día de verano de cinco siglos después un solitario muchacho hispano-italiano pasó corriendo por allí y derribó al pasar el vaciado de escayola de una escultura. Lo imagino recogiendo azorado los pedazos, palpando de repente una especie de tela enrollada...

¿Qué se inició ahí?, me pregunté... Y qué habría de culminar ahora, conmigo...

—Étienne querido, ¿sigues a la escucha?

Me quedé callado y él afirmó:

—La suerte no existe.

—Dime una cosa, ¿te arrepientes... aunque sea un poco?

—Adiós, muchacho. Que tengas… suerte.

Colgó y me quedé largo rato con el auricular en la mano, como un imbécil. Pensaba que Minou moriría muy pronto. Me preguntaba cómo sería el mundo sin ella. El mundo sin la pequeña caballista huérfana, educada en un convento, que antes de quedarse ciega se enamoró sin remedio de las calles de Clichy, del rastro de las Pulgas de St-Ouen, de los grandes bulevares, de su bullicio apenas entrevisto alguna tarde de permiso dominical. De dos y media a siete y en grupos de a tres, bonitas muchachas de capota azul, falda de tejido barato y medias gruesas de lana basta que pica en las pantorrillas. La cría que un atardecer no regresó a su celda, prefirió irse muy lejos, seducida por una melodía de acordeón que tocaba en una esquina un hombre triste y bello, de camisa sucia y bigotes afables que olían a vino…

El mundo sin Minou.

Era raro y horrible.

Proyecto Dantzig, tómate unas vacaciones adelantadas… ¿a qué tenía que adelantarme yo? Yo era un absoluto desconocido, un tipo anodino del montón, pero… Siempre los *peros,* sonreí. *Pero* «Proyecto Dantzig». Ellos no negocian, no se avienen a nada que no sea el pago en sangre.

Por otra parte, aeropuertos y estaciones no funcionaban.

¿Y qué tal unas vacaciones en una *péniche?* Saliendo apenas a cubierta, casi como un secuestrado a quien retiene en una sentina un grupúsculo de colegiales dulcemente patéticos a quienes no les importa en absoluto el rescate, sólo la excitante aventurilla de una revolución que dura tres tardes. Y ese absurdo haberse atrevido al fin a *hacer algo*.

Tommy me acogería sin muchas preguntas, seguro. «Soy periodista para todo y todos, salvo para mis amigos, que por esa puta discreción mía me abandonó Lisette, entre otras razones, imagino», solía decir riéndose cuando almorzábamos, tras horas de aguardar en un recodo arenoso del Marne a que picasen los peces. «Ella me preguntaba: ¿cómo un tipo que vive de hacer preguntas, descubrir respuestas y hasta inventárselas, y no me vengas con códigos deontológicos, no es capaz ni de preguntarme cómo me siento por las mañanas?»

Deshazte de ella, aléjate de la Venus... *la malvada señora...*

Sus voces se confundían dentro de mí.

Podía confiar en Tommy, estaba convencido. Eran demasiados años pescando a su vera. Los dos en silencio...

He aprendido a reconocer la cualidad de un silencio.

Entré en mi dormitorio, abrí la caja fuerte y saqué las obras de mi padre.

Las extendí sobre la cama revuelta.

La muchacha de las cítaras y *Las nadadoras...*

Sentí que las amaba.

Un lienzo y una acuarela perdidos, la tierra y el agua, y allí estaba de nuevo mi padre.

Mi padre, de muy joven, acariciándome la nuca con sus dedos que pintaban el mundo.

Sus dedos manchados de pigmentos, cal y tintas azules… sus dedos que se tragó el Ebro al principio de una ofensiva que enseguida se volvió trampa letal.

«Usted las necesita más que yo», me había dicho una mujer, testigo del horror al que no llegó a sobrevivir, pero ¿es acaso eso factible?

Rocé el lienzo y la acuarela como si apreciase en el arrugado rostro de un bebé recién salido de la incubadora los rasgos del anciano en que tal vez se convertiría, y me eché a llorar.

Quería esas obras y quería a mi padre desaparecido y notaba su presencia allí conmigo. ¿Cómo pedirle al silencio que no se colme y a la ausencia que no se agote? ¿Cómo invocar lo que ya no es, lo que no recuerdas siquiera que fue? ¿Qué pudo, debió haber sido?

Qué diablos quise imitar yo y de qué carajo había huido… llevaba toda mi vida huyendo de mí mismo, no hacia mí.

Lloré y lloré…

Sollozaba como el niño perdido que fui muchas, demasiadas veces, en mitad de un bombardeo, criatura refugiada y en tránsito con una etiqueta identificatoria colgada de su muñeca, que se ha extraviado en una estación extranjera de trenes, entre una marea de maletas y un estruendo de altavoces que anuncian destinos.

Muchos destinos y el temor de que ninguno fuese bueno.

Lloraba igual que si me estuviera volviendo loco.

Y mientras lloraba, llené a toda prisa una maleta con cuatro prendas y unos útiles de aseo recogidos a la desordenada.

Metí con sumo cuidado las obras de mi padre en su doble fondo y pensé en la Venus.

La *Venus de la esfinge*.

*   *   *

Entré en mi cámara secreta y la miré.

Hermosa, blanca, distante como un fuego fatuo, encendía la oscuridad…

Y por vez primera la advertí víctima aterida, inmensamente sola. No diosa, sino pintado temblor de carne abocada al sacrificio, a la condena del no ser, no poder llegar a ser nunca, al ultimátum inaugural y feroz decidido por el fanatismo.

Una donzella non com uman volto, escribió Poliziano en sus *Stanze* de 1494…

Arqueaba la pierna izquierda, como las esculturas de Praxiteles, y su tristeza se me reveló de pronto innominada y profana. Próxima como ninguna otra en el mundo.

Los ojos transparentes de la esfinge, idénticos a los suyos, viajaban al fondo de los míos y me lanzaban una sola pregunta múltiple que contenía los acertijos de todas las demás. *¿Quién eres, qué fuiste y siéndolo serás?*

Soy el hombre que perdió su sombra, me reí. El que la busca en sus sueños y al despertar rehúye la búsqueda, soy el que escapó hacia delante, el hijo adoptivo del miedo, soy aquellos que perdí y también los que me perdieron, soy luces que titilan en la oscuridad, ausencias que no cesan, presencias que ahora invoco.

Soy una cobardía, un anhelo y una sospecha infinitos, un valor que se teme a sí mismo, un cuadro que nunca se empezó porque se ideó ya acabado. Una historia vulgar hecha de la vulgar, extraordinaria, historia de todos.

Soy el que mató una noche a un nazi miserable, salvó la vida de un oportunista no menos miserable y condenó la suya.

«Y me gustaría contártelo», le dije en voz alta a la Venus.

Le hablé de aquella abandonada alquería de la carretera de Burgos, donde fuimos citados Aníbal y yo, mediante instrucciones muy precisas, trazadas incluso en un plano (*«demasiado* precisas», insistió Frieda, quien desde el primer momento desconfió y columbró una emboscada), el último día de agosto de 1944 para recoger unos Dégas. De la excitación de Monsieur Maurice, que insistió en acompañarnos, contra la estipulada rigidez de normas y principios establecidos por él mismo y las aprensiones de Frieda. Amaba tanto a esas bailarinas, lo impacientaba de tal modo la idea de tenerlas entre sus dedos, que durante unos segundos rozarían, maravillados, los plisados tules, la tensión de las pantorrillas, los *demi-pliés* ante la barra y el espejo, que desoyó toda prudencia y le instó asimismo a un LeTourneur muy renuente a acudir a la cita. Quería que éste comprobase in situ la autenticidad del «material». El contacto para esta entrega venía avalado por un turbio comerciante de Hendaya al que apodaban «el saldista»; dos de sus hombres nos aguardarían en el lugar acordado.

Pero naturalmente no fueron ellos, ni las sensuales y esforzadas bailarinas del *antidreyfusista* Dégas, quienes nos esperaban allí, sino Brandler, con Finet y otros dos franceses a quienes nunca vi antes y que salieron en polvorosa hacia su Torpedo Renault nada más presenciar la muerte de su todopoderoso jefe alemán.

No hubo allí casi ningún cruce de palabras, le cuento a la Venus. Brandler les gritó algo en alemán a Monsieur Maurice y a Pierre LeTourneur, un insulto supongo, *traidores* o cualquier otra cosa por el estilo, y Finet disparó. Lanzó una ráfaga de metralleta primero sobre la frente y el cuello de LeTourneur y enseguida al pecho de Aníbal, todo sucedió tan rápido que apenas si lo recuerdo. Sé que me arrojé de bruces al piso de tierra, junto a un inmenso arcón, debí de cortarme el labio al caer, porque de pronto notaba el sabor herrumbroso y dulce de la sangre resbalándome por la barbilla. Ahora era Brandler quien se disponía a tirar, apuntaba con la Luger a los ojos de mi patrón y en su mirada de reptil brillaba la más implacable de las determinaciones. Pero entonces Aníbal, que agonizaba en el suelo, se removió y con el rabillo del ojo vi cómo sacaba la Star de su bolsillo, la empuñaba y le encajaba un tiro certero a Finet en la boca que distrajo durante unos segundos a Brandler. Los suficientes para que desviase el arma y mirase a su alrededor, momentáneamente desorientado. Tan desorientado como Maurice, que parecía incapaz de moverse, idéntico a un pájaro hipnotizado por la mirada de una serpiente.

Finet cayó, soltando la metralleta…

Fueron, sin duda, los segundos más largos de mi vida.

Gateé a toda velocidad, le propiné de paso una fuerte patada a mi patrón, me apoderé de la metralleta de Finet, cuyo rostro no era ya un rostro, sino la máscara de los horrores, la alcé y vacié su cargador entero sobre Brandler.

Lo vi brincar y ejecutar una delirante danza de la muerte, ajeno a todo lo demás. A Monsieur Maurice, que reaccionaba al fin, se agachaba junto a Aníbal, le quitaba de los dedos yertos la Star y encañonaba con ella a los dos franceses. Temblaba tanto o tenía tan mala puntería que a éstos les dio tiempo a huir de un salto hacia la puerta y el automóvil, que hicieron arrancar a la desesperada.

No me acuerdo de haber oído el motor, los motores en verdad, ya que los milagrosamente ilesos vichystas también se llevaron consigo en su loca huida el Mercedes de Maurice, que condujo hasta el cepo a nosotros prometido el pobre tonto de Aníbal; pero por fuerza tuve que haberlos escuchado arrancar como a trombas rugientes en la noche. Tampoco recuerdo haber sentido el postrer disparo del alemán, que Maurice jura y perjura, apoyándose en la prueba de la bala perdida y errada que le arañó el brazo, que Brandler efectuó en mitad de su agonizante baile de San Vito, cuando quizás, eso ha asegurado siempre estremecido, *ya estaba muerto. Un muerto que no se resignaba a dejar incumplida su venganza.*

Brandler, o ese despojo sangriento en que se había convertido, se derrumbó al fin en el centro mismo de aquella sala con aperos de labranza colgados por los muros torcidos. Yo habría seguido disparando de buena, buenísima gana, comprendí luego con espanto, pero no tenía ni idea de cómo se cargaba de nuevo una metralleta.

Gracias, Fred, gracias, hijo, pero vámonos deprisa,
ahora, ahora. No hay tiempo que perder, corramos al
coche.

Y no había coche, por supuesto.

Monsieur Maurice, que se ataba al brazo ensangrentado un torniquete improvisado con el faldón de su camisa de popelín, blasfemó, iracundo. Reí tontamente. Él daba vueltas pensativo, alrededor de las huellas de neumáticos, que iluminaba con una linterna descubierta en aquel arcón repleto de herramientas, porque la de Aníbal viajaba lejos, dentro de la guantera de su Mercedes desaparecido. Sobre nuestras cabezas titilaban las estrellas. Aspiré el aroma a tomillo, a jara y resina de pinares, disfruté del canto magnético de los grillos, respiré, agradecido y a pleno pulmón, la sorpresa de estar vivo.

«Caminaremos hasta la aldea más cercana, ya encontraremos a alguien que nos acerque, si no a Madrid, a una estación de esos horribles ferrocarriles españoles, al dinero no hay quien se le resista —decidió—. Nada más llegar a la Casa de los Ángeles, y antes ni de contarles nada a Frieda y a Minou, llamaré al comisario Villegas, sí, no pongas esa cara. Villegas es todo menos un imbécil, y las últimas noticias provenientes de París le han dado, como a otros, mucho en que pensar. En realidad, todos ellos debieron haberlo hecho mucho antes. Ya incluso desde Stalingrado, pero no todo el mundo posee dones de Sibila, no todos pueden ser Nostradamus, verdad», añadió, ya más tranquilo.

París, musité, y el breve son libertador de esas dos sílabas de inmensidad y belleza terminaron de apaciguarme. Mi patrón fumaba, y la brasa de su pitillo relucía en la oscuridad con un fulgor de joya.

«Espera un momento —dijo de pronto—, se me acaba de ocurrir una idea».

«Ojalá sea menos mala que la que nos arrastró hasta esta ratonera», gruñí. Asintió, conciliador. «De acuerdo, de acuerdo, no he estado muy brillante, te lo reconozco, me he dejado engañar cual modistilla. Aunque no me negarás que tampoco Brandler se ha mostrado a la altura. Mira que venirse aquí con la soberbia de quien se toma por la reencarnación del todopoderoso Odín… bajo la sola protección de esos dos gandules robaperas que harían revolcarse por los suelos de la risa a cualquier *caïd* marsellés que se precie. Y por si fuera poco, acompañado por un Finet que… en fin, al tarado de Finet le gustaba mucho violar a detenidos y aplicarles corrientes eléctricas en la rue Lauriston, pero nunca se distinguió por su sentido de la oportunidad. A quién se le ocurre no dispararme a *mí* en primer lugar… Al decantarse por el pobre Pierre, qué gran pérdida para el arte la muerte de LeTourneur, muchacho, y acto seguido por el idiota de Aníbal, Finet demostró por última vez su más que asombrosa estulticia».

Muy a mi pesar, solté una carcajada. «Cualquiera diría —ironicé—, que el *error* de Finet, que tan bien le ha venido por otra parte, le *ofende* en el fondo en lo más profundo, Monsieur Maurice».

Pero el patrón de L'Idéal ya no me escuchaba.

Me tendió su mechero de platino y una caja de fósforos.

Graznó una orden.

Préndele fuego a esa cochambre de casa con todos sus muertos dentro y larguémonos enseguida.

El fuego ascendió muy rápido en la seca noche de agosto. Pensé en las llamas lamiendo, lábiles y voraces, la mano amputada de Pierre LeTourneur y tirité un buen rato, ganado por un frío íntimo que me retrotraía a otro incendio anterior.

A óleos, acuarelas, grabados, cartones y pasteles que ardían, junto a una moderna plaza de toros, en mitad de una noche ciega de bombas incendiarias arrojadas sobre habitantes indefensos desde los cielos de Madrid.

La proximidad de las llamas recientes me arrebolaba el rostro. Y el hedor de otras hogueras venidas del ayer, que devoraron miles de vidas y aniquilaron millones de almas, de visiones e ilusiones, entre ellas las de Ventura Fernet, mi padre, me picaba en las fosas nasales como el ácido de la muerte. De la muerte que se distribuye lenta, en medidas dosis de un calculado sufrimiento.

Un vértigo de fuego… Percibí a su través piras en los que bailoteaban de dolor, amarrados sobre haces de leños, esos cuerpos *heréticos* de los inocentes condenados de antaño, ante muchedumbres extasiadas, drogadas por el sonsoniquete monocorde de los rezos e invocaciones a las más humanas fuerzas del mal que los dueños y señores de hábitos terrenales llamaron *Dios,* durante su festín de blasfema mascarada en pos de vidas y bienes ajenos obtenidos merced al único precio de la sangre crepitante. Y distinguí, también, bulevares donde chisporroteaban, en las esquinas bombardeadas y entre los escombros de lo que alguna vez fueron casas donde merendaron niños frente a cuadernos escolares y se amaron o pelearon adultos, restos de balancines, somieres, armarios, ollas, muñecas tuertas, cunas, sillas de inválidos y el humilde, sabroso, perejil en tiestos.

Cuadros murientes del mundo que fue pintado vivo. Hermoso. Duro, pero vivo y hermoso, con su perspectiva retándole al porvenir, le dije a mi Venus superviviente y triste, que jamás maldijo a nadie, porque fue a ella a quien concibieron maldita.

Y sólo ahora me percataba de veras de su drama eterno de diosa vencida y fugaz, engendrada como mero castigo admonitorio para esas otras mujeres convocadas a un último día de carnaval expiatorio. Esas *espectadoras* que al contemplarla ardiente, pigmentos y silueta abarquillada borrándose sobre la tela llameante, *aprehenderían,* quizás, temerosas y de una vez por todas, la oprobiosa lección del odio a la carne propia. Del temor a los deseos pujantes que combaten, revulsivos, sometimientos y cambian, revolucionarios, condiciones.

Así fue, «todo eso lo vi yo, mientras incendiaba aquella casucha con su recogida cosecha de cadáveres dentro. *Vi* esos crímenes de ayer y de siempre, y sin saberlo también te estaba viendo a ti a la vez, bella», le dije, lleno de emoción. Y añadí, en voz muy baja, como si estuviera orando:

—No eres la *malvada señora,* lo sé, cuánto se han equivocado contigo, de qué modo fatal e injusto me he confundido también yo contigo... Minou, la pequeña ciega que casi todo lo ve, no advirtió, sin embargo, de ti más que la alargada sombra del miedo. Creyó, aterrada, que esa sombra la proyectabas tú, no entendió que ella había desertado de ti muchos siglos atrás... Si acaso para que en esta primavera turbulenta la hallase yo, el hombre que *sí* escapó, voluntariamente y al revés que tú, de su propia sombra. De su sombra que no lo ayudó, por qué iba a hacerlo, si la ayuda era en su caso inmerecida y tan circunstancial, no a ser otro, sino a volver a ser él mismo.

Esperaba con toda mi alma que hubiera sido su creador, el mismísimo Botticelli, llamado el «orfebre» a causa de la incisiva frialdad de trazo de su pulso de arquero, quien la *salvó,* indultó en la hora penúltima de su horrible destino sacrificial diseñado a priori...

Pero entonces, ¿a quién entregó a las llamas el autor del *Nacimiento de Venus* en su etapa de contricción y remordimiento *savonarolianos?* ¿A una «hermana», clónico boceto posterior de la *auténtica* salvada in extremis por el apiadado orgullo de un *convertido* que, artista al fin y al cabo y sobre todo, se arrepintió en el último momento? ¿Al original, a su copia, a una copia de la copia? ¿Fue acaso una copia de la copia la que desapareció, ida en humo, en la hoguera voraz del fanatismo?

—También yo podría preguntarte *quién eres...* pero creo que no voy a hacerlo —le dije locamente a la esfinge.

Y me pareció, durante otro instante demente, que el mítico animal de las preguntas sagaces y los acertijos difíciles y tan sencillos me guiñaba un ojo azul...

Azul de mar y horizonte, de océanos y cielos, de cristales de hielo y antojos del deseo. De voladoras brasas azules que orillan y abrasan.

Azul de mi al cabo señora *de bienaventuranzas...* Azul insinuado en la blancura de su cuerpo de líneas violentas, como cinceladas a punzón. Azul afirmado en la mirada, deslumbrada y deslumbradora, de quien durante siglos yació a oscuras y en silencio, en el escondite de los proscritos, los perseguidos, los malditos...

Pero no siempre un escondite resulta serlo del todo.

Y entonces atisbé al fondo de esa mirada la de una chamarilera extraña, con el tatuaje de la infamia en su antebrazo izquierdo, que me dijo, desdeñosa y caritativa:

—Usted las *necesita* más que yo.

Atrás de las encendidas pupilas de ambas bailaban su danza del agua de la vida las nadadoras de mi padre.

Una epifanía. Una historia, un devenir que boga hacia el pasado, llega hasta el presente y navega, misterioso y temible, hacia el porvenir.

No temblaba mi voz que le agradecía al caído caballero agonizante del cuadro su singular sacrificio de amor, ese embeberse de la sombra de la diosa para que ésta, imagen y semejanza quizá de un original prometido a las nupcias del fuego, pudiese aguardar a escondidas el advenimiento de tiempos otros. Épocas en que su origen y belleza antiguos y anticipatorios no entrañasen y depararan condenas y castigos.

El caballero muriente era su sombra por renacer, entendí.

Y su cuerpo el cáliz desde donde recuperar, y si acaso resucitar, a la mía.

Me levanté y desenmarqué su frágil, cortante humanidad, con dedos que tampoco temblaban.

Sus hombros, sus pómulos, sus caderas, su volátil y tanto tiempo apresada melena, de una claridad de pavesas que ya nadie soñará atizar, se animaron, felices, entre mis manos que enrollaban el lienzo grande y fabuloso.

—Si como es cierto y así lo creo, fuiste concebida para el altar encendido del Dios más cruel, yo te rescataré para el agua y la sal de las miradas de los hombres —prometí.

Mi voz resonó altanera por su cámara de celadora de enigmas que ya no serían tales.

Altanera y dichosa.

El doble fondo de mi maleta de impostor, de maleante hechicero de fortuna, daba para mucho.

En marcha, pronuncié contento, al cerrar su combinación.

Y estoy seguro, absolutamente *seguro,* de haber percibido la risita cómplice de la esfinge y el estertor feliz del caballero pintado, de rostro invisible caído de bruces, que al fin se permitía agonizar a un lado del lienzo, tras siglos de silente espera desesperada de la luz…

Estoy tan seguro de haberlo oído como de que nunca he terminado, o empezado, a llamarme Étienne Morsay.

—Vamos.

Tomé la maleta y cerré con llave y cerrojos la puerta del piso que tanto me gustó conseguir una década atrás. Salí a las calles alfombradas de pasquines, hacia la casa-flotante, la chalana sobre el Sena de mi amigo

Tommy da Costa, de buen humor y con el ánimo tranquilo.

Pronto sería medianoche. Y en el rellano oí por la radio de un vecino que al día siguiente, 26 de mayo, empezarían las negociaciones entre el gobierno, los sindicatos y la patronal.

Las aceras brillaban húmedas a la luz escasa de las pocas farolas que no destrozaron las pelotas de goma de los CRS, las pedradas de los manifestantes.

El silencio era extraño. Como el de un mundo que contuviese el aliento la noche antes de su desaparición.

* * *

Galería de los sueños

París, 30 de mayo de 1968

Llevo sólo tres días alojado en el barco-hogar de Tommy, pero han sucedido tantas cosas que tengo la sensación de que hubiese transcurrido una década. De Gaulle ha disuelto hoy la Asamblea y ha convocado para este anochecer a las derechas para una gran «manifestación patriótica», pero son muchos los informadores que aseguran que el general viajó ayer, día 29, en secreto a Baden, nada menos que ¡a Baden! Para negociar, comentan, la intervención de los blindados en París. Me resulta difícil creer algo semejante por parte del hombre que en junio del 40 rechazó el vergonzoso «armisticio» de Pétain y marchó a Londres a proseguir la batalla contra los nazis, pero Tommy, a quien anoche le brillaban los ojos de rabia, de pena y decepción, o de todo ello a la vez, me asegura que sí, que sus compañeros más jóvenes de la prensa tienen pruebas fehacientes de esta indignidad.

Tres días durante los que hemos hablado —sería mejor apuntar que yo lo hice— sin parar, apurando un pitillo, una copa, un café tras otro. Tommy me acogió sonriente y yo me abalancé sobre él blandiendo este mazo de folios.

—Antes de nada —dijo después, ya instalados ante los primeros cafés de una serie interminable, luego de abrazarme con un afectuoso «eh, vamos, tranquilo, pero si estás temblando»—, tienes que saber que tenías razón, porque tu Aurélie existe. O mejor dicho, existió.

Hizo una pausa y me miró con fijeza.

—Leí su nombre la otra noche en casa de Lisette, una mera mención entre otros muchos, pero está inscrito muy claramente en las actas del juicio del 47, en cuanto pueda te las fotocopiaré. Aurélie Vidal. Deportada a Auschwitz en noviembre del 42. Tu tapicero Drummont del pasaje du Caire, Justin Drummont, ex tapicero tras la Ocupación, porque durante los años negros se enriqueció muy deprisa como traficante de objetos robados y de toda clase de materias primas para el «Service Otto» y se convirtió en un rico negociante de día y en temible torturador a las noches pasadas en vela en la calle Lauriston, denunció su escondite a sus amigos de la Gestapo. Drummont tenía su despacho en la calle Aboukir. Parece ser que muchos años atrás, en el 36, litigó con el padre de ella, Simon Vidal, un pobre chamarilero sefardí nacido en Salónica y naturalizado francés en 1925, por un modesto local de la calle… creo que antes se llamaba de los Abbattoirs y que en la posguerra se le cambió el nombre, de ese detalle ya no me acuerdo bien. El pleito lo ganó Simon Vidal, que murió de un síncope en el 38. De un modo u otro, el rencoroso ex tapicero Justin Drummont, más conocido en las noches lúgubres de los gestapistas por su alias de *Fefeu Riton,* se enteró de que la hija de su antiguo contrincante por un local de nada, un bajo de tres al cuarto, se ocultaba de las redadas raciales en el sótano de una charcutería vecina, propiedad de Jacques Belcort. Y no sólo les mandó a toda su plana mayor, también fue él en persona a detenerlos, a sacarlos a rastras de su pobre y previsible escondrijo. Y es que ese hijo de perra de Drummont o Riton tampoco necesitó entonces un talento impresionante para deducir que dos y dos son cuatro, porque Jacques Belcort, que regresó de Mathausen y fue, entre otros muchos, testigo de cargo en el juicio en su contra en 1947, era el novio de la chica. De Aurélie Vidal. Su prometido sobrevivió y regresó a Francia, pero ella… ella no. Nunca regresó, comprendes. Y la pregunta que yo te hago ahora es *¿a quién viste tú?*

Entorné los ojos y floté en una mirada azul…

—A una *nadadora.*

—¿Cómo dices, Étienne?

Aurélie, la Venus… Nadadoras del agua de los sueños, suspiré, qué largo camino de sombras y llamas para llegar hasta vuestro misterio, tan hermoso, tan sencillo.

—Étienne, ¿te has dormido? No entiendo nada…

Sonreí con esfuerzo, abrí los ojos y lo miré. Febril, lleno de dolor, pero también de calma y confianza.

—Puede que cuando comprendas lo que voy a contarte me eches a patadas de tu lado, Tommy, pero tengo que hacerlo. Y pedirte incluso, si es que llegas a escucharme hasta el final, que hagas algo, no por mí, sino por… por mucha otra gente, seres que ya no están entre nosotros, como Aurélie Vidal, y otros que por fortuna sí lo están, como tu hija, o mi madre, que vive no muy lejos de aquí, pero me cree muerto o consumido sin remedio entre las llamas de la peor de las épocas. Por esos otros, también, que lo estarán alguna vez. En primer lugar, no me llamo Étienne Morsay, sino Federico Fernet. Y no soy belga, sino español, aunque eso es lo de menos, porque no cuenta, o no debería contar, de dónde se es. Sólo importa *qué* se es y *qué* se está siendo.

Hablé largo y tendido durante horas, hasta enronquecer, y todo ese tiempo mi amigo me estuvo escuchando sin interrumpirme, con la mirada húmeda y atenta.

Y mientras tanto, la noche fue cayendo y desde más allá de los puentes y las esclusas, del fondo de los bulevares, nos llegaron el creciente clamor, las ordenadas consignas de la reiniciada marcha del orden.

París, 5 de septiembre de 1968

Blanca Fernet, que antes de su reciente divorcio llevó el nombre de Blanca Delval, contemplaba arrobada *La muchacha de las cítaras* mientras su hijo de tres años correteaba por todo el piso de la calle Pyrénnées. Tenía la acuarela de *Las nadadoras* sobre las rodillas y previamente la había contemplado asimismo durante mucho rato, embebida y maravillada, antes de rozar con timidez aquella firma de trazo esquinado y letras altas, *Ventura Fernet*.

—Es increíble —susurró—, son de mi padre... ¿Sabe que nunca lo conocí y que su obra se perdió en la guerra de España?

—Lo sé —asintió Tommy da Costa.

Había tocado el timbre con el nerviosismo de un muchacho que acude a una primera cita y tardó unos segundos en preguntarle a la joven rubia que le abrió la puerta por Alicia Zaldívar, Madame Fernet, porque el niño que se deslizó entre sus piernas, con un dedo pulgar metido en la boca, se le figuró un calco en miniatura del hombre a quien durante mucho tiempo, doradas tardes compartidas de pesca y una amistad que sólo terminó de fraguarse a bordo de una *péniche* la noche en que murió el mayo, conoció por Étienne Morsay. Era un parecido tan increíble que por un instante creyó estar soñando.

«Madame Fernet» no estaba en casa, se hallaba ingresada en un hospital, le respondió la joven. No, no se trataba de nada grave, tan sólo una simple operación de rutina. Días antes habían tenido que extirparle urgentemente el apéndice. «Yo soy su hija —aclaró—, he venido a su casa a recoger unas cosas para llevarle a la clínica». Si podía serle de alguna ayuda…

—¿Pero cómo… cómo sabe usted tantas cosas? ¿Y dónde encontró los cuadros, señor Da Costa?

Se disponía a repetir las cuatro vaguedades que le soltó al principio, cuando rogó «un poco de tiempo para darle algo que en realidad pertenece a su madre y que ha llegado a mis manos por… bien, por puro azar». Ella lo había observado, dubitativa, y al fin condescendió en hacerle pasar a la salita donde ahora llegaba corriendo el niño, librándolo de nuevas explicaciones.

—Fred, estate quieto. Te tengo dicho que no corras con lápices en la boca, si te caes puedes dañarte un ojo.

Y volviéndose hacia él, explicó:

—En realidad, se llama Ventura, como mi padre. Ventura-Frédéric, ése es su patronímico completo. Pero a mi ex marido no le gusta el nombre de Ventura, le suena muy poco… muy poco francés. De modo que hemos terminado por acostumbrarnos a llamarle Fred.

El pequeño se sacó el lapicero rechupeteado de los labios y observó a las nadadoras con atención extrema.

—Están bailando —afirmó de repente.

—¿Quiénes, hijo?

—Ésas, las de los ojos azules.

Y señaló la acuarela.

—No vayas a tocarlas, a ver si se manchan… Y no, hijo, no están bailando. Están nadando, más bien buceando. Tienen los ojos cerrados, pero tú te los imaginas azules, como los de la abuela Alicia o los míos. Las pintó tu abuelo, el padre de tu mamá.

El crío meneó la cabeza y frunció los labios.

—No sabes nada, están bailando. ¿No oyes su música?

Con cuidado, Tommy da Costa alzó al niño, que se dejó hacer y lo observó intrigado. Tenía grandes ojos oscuros e inquisitivos.

—Yo también la oigo, su música —reveló con dulzura.

* * *

Tras un año y varios meses de obsesivas búsquedas infructuosas, Tommy da Costa comprendió al fin que no daría con el paradero de Alejandro de la Fuente y Castiglione, cuyas huellas parecían haberse esfumado por completo a partir de 1944.

Entonces, hizo lo que, de producirse esa situación, le había indicado Federico Fernet que hiciera.

Entregó la *Venus de la esfinge* al museo del Louvre, donde fue autentificada, en medio de una gran expectación pública y tremendo revuelo de los peritos, como un Botticelli auténtico por un grupo de expertos entusiasmados.

Y algunos años después, un joven historiador de arte, estadounidense establecido en París tras doctorarse por la Universidad de Princeton, rastreó los orígenes del cuadro legendario que fue pintado para no gozar de más luz que la de las llamas. Investigó su rescate, su demorado y escondido sueño de siglos, con ahínco febril y desentrañó todas las claves del lienzo, pero se estrelló siempre contra el misterio eterno de su reaparición. Aún así, su voluminosa monografía al respecto, titulada sobriamente *La Venus de la esfinge. El Botticelli secreto,* se convirtió de inmediato en un clásico del género.

Aquel joven ensayista americano se llamaba Karl Weiller.

Sus familiares e íntimos lo llamaban «Charlie», pero a él le gustaba firmar sus trabajos con el nombre prestigioso y amado de su padre. Era un personal acto de homenaje al hombre que de niño lo paseó por salas de museo y le mostró, jubiloso y dulce, en su gutural, algo vacilante y ultramarino inglés académico de exiliado judío alemán, el mundo variopinto asomándose a sus muros y hornacinas.

Al transterrado que lo enseñó a amar la pintura.

A *verla*.

Y de algún modo, desgarrado y luminoso, a verse, algunas, pocas, ocasiones, a sí mismo.

Santiago de Atitlán, Guatemala, 8 de mayo de 1973

Alguien les había comentado en el embarcadero que aquel hombre solitario, que pintaba por las tardes a orillas de uno de los más bellos lagos del continente, era francés. Francés como ellos dos, que salieron meses atrás de Caen con sus mochilas a cuestas, decididos a recorrerlo todo, a experimentarlo todo, a gastar y desgastar, si así fuese necesario, su amor reciente de inconformes por los caminos del Nuevo Mundo espléndido y triste. Vieron, atónitos, volcanes, cordilleras, pirámides y ruinas de ciudades elevadas al sol y devoradas por el empuje oceánico de las selvas, una miseria infinita, prodigios y sombras, y en algunos momentos alcanzaron a verse, también, a sí mismos como nunca lo habían hecho antes.

Y ahora miraban en silencio al europeo que pintaba al pastel informes y extrañas bailarinas danzando de puntillas sobre turbiones de agua.

—Surrealista, sin duda —le susurró el muchacho a su amiga. —Y añadió, con cierta suficiencia—: Eso está ya un poco pasado, me temo.

Ella preguntó al hombre de qué parte de Francia era y pensó a la par que le resultaba guapo. Muy guapo, aunque un poco viejo, claro.

Y éste sonrió.

—No importa de dónde se es, sino *qué* se es —afirmó en su idioma. Y siguió pintando.

Podría haberles dicho que daba igual surrealismo que abstracción, *que se trataba, siempre se trata, de otra, y a la vez y sin embargo la misma, cosa,* pensó ella, sobresaltada.

Pero si no se lo había dicho, ¿por qué esas palabras no proferidas le ardían en la mente, revoloteantes?

Al cabo de un rato, emprendieron abrazados la vuelta al ínfimo hospedaje donde cinco noches valían apenas el precio de una *baguette* en el mundo que se afanaron, resueltos y solemnes, en dejar momentáneamente atrás.

Y el muchacho arguyó, pensativo:

—Está muy bien eso que ha dicho el tipo este sobre que no importa de dónde se viene… eso de que sólo importa lo que se hace. Un poco tópico, pero tiene sentido.

Usaba a todas horas la palabra «sentido», se dijo ella, algo fastidiada.

—Sabes, estoy pensando que no me ha sonado a francés. El tío hablaba como… No sé, pero me parece que es belga. ¿Tú qué crees?

Había dejado de escucharlo. En ocasiones, él la aburría un poco.

Se dio la vuelta y miró el lago.

Y por un instante le pareció divisar sobre sus aguas a una serie de pequeñas bailarinas que giraban sin cesar, cada vez más rápido, hasta disolverse en un carrusel de remolinos.